«Il modo di narrare di Ma
Ogni capitolo, infatti, è una sto
e insieme di almeno un memb̶ ̶ ̶ ̶ ̶ ̶ ̶

CORRIERE DELLA SERA

«Ha il respiro di una flânerie la commedia piccolo-borghese
di Lorenzo Marone. Ha il ritmo di una lunga abitudine,
ha le cadenze della ritualità, come l'arte di fare il caffè in casa Cupiello.
In lui il naturale piacere di raccontare signoreggia.»

TTL — LA STAMPA

Lorenzo Marone è nato a Napoli nel 1974. Dopo la laurea in giurisprudenza e qualche anno da avvocato ha deciso di dedicarsi alla scrittura. Con *La
tentazione di essere felici* (uscito presso Longanesi nel 2015 e pubblicato
in 9 Paesi stranieri) è arrivato ai primi posti delle classifiche. Dal romanzo
è stato tratto nel 2017 il film *La tenerezza*, con la regia di Gianni Amelio.
Nel 2016 ha pubblicato *La tristezza ha il sonno leggero* (Longanesi), nel
2017 *Magari domani resto* (Feltrinelli), nel 2018 *Un ragazzo normale* e *Cara
Napoli* (Feltrinelli), nel 2019 *Tutto sarà perfetto* (Feltrinelli) e nel 2020 *Inven-
tario di un cuore in allarme* (Einaudi), *La primavera torna sempre* (Feltrinelli)
e *La donna degli alberi* (Feltrinelli).

Lorenzo Marone

La tristezza
ha il sonno leggero

Romanzo

Per informazioni sulle novità
del Gruppo editoriale Mauri Spagnol visita:
www.illibraio.it

TEA - Tascabili degli Editori Associati S.r.l., Milano
Gruppo editoriale Mauri Spagnol

www.tealibri.it

Prima edizione SuperTEA giugno 2017
Edizione speciale TEA² maggio 2021
Dodicesima ristampa SuperTEA marzo 2022

LA TRISTEZZA
HA IL SONNO LEGGERO

A mio figlio.
Non smetterò mai di raccontarti le mie storie.
E di ascoltare le tue.

Qualcosa di buono

Si dice che il carattere di una persona si formi nei primissimi anni di vita. Sono i primi anni che influenzano tutto il resto. Una bella fregatura. Perché basta che per un motivo o per l'altro quel periodo non vada per il verso giusto, che sei rovinato per sempre. Hai voglia ad andare a cercare cos'è stato a farti diventare come sei, qual è l'avvenimento che a un certo punto ti ha fatto deviare dal percorso. Col tempo, il fatidico istante si perde nei meandri della memoria e diventa quasi impossibile recuperarlo.

Per gli altri, forse. Non per me. Ero nel corridoio di casa, da un lato mia madre e dal lato opposto mio padre. La crisi dei miei durava da sempre, ma quella sera esplose con tutta la sua forza e lo tsunami fu devastante. A papà toccò il divano, a me, invece, la scelta. Che non era da chi dei due farmi portare a letto, ma a chi dei due voltare le spalle.

Mentre piangevo loro mi dicevano di stare tranquillo, che non era successo nulla, ma io sapevo che non poteva essere così; se a cinque anni ti trovi a dover scegliere fra tua madre e tuo padre non può essere tutto a posto.

In quel momento avrei dovuto prendere la prima decisione importante della mia vita, invece mi accovacciai con le spalle al muro e chiusi gli occhi, in attesa che uno dei due venisse a recuperarmi, mentre lo stomaco gorgogliava.

Sono passati trentacinque anni e il povero organo non ha ancora smesso di farsi sentire, di reclamare qualcosa di buono con cui nutrirsi davvero.

Come un opossum

Un anno fa mia moglie Matilde tornò dal lavoro e mi si piazzò davanti. Io ero al computer e le rivolsi solo un rapido cenno del capo. «Erri» disse lei una prima volta con voce glaciale.

«Solo un attimo» risposi e tornai allo schermo. L'indomani avevo un appuntamento importante in ufficio.

«Erri...»

Sollevai la mano con l'indice puntato in aria, come a chiedere un istante ancora di pazienza, solo che a lei il gesto non piacque per nulla e mi ritrovai con il mio povero dito stretto fra le sue fauci.

Mia moglie mi stava mordendo! Mi girai, e mi sarei lasciato andare a un urlo di sorpresa e dolore se non avessi incontrato i suoi occhi furenti. Fu in quell'istante, con una mano nella sua bocca, che capii la terribile verità: Matilde mi odiava.

Il suo sguardo carico di rabbia ancora mi perseguita, ancora, a distanza di un anno, ha la forza di farmi tornare ai due occhi spietati di mia madre quando mi chiudeva in un angolo e con il mestolo disegnava parabole destinate a infrangersi sul mio avambraccio proteso a proteggermi. Solo che io ero troppo veloce e lei troppo lenta, e così gran parte delle traiettorie si frantumava sul muro alle mie spalle o nel vuoto, accrescendo a dismisura il livello di odio tangibile nel suo sguardo. Per fortuna, a un certo punto io sono diventato adulto e mia madre anziana, e quello sguardo è sparito dalla mia vita e dai miei ricordi. Almeno fino all'anno scorso, finché Matilde non mi ha serrato l'indice fra i denti.

Comunque, gli anni trascorsi a fuggire dall'ira inconsulta di mia madre mi avevano addestrato, e la reazione fu repentina: ritrassi la mano con uno strappo veloce e indietreggiai verso il muro, proteggendomi con il braccio disteso. Matilde, però, non mi seguì come faceva mamma. Rimase a fissarmi da lontano. Quando sollevai gli occhi, incrociai il suo volto impiastricciato: la matita sciolta in una lacrima che le macchiava la guancia, i capelli arruffati e il rossetto sbavato.

Avrei dovuto dire qualcosa, qualunque cosa potesse spezzare quel silenzio nauseante, invece rimasi zitto. Come sempre.

Fu lei a parlare. «Almeno adesso mi starai a sentire.»

Mi accarezzai la pelle dell'indice ancora marchiata dai suoi incisivi e tornai a guardarla. Aveva ottenuto la mia completa attenzione.

«Mi scopo Ghezzi» disse, senza alcuna sfumatura nella voce.

Silenzio.

«Ghezzi? Quel Ghezzi? Il responsabile marketing? Ma non ha sessant'anni?» furono le uniche domande che mi uscirono.

C'erano non so quanti perché da chiedere che saremmo potuti rimanere lì una settimana, come il predatore che deve stanare la sua preda. Invece con una raffica di interrogativi idioti ero riuscito a zittire tutti quelli intelligenti che pure mi roteavano nello stomaco, e tutte le possibili risposte di mia moglie.

«Hai capito cosa ti ho detto? Mi scopo un altro.»

Ma io non avevo la forza di parlare, non avevo il coraggio

di scegliere di sapere. Così, lei proseguì: « Sono due mesi che me lo scopo ».

Aveva ripetuto « scopo » per tre volte in un minuto, lei che nei quindici precedenti anni di amoreggiamenti si era servita del verbo « scopare » una sola volta, al culmine di uno dei nostri rapporti « mirati », come li chiamavano i medici.

Per svariati anni i rapporti mirati hanno minato la nostra vita sessuale, seppellendo il desiderio di entrambi. In sostanza, a decidere quando dovevamo « scopare » era il suo ginecologo, che si divertiva a trovare gli orari e le situazioni più allucinanti, come la volta in cui dovetti raggiungere l'erezione nel bagno del Frecciarossa perché Matilde era in ovulazione e per arrivare a Napoli mancavano ancora quattro ore. Quando mi andava bene, invece, lei telefonava in ufficio e io correvo a casa, mi allentavo la cravatta, mi calavo i pantaloni e mi avvicinavo a lei che il più delle volte si faceva trovare già sul tavolo della cucina. E fu proprio in una di queste occasioni che Matilde si lasciò andare all'urlo in questione, un urlo continuato, disumano, liberatorio e animalesco, che mi pregava di scoparla senza sosta, come un opossum.

Mi sono spesso domandato se l'opossum sia un grande amatore o un fedele servitore.

Ma torniamo a quella sera. Restammo a guardarci per un tempo che mi parve infinito, poi Matilde si sfilò gonna, slip, maglietta e reggiseno, e rimase nuda davanti a me. Ero così inebetito da anni di rapporti mirati che mi venne da chiederle un'unica cosa.

« Stai ovulando? »

Lei socchiuse gli occhi e si lasciò vincere da una smorfia

di disgusto, quindi si voltò e, senza dire una parola, si avviò in bagno. Mentre sentivo il getto dell'acqua che, immagino, le cancellava la saliva bavosa di Ghezzi dalla pelle e fissavo i suoi indumenti sparsi per terra, avrei potuto fare diverse cose: correre in bagno e urlarle il mio rancore. Oppure, avrei potuto afferrare la valigia da sopra l'armadio e riempirla delle poche cose che mi sarebbero servite per la notte. Meglio ancora, avrei potuto farle trovare la valigia già pronta e invitarla ad andarsene per sempre.

Invece, mi accovacciai con le spalle al muro e attesi ancora una volta che fosse qualcun altro a decidere della mia vita.

L'albero ha dato un solo frutto

Ho trascorso una vita fra le donne senza imparare nulla. Non so arrivare in ritardo; ogni volta mi preparo, guardo l'orologio, mi dico che è presto e conviene aspettare un altro po', e infine esco lo stesso, per presentarmi, come sempre, in anticipo. C'è poco da fare, sono un *anticipatario* cronico. Quando mia madre apre, perciò, la porta di casa Ferrara, mi basta un'occhiata per capire che ancora non c'è nessuno, e un senso di disagio inizia a stringermi il petto.

Lei sembra accorgersene, smette di sorridermi e domanda: «Erri, che è successo? Sei un po' pallido».

È il suo modo di darmi il benvenuto. *Sono pallido da sempre, mamma!*, così dovrei risponderle, *sei tu che mi hai creato con questa specie di cartapesta bagnata al posto della pelle.*

Invece mi sfilo il giubbino e vado in cucina, dove una donna asiatica che non conosco sta prendendo i piatti da un pensile. Appena mi vede, si ferma e mi sorride, ma io non ricambio, faccio solo un impercettibile movimento del capo e apro il frigo che, come al solito, è pieno di ogni ben di dio. Il confronto col mio un po' mi fa girare la testa, ma afferro il primo succo di frutta che mi capita, guardo l'etichetta, e mi lascio andare a una smorfia di disappunto, anzi, di delusione. A quarant'anni il mio cervello non ha ancora abbandonato la faticosissima abitudine di produrre dolore a causa di flashback inaspettati.

Sono allergico alla pesca fin da piccolo, ciononostante il

frigo di casa Ferrara è sempre stato un trionfo di succhi alla pesca, i preferiti di mio fratello Giovanni, l'ultimo arrivato, colui che tutto può, perché tutto gli è concesso. E nonostante viva ormai con la moglie, nostra madre continua imperterrita a comprare una bottiglia di succo alla pesca per quando viene il suo «Giovannino».

Rimetto la bottiglia in frigo e cerco qualche altra bevanda. C'è solo una confezione aperta di succo di mango senza zuccheri aggiunti. E non potrebbe essere altrimenti! Un domani sulla lapide di mia madre incideranno questa frase: *Spese la vita a combattere gli zuccheri.* In casa Ferrara la Coca-Cola non è mai entrata, e neanche le merendine, i biscotti o la Nutella. Tutto vietato, insieme alla televisione che potevamo guardare solo dalle due alle tre, prima dei compiti.

Stappo la confezione e l'odore del mango mi invade le narici. Non amo la frutta tropicale: un tempo mia madre mi rimpinzava di banane, oggi solo a sentirne l'odore mi viene da rimettere. All'inizio Matilde tornava sempre dal supermercato con un bel casco di banane col bollino blu, le sistemava nel cesto al centro del tavolo e lì le lasciava marcire. Se dicevo: «Scusa, ma che le compri a fare che non le mangia nessuno?» lei rispondeva che sul centrotavola il giallo si sposava bene col rosso delle mele.

Mia moglie assomiglia un po' a mia madre. Valerio (l'altro mio fratello) mi ripeteva in continuazione che ero stato capace di mettermi vicino un nuovo superiore, come se i miei primi ventisei anni non mi fossero bastati a capire che di tutto avevo bisogno, fuorché di un capo.

Mi verso il succo e mi accomodo al tavolo della cucina, con i piedi su una sedia, a guardare la domestica che continua a impilare i piatti per la cena. Stasera siamo tutti riuniti su esplicito invito di nostra madre e di Mario che hanno qualcosa di importante da dirci. Per un istante ho pensato che dovessero annunciare l'arrivo di una nuova nipote dopo Renata, la figlia di Giovannino, che si chiama come la nonna, come nostra madre. In genere sono i padri a essere omaggiati in questo modo, ma nella mia famiglia il problema è che ci vorrebbero almeno due nipoti per soddisfare altrettanti padri.

Quella sera di trentasette anni fa fu mamma la prima a prendermi per mano e ad accompagnarmi a letto. Papà rimase per un po' in piedi sulla soglia del salotto, quindi si tuffò sul divano, dove rimase per oltre un mese, al termine del quale fece le valigie e andò via. Cinque anni dopo giunse il divorzio. E non fu certo la cosa più traumatica della mia infanzia. Qualche anno dopo la separazione, infatti, arrivarono, in rapida successione, mio fratello Valerio, mia sorella Flor e il piccolo Giovannino. Nessuno di loro era figlio di entrambi i miei genitori.

Quell'albero marcio ha dato un solo frutto prima di seccare.

La scomunica di Gargiulo Raffaele, in arte mio padre

Mario Ferrara, il marito di mia madre, il padre di Valerio e Giovanni, il mio patrigno, insomma, anche se mi risulta alquanto difficile definirlo così, ha settantasei anni, è più alto di me, pesa centoventi chili e ha una lunga barba bianca e folta come quella di Babbo Natale. È l'icona del padre perfetto e, a dirla tutta, lo è. Almeno per quel che mi riguarda, soprattutto se lo paragono al mio vero padre, che si chiama Raffaele, ha sei anni meno di Mario ed è magro come un'alice. Mario è anche il mio padrino, avendomi accompagnato al fonte battesimale quando, all'età di dodici anni, poco dopo la nascita di Giovanni, decisi di farmi battezzare. In famiglia ero l'unico non battezzato, perché mio padre all'epoca aveva liquidato la questione sostenendo che sarei stato io, un giorno, a decidere del mio futuro.

Lui odia la Chiesa e ancora oggi nella sua stanza da letto campeggiano due quadri: il primo è il decreto del 1949 con cui il Sant'Uffizio scomunicava i comunisti, il secondo è la sua personale scomunica di qualche anno fa. Di quest'ultima in particolare va molto fiero e spesso l'ho sentito riflettere ad alta voce sulla possibilità di spostare il quadro in salotto, solo che la sua seconda moglie non ne ha mai voluto sapere.

Papà a un certo punto prese carta e penna e scrisse di proprio pugno una lettera alla Curia, pregando (per usare un eufemismo) il papa in persona di sbattezzarlo con effetto immediato. Per qualche mese non se ne seppe nulla, e ogni volta che lui ne parlava, io annuivo come si fa con un vec-chio zio rimbambito. Dopo un po', tuttavia, giunse la rispo-sta tanto attesa: una busta contenente la cancellazione del battesimo e la scomunica ufficiale del signor Gargiulo Raf-faele, in arte mio padre.

Grazie a lui, ero anche l'unico bambino della famiglia a non avere il cognome Ferrara. E questo mi faceva soffrire più di tutto, non solo perché mi rendeva un estraneo nella mia stessa casa, ma anche perché mi ricordava ogni momen-to che l'essere panciuto e con la barba che si prendeva cura di me, giocava con me e mi aiutava a fare i compiti non era il mio vero padre. Lui era il padre di Valerio e Giovanni. Se non potevo cambiare il cognome, dovevo almeno avere an-che io un battesimo come i miei fratelli.

Fu Mario a dare la notizia a papà, nonostante mamma blaterasse che dovevo essere io a dirglielo, che ero grande, che mio padre era uno stronzo e *figurati che cosa gliene im-porta del tuo battesimo*. Le parole «stronzo» e «tuo padre» erano e sono ancora in relazione semantica in casa Ferrara.

Quei pochi anni di frequentazione erano comunque ba-stati a mamma per conoscere a fondo Raffaele Gargiulo, che, infatti, non fece grandi storie. Non so se davvero non gliene importasse, ma non ebbe alcuna reazione spropositata e, anzi, abbozzò una specie di sorriso che compresi solo al-cuni anni dopo, quando mia sorella Flor iniziò davanti a me la sua personale guerriglia con nostro padre per essere bat-tezzata come tutti i compagni di classe.

«Anche Erri è battezzato» gli disse, e cercò con gli occhi la mia collaborazione.

«Già, ma Erri si trovava in una situazione diversa.»

«In che senso?»

Già, in che senso?, avrei dovuto chiedere anche io, invece rimasi in silenzio.

« Lui si è voluto battezzare per essere uguale agli altri fratelli. »

Flor mi guardò, credo auspicasse una mia discesa in campo, ma con mio padre, almeno fino ai trent'anni, ho sempre ritenuto un'inutile fatica dire la mia.

Alla fine capì che doveva vedersela da sola e ribatté: « Be', anche io voglio essere uguale a mio fratello ».

Quella frase buttata lì un po' per ripicca mi è rimasta dentro e ancora oggi mi fa venire i brividi. Avevo quindici anni, parecchi brufoli, ascelle non sempre profumate, mi masturbavo con assiduità, non avevo mai incrociato lo sguardo di una ragazza, studiavo poco e male, da mia madre, ormai, ricevevo esigue attenzioni, davanti a mio padre non avevo il coraggio di aprire bocca e per i miei fratelli ero l'altro fratello. Che mia sorella volesse seguire il mio esempio, che desiderasse in parte emularmi, era un avvenimento così spropositato che neanche sapevo affrontarlo.

E, infatti, non lo affrontai. Avrei dovuto sostenere la sua battaglia, stringerla a me, incoraggiarla, dare del cretino a nostro padre, invece restai in silenzio, nonostante le parole di Rosalinda a sostegno della tesi del marito: « Tuo fratello è grande, ormai... »

Una frase che in sé non significa nulla, ma che pure mi fece sentire piccino piccino. A quindici anni non si è poi tanto grandi, anzi, a quindici anni si ha solo bisogno di un esempio da seguire. E io l'esempio lo avevo davanti a me ogni giorno; era quell'uomo panciuto e con la barba bianca che aveva solo un piccolo, enorme difetto: non era mio padre.

Mario e i superpoteri

Ma torniamo al presente. Sono ancora seduto al tavolo della cucina a sorseggiare il succo di mango quando entra mia madre che, indirizzandomi un rapido sguardo di rimprovero, esordisce: « Erri, quante volte ti ho detto di non mettere i piedi sulla sedia? Le ho fatte tappezzare da poco! »

Abbasso le gambe senza rispondere e tracanno il resto del succo. Quindi la fisso con un risolino amaro stampato sul volto. A quasi settant'anni è ancora bella, nonostante le braccia flaccide che escono dal vestito color vaniglia e l'abbozzo di pancia sul tessuto attillato.

« Che cos'hai da ridere? »

« No, niente, pensavo che sei proprio una bella donna. »

Lei sorride e si avvicina, mi abbraccia ed esclama: « Grazie, amore. Anche tu sei bello, come tutta la nostra famiglia, del resto! »

Sulla porta compare Mario, le mani intrecciate dietro la schiena dritta e gli occhi carichi di luce. Vorrebbe dire qualcosa, solo che la moglie inizia a sbraitare contro la povera domestica, rea di aver tirato giù dal pensile un numero eccessivo di piatti. Un attimo prima di uscire dalla stanza, mamma torna a rivolgermi la parola: « Se vuoi, in frigo c'è anche del succo alla pesca ».

Resto a guardarle la schiena nuda ricoperta di macchie mentre si allontana verso il salone a passo svelto e non mi accorgo di Mario che mi posa una mano sulla spalla e con l'altra apre il frigo e prende il succo alla pesca. Afferra un bicchiere e lo riempie. Infine si accomoda con fatica sulla piccola sedia della cucina e se lo porta alla bocca, fissandomi con un sorrisetto complice. Distolgo lo sguardo, imbarazzato e timoroso che la persona che più di ogni altra si avvicina al concetto di padre possa aver intuito i miei pensieri indecenti, e cioè che, in fin dei conti, ho solo sbagliato ovulo. Sarebbe bastato aspettare e sistemarmi in quello che è spettato a Valerio, fare le scarpe a mio fratello, insomma. Ora tutto sarebbe diverso, e avrei anche io un padre affettuoso e presente che mi aiuterebbe a mandare giù il senso di solitudine che mi avviluppa ogni volta che mi trovo in questa casa.

Mario per fortuna non ha i superpoteri e non può capire cosa mi frulla per la testa, però se ne esce lo stesso con una frase che mi fa voltare di scatto: «Mamma è un po' distratta, ma lo sa che sei allergico alla pesca, non ti preoccupare».

Un attimo prima che mio fratello Giovanni suoni, come sempre, tre volte al citofono, ho già capito di essermi sbagliato: Mario ha i superpoteri.

«Ciao, amore!» grida nostra madre, con le mani conserte e le ginocchia un po' piegate, appena Giovanni e famiglia sbucano dalla porta.

Cerco di ricordare se abbia accolto il mio arrivo con uguale entusiasmo, ma un attimo dopo sono già pronto a baciare la guancia di mia cognata Clara e di mia nipote Renata. Giovanni, invece, mi offre la mano all'americana e un grande sorriso. Nonostante l'inverno, se ne va in giro con una camicia azzurra con le iniziali e i primi due bottoni aperti, dai quali si intravede il petto gonfio e glabro.

«Come stai?» chiede poi, e senza ascoltare la risposta si lancia fra le braccia di Mario, che nel frattempo ci ha raggiunti.

Allora do un pizzicotto affettuoso sul naso di Renata, che però non ride come avevo immaginato, ma si rifugia, intimorita, con il viso fra i capelli della madre. Non sono molto bravo con i bambini, lo ammetto. Con loro non so mai come rapportarmi, che fare o cosa dire. È che mentre faccio lo stupido mi rendo conto di essere stupido e mi imbarazzo io per loro, così va a finire che sembro finto, e i bambini se ne accorgono se fingi. Comunque il problema è relativo, tanto i bambini nella mia vita sono come la laurea: tutti ne hanno una tranne il sottoscritto.

«Renata deve mangiare» dice Clara rivolta a mia madre, e ci ritroviamo immediatamente tutti in cucina; Clara perché segue la suocera, Giovanni la moglie, Mario il figlio, e io perché me ne rimarrei volentieri sul divano a guardare la tv, solo che poi il nostro capo miliziano mi apostroferebbe come asociale o, ben che vada, burbero.

Perciò li seguo e mi infilo anch'io in cucina, proprio nel momento in cui la domestica compie l'ennesimo viaggio verso la sala da pranzo con una pila di piatti in mano. Non vorrei sbagliarmi, ma credo che sul suo volto ci fosse una smorfia di disappunto. Vai a sapere se è per via dell'andirivieni al quale è costretta, se è per la nostra presenza, che complica il suo lavoro, o se, come credo, la poverina è già esausta della vita con Renata Ferrara.

Sono vent'anni che in casa Ferrara la questione «domestica» è d'attualità. Un tale lasso di tempo non è bastato a nostra madre per sostituire in modo degno la nostra prima e unica tata, l'inossidabile Luisa, che, fino al giorno della sua morte, si è presa cura della famiglia in ordine decrescente, da me a Giovannino. Da allora mamma è alla ricerca di un'altra tata che la emuli; una ricerca infruttuosa, in primis perché non abbiamo più bisogno di una tata, in secondo luogo perché di Luisa ce n'era una sola. Lei era l'unica, infatti, a rispondere a tono a mia madre, l'unica a sopportare i suoi ordini, l'unica a volerle bene davvero. E, d'altronde, non si può certo dar torto a quelle venute dopo se non si sono affezionate alla dispotica signora Ferrara. Da qualche parte Valerio e io dovremmo conservare una classifica compilata qualche Natale fa: era l'elenco delle ultime sedici domestiche avvicendatesi alla guida della casa in base al loro tempo di permanenza. Se non sbaglio al primo posto c'era una filippina che resistette a lungo prima di scoppiare in un pianto dirotto e fuggire di notte. Subito dietro, a tallonarla, doveva esserci l'albanese sorridente e minuta che un giorno lanciò un piatto per terra e mandò a quel paese la signora Ferrara nella sua lingua d'origine. Valerio e io tentammo anche di farla tornare sui suoi passi, le spiegammo che ancora pochi giorni e avrebbe sorpassato la filippina, ma lei ci guardò disorientata prima di chiudersi la porta alle spalle. Devo chiedere a mio fratello dove si trova la lista, così la aggiorno.

Clara inizia a imboccare la figlia, Giovanni, invece, si versa un po' di succo di pesca ancora sul tavolo e domanda: «Allora, fratellone, che novità mi racconti?»

Per fortuna Renata decide che la pappa le fa schifo e sputa tutto sul tavolo. A quel punto succede il pandemonio e io sono salvo. Altrimenti avrei dovuto rivelare dinanzi all'intera famiglia che la mia ex moglie aspetta un figlio.

Kant e la speranza

Mario è titolare di uno dei più importanti studi di ingegneria della città, in via Toledo, eppure l'unico a seguirne le orme è stato Giovanni. Per quel che mi riguarda, la mia carriera universitaria si è interrotta sul nascere, al quinto esame. Il fatto è che, nonostante le pressioni del nostro capo miliziano e la sua volontà di tramutare i figli in bruti soldati che affrontano il mondo col coltello fra i denti e prendono a morsi la vita, noi tre fratelli siamo diventati tutto fuorché soldatini pronti alla guerra.

Io ho da poco aperto una piccola fumetteria in una strada poco trafficata, Giovanni temo faccia l'ingegnere più per compiacere il capo miliziano che per sua scelta, e Valerio... Che fa Valerio adesso? Devo ricordarmi di chiederglielo.

Nostra madre, invece, negli anni d'oro della Democrazia Cristiana – quelli, per intenderci, di Gava, De Mita, Pomicino, e chi più ne ha più ne metta – è stata una politica abbastanza famosa in Campania. In pochi anni riuscì a farsi strada e a diventare una figura di spicco del partito, almeno finché la sua ascesa non cozzò con il pool di Mani Pulite. Fu Tangentopoli a mettere fine alla gloriosa carriera di Renata Ferrara, che per tutta risposta attraversò un breve periodo di depressione.

Io allora ero poco più che maggiorenne e avevo ben altro di cui occuparmi: in primis l'esame di maturità, dove mi produssi in una scena muta strappando un trentasei di tutto rispetto; e poi la gestione psicofisica del tradimento della mia ragazza di allora, Giulia, che, avevo scoperto, amava amare più uomini alla volta e, soprattutto, farne soffrire il più possibile. Sono passati più di vent'anni e ancora mi chiedo con chi ce l'avesse davvero, contro chi fosse rivolta realmente la sua vendetta. Punterei una discreta somma sul padre, che all'epoca non c'era mai e alla fine, ho saputo, andò via di casa.

È buffa questa cosa che facciamo pagare agli altri le colpe dei nostri genitori. Ognuno se ne va in giro con un mucchietto di dolore incapsulato dall'infanzia, alla ricerca della persona giusta cui restituire un po' dei torti subiti. Alcuni riescono a bloccare la catena dell'odio grazie a un granello di amore incontrato per caso, ma la maggioranza, purtroppo, continua inconsapevole a far girare l'ingranaggio. Giulia ha trovato me, ma non me ne lamento, anche io ho fatto altrettanto con un paio di donne innocenti.

Ma come al solito mi sono perso nelle mie divagazioni. Stavo parlando della depressione di mia madre e, ancor prima, del rapporto con il lavoro della famiglia Ferrara. Ed è rimasta in sospeso anche la grandiosa notizia della mia ex moglie incinta, ma vorrei concludere prima la storia di Renata Ferrara.

La congiuntura astrale Tangentopoli-avviso di garanzia-scena muta del figlio all'esame di maturità contribuì per qualche settimana a picconare la robusta corazza di mia madre. Se avessi saputo che proprio in quel periodo stavano indagando su di lei, avrei almeno cercato di regalarle un «successo scolastico del primogenito», ma a diciotto anni a stento sapevo dell'esistenza di Di Pietro e dei suoi compari, perciò alla domanda su Kant aggrottai le sopracciglia e allungai il collo inebetito. Alle mie spalle, mamma si allontanava dall'aula con passo felpato, le mani sul volto a coprire la vergogna per quel figlio scapestrato. È che il giorno prima mi aveva costretto a un'interrogazione improvvisata per simulare ciò che sarebbe accaduto l'indomani. «Bisogna essere preparati a ogni evenienza» amava ripetere in quegli anni. Credo che la vita, nonostante tutto, le abbia insegnato qualcosa, perché oggi sostiene che è inutile prepararsi, che tanto i guai quando arrivano ti colgono sempre di sorpresa.

Comunque, quel pomeriggio sul divano terminò proprio con una domanda su Kant. Farfugliai qualcosa, lei allora si portò gli indici al naso, sfilò gli occhiali, sospirò e disse: «Be', che dire, speriamo che non ti chiedano proprio Kant».

Credo che l'episodio abbia contribuito a farla ricredere anche sul concetto di speranza.

Piccola riflessione sulla speranza

« Mi chiamo Erri Gargiulo e mi faccio di speranza da quarant'anni. »

Se esistesse un gruppo di sostegno per drogati di speranza dovrei presentarmi così.

Ho iniziato a sperare a cinque anni, quando mi illudevo che i miei la smettessero di litigare. Poi ho sperato che mio padre tornasse a casa e mia madre non si innamorasse di un altro uomo. Quindi che mamma si innamorasse di Mario e che questi non se ne andasse come aveva fatto papà. Ho sperato che i miei fratelli venissero rapiti, che Arianna (di cui parlerò presto) diventasse la mia fidanzata, che Giulia non potesse fare a meno di me, che Matilde me la desse, che il Napoli vincesse lo scudetto e che prima o poi sarei riuscito a fare il vignettista.

Alla fine ho capito che non è vero che la speranza non si tramuta mai in realtà. È una questione di numeri: più desideri hai, maggiore è la possibilità di fare centro.

Tadààà!

Comunque, ero in fumetteria in una giornata qualunque quand'ecco presentarsi Flor con una bottiglia di spumante, un mazzo di margherite e un possente libro sotto il braccio.

Flor ha più di trent'anni, ma ne dimostra molti di meno. Veste sempre colorata di fiori sgargianti, con sciarponi che le coprono metà viso, porta solo scarpe basse sotto gonne larghe, ha un piercing sul labbro, i ricci, e disegna fumetti, anzi, per essere precisi, graphic novel.

«Fratellone, come stai?» ha esordito mentre poggiava la bottiglia e il libro sul banco. Quindi mi ha offerto il mazzo di fiori con un sorriso inebriante.

Ho due precisazioni da fare. La prima è che tutti i miei fratelli mi chiamano «fratellone», ricordandomi in ogni momento che sono il più vecchio. La seconda è che Flor è troppo allegra e innamorata della vita, il che mi fa dubitare che sia davvero mia sorella e, soprattutto, la figlia di mio padre.

«Sto» mi sono limitato a ribattere. Starci, esistere, in questo periodo, non mi sembra poi così scontato. «Sono per me?» ho chiesto poi, afferrando il mazzo.

«E per chi se no?»

«Sei la prima donna che mi regala dei fiori.»

«Allora vuol dire che hai frequentato persone sbagliate» ha ribattuto senza perdere il sorriso.

Il primo essere vivente al quale ho raccontato del tradimento di mia moglie è stata proprio Flor, un attimo dopo essermi chiuso la porta di casa alle spalle. Lei e Arianna sono le uniche con le quali riesco a sviscerare le emozioni.

« Già » ho replicato, e nello scambio di sguardi si è materializzata per un attimo la figura di Matilde.

« La bottiglia invece a che serve? » ho chiesto subito dopo.

« Dobbiamo brindare. »

« Un nuovo romanzo? »

« *Tadààà!* » ha strombettato Flor mostrandomi la copertina della sua ultima fatica letteraria.

Ho detto che mia sorella disegna graphic novel, tralasciando il dettaglio che non ha ancora trovato un editore. Se li stampa da sola (anche qui, con la mia collaborazione) e me li ficca in libreria, di solito in vetrina o sullo scaffale migliore.

« Bello » ho commentato guardando la copertina con due ragazzi biondi che si baciano sotto una tormenta di neve.

« Lo metti in vetrina? »

Con un sorriso le ho fatto di sì con la testa e gli occhi le si sono illuminati ancora di più.

« Ma non dobbiamo festeggiare solo questo » ha aggiunto poi.

« Cos'altro c'è? »

Per tutta risposta ha aperto la borsa di stoffa verde a fiori rosa e azzurri e ha tirato fuori uno stick. Quindi è rimasta a fissarmi con un sorrisetto marpione.

« Che è? »

« *Tadààà!* » ha urlato di nuovo e mi ha piazzato l'aggeggio sotto gli occhi.

Ho impiegato alcuni secondi per mettere a fuoco, poi ho spalancato la bocca, stirando indietro il collo come un pavone.

« Be', non dici niente? » ha chiesto lei, delusa dalla mia reazione.

« Incinta? »

Flor ha annuito e ha ripreso a sorridere.

« E di chi? »

« Boh » ha risposto con un'alzata di spalle.

« Come 'boh'? »

« Uffa, Erri, non mi rovinare il momento. Sei l'unico a saperlo, credevo che saresti stato contento di avere una nipote. »

« Be'... sono contento, ma non capisco... »

Lei ha smesso di sorridere e, accigliata, ha ribadito: « Cosa c'è da capire? Volevo un figlio ed eccolo qui! Il resto non conta. Ma poi questi discorsi potrei aspettarmeli da papà, non da te ».

« Ecco, appunto, papà. Lui che dice? » ho chiesto.

« E che ne so, scusa. Ti ho detto che sei l'unico a saperlo. »

« Ma davvero non hai idea di chi sia il padre? »

Flor ha afferrato la bottiglia di spumante per il collo e ha risposto, sempre più seccata: « Una mezza idea ce l'ho, però, sai... è che io volevo un figlio prima di farmi vecchia, così... ecco, mi sono data da fare, diciamo pure ».

« Farti vecchia? Hai trentatré anni! »

« Sono abbastanza. Vuoi che metta al mondo una figlia quando non avrò neanche più la forza di crescerla? E tu, poi, a che età vorresti prenderti cura di una nipote, quando ti piscerai sotto e non avrai più un dente in bocca? »

Lasciando correre sul fatto che dovessi essere io a prendermene cura, ho replicato: « Vabbè, fa' un po' come ti pare, tanto sei tutta matta ».

A quel punto Flor mi ha abbracciato. « E dai, non fare quella faccia, finalmente avrai una nipote con la quale sfogare la voglia di paternità repressa, ché tanto Renata a stento te la fanno toccare. Per fortuna ci sarà Soledad nella tua vita! »

« Perché, che ne sai che è femmina? »

« Lo sarà di certo, io voglio una femmina. »

Flor ha una visione discutibile dell'esistenza; crede che si srotoli al suo passaggio, come il tappeto rosso per le principesse delle favole.

« Sai che bello, fra quindici anni avrò un'amica con la quale andare a zonzo, fare shopping... »

« Già » mi sono limitato a ribattere, allora lei mi ha stretto le guance e ha aggiunto: « E poi il mio povero Erri è già circondato da maschi alfa Ferrara, almeno dalla parte Gargiulo troverai qualche femmina che si prenderà cura di te quando sarai vecchio ».

« Perché, non potrei trovarmi una compagna? »

Lei ha fatto una smorfia. « Be', fossi in te non ci conterei molto, mica è semplice starti accanto. Chissà come ne avevi trovata una... »

« Stronza » ho risposto, e lei è scoppiata a ridere mentre stappava la bottiglia.

Subito dopo ha passato l'indice bagnato dietro il mio orecchio e si è attaccata allo spumante.

« Ma che fai? » ho detto strappandole di mano la bottiglia. « Non puoi più bere adesso. »

« Ah, già » ha ribattuto perplessa, poi ha preso il pacchetto di sigarette dalla borsa.

« E neanche fumare » ho aggiunto.

« Erri, dammi tregua. Lo vedi quanto sei pesante, chi vuoi che ti si prenda? Invece dovresti muoverti, per fare un figlio sei già agli sgoccioli, pochi anni ancora e la tua prostata andrà in pensione. »

« Sai sempre come tirare su di morale le persone » ho ribattuto mentre sistemavo il suo nuovo romanzo in vetrina.

« Dovresti fare come me » ha continuato lei sbuffando fuori il fumo.

« Fare cosa? »

« Avere più rapporti possibili, così le percentuali aumentano. Dovresti scoparti più donne, insomma. »

« Tu dovresti farti vedere da uno bravo, invece. »

« Se non fossi mio fratello, potrei darti una mano io, anche se non mi gusti granché. »

« Flor, e dai! »

« Vabbè, ti lascio alle tue cose. Baci, fratellone » e mi ha schioccato le labbra sulla guancia.

Sono rimasto sulla porta a guardarla saltellare fra la gente e mi sono chiesto come faccia a essere sempre così allegra, sempre così fuori di testa. Abbiamo avuto lo stesso padre, eppure lei è felice e io no.

Prima o poi mi toccherà ammettere che la tesi della responsabilità soggettiva ha un suo perché.

Come ai vecchi tempi

Stavo riflettendo sulla notizia bomba appena ricevuta da mia sorella quando ha squillato il telefonino. Era Matilde.

«Erri, ti devo parlare.»

«Avanti» ho risposto con voce gelida.

«Non al telefono.»

«Perché?»

«È una cosa importante.»

«Se è una cosa importante, non dirla a me, parlane con Palle mosce.»

Dal giorno in cui sono stato costretto mio malgrado ad abbandonare il tetto coniugale e la mia vita precedente, ho sempre evitato di pronunciare il nome dell'amante di mia moglie. D'altronde, come potrei definirlo in una conversazione? Lui? L'altro? Il tuo amante? Ghezzi? No, sarebbe ridicolo, meglio un «vezzeggiativo».

«La smetti di fare lo stupido una buona volta?» ha replicato lei alzando la voce.

«No» ho risposto secco.

«Ti prego, ho bisogno di parlarti.»

Silenzio.

«È successa una cosa...»

In quell'istante è entrato il signor Bracale, dipendente Rai in pensione ossessionato dai fumetti, per mia fortuna. Ogni due giorni viene a comprare un paio di volumi che vanno a ingrossare la sua nutrita collezione e se non ho ancora tirato giù la saracinesca in gran parte è merito suo. Solo che Bracale, essendo il mio miglior cliente, si aspetta di essere trattato come tale e quando entra in negozio io mi devo stendere per terra come un tappetino.

Quella volta però non potevo farlo, ero impegnato a contrastare la mia ex moglie e il suo nuovo tentativo di riappacificazione.

Il fatto è che non sono particolarmente piacente, inutile girarci intorno. Sono goffo, ho un viso alquanto inespressivo, occhi piccoli che sprofondano dietro occhiali spessi, una bocca che sembra il trattino della sottrazione e un ciuffo sparuto di capelli in mezzo alla testa spelacchiata. Dalla carnagione sembro un personaggio di un cartone di Tim Burton, ho i piedi piatti, i pettorali che si fanno sedurre dalla legge di gravità e la tipica pancetta da quarantenne insoddisfatto. Se aggiungiamo che il più delle volte vado in giro con un'espressione corrucciata, il gioco è fatto: le mie possibilità di avere una relazione sono ridotte al lumicino. È un cane che si morde la coda; più tempo passo senza una donna, più sembro Charlie Brown. Insomma, rido poco. Da piccolo, invece, pare lo facessi spesso, prima che la vita mi si schiantasse addosso come un cavallone che ti coglie di spalle un attimo prima che riesci a raggiungere la riva.

In tutto ciò, come si fa a girarsi dall'altra parte se la tua ex moglie ti fa capire che ti darebbe una ripassatina? È capitato due volte negli ultimi tre mesi. La prima, alla festa di una coppia di vecchi amici che avevano invitato anche me, nonostante dal giorno dopo la separazione il mio nome fosse finito nella casella « amici di coppia di cui si perdono le tracce una volta che non c'è più la coppia ».

Durante quella serata, ogni volta che mi giravo, scoprivo che Matilde mi stava fissando. A un certo punto mi seguì in bagno e, dopo essersi chiusa la porta alle spalle, sussurrò: «Mi manchi». Indossava un vestito blu attillato che le fasciava fianchi e gambe e lasciava in bella vista il seno prosperoso.

«Ti sta tremando la palpebra» aggiunse poi con un sorriso.

È difficile fingere indifferenza con la donna che ti ha accompagnato per quindici anni della tua vita. Matilde sa benissimo che in certe circostanze la palpebra inizia a darmi noie. Una volta andammo anche da uno specialista, il quale disse che era colpa dello stress, che di fronte alla prospettiva di un rapporto sessuale il mio corpo si agitava e iniziava a contrarre i muscoli. «L'importante è che non si contragga *quel* muscolo!» esclamò infine, scoppiando in una sonora risata.

Da allora ho cambiato specialista.

Comunque in quel bagno tentai di resistere, lo giuro, ma lei mi passò la mano dietro la nuca e mi strinse il lobo fra i denti, avvolgendo contemporaneamente la coscia intorno alla mia. Ero nella morsa di un grosso pitone.

«Cosa vuoi da me?» dissi.

«Nulla, avevo bisogno del tuo odore...»

Avrei potuto vincere. Se solo avessi aperto la porta e fossi tornato alla festa, lei sarebbe stata di nuovo mia, innamorata e respinta. Invece la baciai e subito dopo la spinsi contro la porta. Facemmo l'amore con un desiderio che non sapevamo più di provare l'uno per l'altra, come mai era accaduto negli ultimi anni. Fu un minuto abbondante di passione ardente. Subito dopo lei era già nel salotto di quella festa anonima a sorridere a persone delle quali non m'importava nulla.

La seconda volta è successo in fumetteria. Matilde si è presentata un pomeriggio con la scusa di voler comprare qualcosa per il nipote. Si è guardata intorno e ha commentato: «Sono contenta, alla fine ce l'hai fatta a coronare il tuo sogno!»

«Già» ho risposto, «e pensare che sei stata tu a farmi capire che era il momento di cambiare.»

«Lo avresti capito anche da solo, prima o poi, quel lavoro non era per te.»

Poco prima di separarci, eravamo in auto, fermi nel traffico, avvolti da un grigiore insolito per la nostra città, quando lei se ne uscì con questa frase: «Se non ami il tuo lavoro, cambialo».

Mi girai di soprassalto ma Matilde non mi guardava, così rimasi a fissare la sua sagoma che si stagliava su uno sfondo bianco sporco.

«Ma che dici?»

«Dico che se devi essere un infelice con un lavoro sicuro, preferisco che tu sia felice e precario.»

«Non dire sciocchezze» commentai.

Lavoravo nell'azienda di fotovoltaici di mio suocero, la Natura Srl, un colosso dell'agro nocerino che fornisce soluzioni ecosostenibili in tutta Europa. Crispino Del Gaudio è un amico stretto di Mario ed era stato proprio il mio patrigno a insistere per farmi assumere. Così avevo conosciuto Matilde, giovane manager rampante da poco laureata e già al servizio del padre, e anche Ghezzi, all'epoca quarantenne e già responsabile marketing dell'azienda.

Lei si zittì, io tornai a guardarla. Nel vetro dietro la sua figura c'era sempre brutto tempo.

« Mi ami ancora? » chiese all'improvviso.

« Tu mi ami? » fu l'unica cosa che riuscii a dire.

« Non mi hai risposto. »

« Neanche tu. »

Per il resto del tragitto non aprimmo bocca, con due domande rimaste inascoltate, io che guardavo la strada, lei che chiudeva gli occhi e si lasciava sostenere dal poggiatesta. Mentre la musica della radio riempiva il silenzio che avrebbe dovuto essere occupato dalle nostre parole, rimuginavo sulla sua domanda. Possibile che non ci amassimo più? Possibile che ce ne fossimo accorti solo adesso? E che ce lo stessimo confidando in auto, immersi nel traffico di un giorno normale? Mentre il grigio che ci avvolgeva si scioglieva in gocce che scivolavano sui vetri e la musica si trasformava in notiziario?

Era un giorno come tanti per dirsi tutto ciò che c'era da dirsi, un momento banale, un intervallo di noia. Ho poi avuto modo di capire che le verità scivolano fuori proprio in un istante di monotonia, quando la stanchezza di un giorno qualunque e sempre uguale ci appare come il peggiore dei mali.

Insomma, eravamo lì, in fumetteria, a parlare di noi, e non sono riuscito a trattenermi. « Come fai a stare con un vecchio? »

« Non è vecchio. »

« Avrà sessant'anni... »

« Cinquantasette. »

Imbarazzata, lei si è messa a sfogliare un libro.

« Ma poi » ho proseguito, « non volevi un figlio a tutti i costi? Pensi di farlo con un sessantenne? »

Con uno sguardo offeso e deluso allo stesso tempo, ha risposto: «Io non avrò figli, e tu lo sai bene».

«Credo sia arrivato il momento di farsene una ragione» le avevo detto una sera, dopo l'ennesimo test di gravidanza negativo.

Eppure, nonostante la mia domanda fuori luogo, dopo un po' ci siamo ritrovati nell'antibagno della fumetteria, lei con le chiappe sul lavandino, io con i pantaloni calati, proprio come ai vecchi tempi.

«Un secondo solo» ho sussurrato a Bracale, allontanando la cornetta dall'orecchio. Lui ha sorriso e non si è mosso dal banco, a meno di un metro da me.

«Non posso parlare» ho sussurrato poi.

«È urgente.»

«Ti richiamo io.»

«Non lo farai.»

«Lo farò.»

Ero già impegnato a illustrare al cliente un mattone di seicento pagine di un disegnatore iraniano morto da poco, quando mi è arrivato un messaggio sul telefonino. Da allora lo guardo e lo riguardo nella speranza che mi dia la forza di prendere una decisione. Almeno una volta nella vita.

```
Sono sicura che non mi avresti richiamato.
Ora suppongo che lo farai. Sono incinta.
```

Imprevisti e probabilità

Non l'ho richiamata. Perlomeno, non ancora. Quando sto per farlo, mi basta guardare il messaggio e torno sui miei passi. Ho valutato la situazione e sono giunto alla conclusione che questo figlio non può essere mio. Sarebbe un crudele scherzo del destino. Per anni il ventre di Matilde è stato teatro di orribili tragedie, una vera e propria carneficina di miliardi di miei spermatozoi felici e ingenui che si sono immolati come fanti al fronte. I nostri rapporti mirati si sono trasformati ben presto in tanti piccoli sbarchi in Normandia, con le mie truppe falcidiate appena messo piede sul continente. Dentro la mia ex moglie c'è una sfilza di torrette stracolme di cecchini che presidiano il territorio, e addentrarsi nell'entroterra è pressoché impossibile.

E allora verrebbe da chiedersi come sia riuscito Palle mosce a risolvere il problema. Forse ha aperto un negoziato. Sapendo di poter contare solo su milizie anziane e ormai stufe di combattere, ha deciso di sedersi al tavolo delle trattative e l'ha spuntata. Sì, dev'essere andata così. D'altronde, non vorrei scendere nei particolari, ma il *coitus* consumato sul lavandino dell'antibagno dovrebbe rientrare a pieno merito fra quelli catalogabili nel sottogenere *interruptus*. Almeno, così mi è parso, anche se certezze scientifiche non ne ho, né in un senso né nell'altro. E questo è il problema.

Insomma, la telefonata non l'ho ancora fatta, ma so che prima o poi mi toccherà.

«L'altro giorno ho visto Matilde» dice Clara, che si è appena seduta di fianco a me sul divano.

«Va' a chiamare tuo fratello, la cena è quasi pronta» sento dire a mia madre, rivolta a Giovanni.

«Davvero?» chiedo, ma Clara, come un segugio, sta già puntando il naso sul pannolino della figlia. «La mia principessa ha fatto la cacca?» esclama con voce infantile.

«Non Erri, Valerio!» grida mia madre dalla cucina, sempre rivolta a Giovanni, che adesso è in piedi davanti a me.

«Ma perché, Valerio è qui?»

«Valerio è qui?» chiedo di rimando.

«Sì, sta dormendo nella sua stanza. Almeno, credo dorma» risponde Mario con un sorrisetto che non riesco a decifrare.

«A quest'ora?» chiede Giovanni.

«Dove hai visto Matilde?» domando io.

Clara si alza e risponde: «Accompagnami a cambiare Renata, così ti spiego».

«Che gran testa di cazzo, nostro fratello!» sento commentare Giovanni mentre si avvia verso quella che un tempo era la camera di Valerio.

Clara posa la figlia sul bordo del lavandino e inizia a lavarla.

«L'ho incontrata l'altro giorno in un bar, era con un'amica...»

La ascolto, ma Clara è più presa dall'operazione cambio pannolino che dal racconto.

«È stata molto affettuosa...»

«Cosa vi siete dette?»

«Me la tieni un attimo?» e mi porge Renata ancora con le chiappe al vento. Poi estrae un nuovo pannolino dalla borsa.

« Allora? »

Clara riprende la figlia, mi guarda negli occhi e prosegue: « Secondo me dovreste parlarvi e magari riprovarci in modo diverso ».

« Diverso come? »

« Non so, più... »

« Più? »

« Più. »

« Più e basta? »

« Già » risponde lei e mi fa l'occhiolino.

Poi spegne la luce del bagno e si avvia in salotto.

Clara che parla di *più* è un paradosso, proprio lei che da quando fa la madre a tempo pieno ha messo in fila una serie indefinita di *meno*.

Dopo il parto è meno simpatica, meno disponibile, meno allegra, meno truccata, meno tollerante, meno donna. Mi dispiace per Giovanni, costretto a sopportare un simile autodeclassamento. Anche perché sono stato io l'artefice del loro incontro. O meglio, non proprio io, piuttosto Matilde.

Appena laureata in Economia, Clara si presentò nella nostra azienda (un tempo la chiamavo così) per uno stage. Non che la cosa mi fosse dispiaciuta, anzi, l'arrivo della giovane puledrina fece drizzare molte antenne in Natura, fra le quali, purtroppo, anche quelle di mia moglie. Matilde ci mise poco a capire che la giovane stagista mi girava attorno un po' troppo spesso e un pomeriggio cominciò a sondare il terreno.

« Carina, Clara, vero? » esclamò dopo che lei fu uscita dalla mia stanza. Feci finta di nulla e continuai a fissare lo schermo del computer, ma Matilde non desistette. « Non pensi? »

« Cosa? » ribattei e stavolta fui costretto a rivolgerle la mia attenzione.

« Dicevo che quella ragazza è proprio carina. »

« Dici? »

« Dico. »

Mi voltai di nuovo verso il computer, scrutando la sua reazione con la coda dell'occhio.

« Pensavo... e se la presentassimo a Giovannino? »

« A Giovannino? »

« Eh, magari la smette di perdere la testa dietro la ex. »

Così, la settimana successiva Matilde organizzò l'incontro. Dopo un mese i due piccioncini erano innamorati e nel giro di un anno si sono fidanzati e sposati, poi hanno comprato casa, messo al mondo una figlia e l'hanno pure battezzata.

Le vite degli altri sfilano via veloci, la mia invece è ancorata da tempo immemore. Chissà perché, alcune esistenze sembrano pedine del Monopoli che corrono fino al Via, altre avanzano a tentoni, cercando invano di scansare la casella Imprevisti.

Ho tentato di dare un figlio a mia moglie per quasi cinque anni, lo stesso tempo è servito alla maggior parte dei nostri amici per catapultare su questo strano pianetino almeno due nuovi mostriciattoli parlanti.

O chi tira i dadi è profondamente ingiusto o mi sa tanto che io ho pescato la carta « Stai fermo un turno ».

Il Gaviscon in tasca

Una delle non scelte più difficili è stata quella dell'università. Ero troppo immaturo per prendere una decisione autonoma sull'argomento, e così furono mia madre e Mario a iscrivermi a Ingegneria, furono loro a pagare le rate e a comprarmi i libri. Io, invece, mi occupavo di trascorrere i pomeriggi a giocare alla PlayStation con Valerio, che all'epoca era sì un ragazzino con gli occhiali tondi, i brufoli e l'alito fetido, ma era anche il campione assoluto di almeno tre videogiochi: Battle Arena Toshinden, Worms e Doom, uno dei primi sparatutto.

Impossibile studiare con quel diavoletto che nella stanza accanto trascorreva il tempo a far fuori mostri! Appena Renata usciva, e all'epoca succedeva spesso, facevo smammare Giovannino dalla console e iniziavo la mia personale campagna fratricida. In cinque anni (tanto è servito a mia madre per capire che gli studi universitari non erano adatti a me) ho accumulato qualcosa come millesettecento sconfitte a picchiaduro, altrettante a Worms, che era quel giochino di vermi che si lanciavano bombe, e sacrificato non so quante vite a Doom.

Poi, una sera, avevo più o meno ventisei anni, mamma si avvicinò e mi disse: «Ho parlato con tuo padre».

«Con mio padre?»

«Già.»

La fissai incredulo. Nessuno riusciva a parlare con mio padre, nemmeno i figli, come ci era riuscita lei?

« Ha detto che ti vuol parlare. »

« Parlare? » ripetei come un pappagallo.

« Sì, per via del tuo futuro. »

« Del mio futuro? »

« Dovrai pur fare qualcosa... »

Ecco, premiamo PAUSA. Con mia madre di fronte, il joystick della PlayStation in mano e il personaggio di Doom che giaceva morto mentre i suoi nemici continuavano ad attaccarlo, avrei dovuto rispondere così: « Sai, mamma, in realtà ho capito che a me di diventare qualcuno non me ne frega una mazza. Non voglio fare l'ingegnere, né il medico o l'avvocato, anzi, mi attirerebbe molto vivere una spanna al di sotto delle vostre aspettative, sono sicuro che la mia vita ne beneficerebbe e non sarei costretto, fra dieci anni, a girare con il Gaviscon in tasca e lo stomaco in subbuglio cinque giorni su sette ».

Invece andai da mio padre.

Un così *appena sussurrato*

«Ehi, fratellone» esordisce Valerio appena mi vede.

Ha gli occhi gonfi di sonno e lo stesso alito di quando giocava a Battle Arena. Solo che adesso non se ne va in giro con Giovannino al seguito, ma con una ragazza asiatica con un viso celestiale e due cosce favolose. Strabuzzo gli occhi per la sorpresa prima che lui mi presenti Tomoko.

«Piacere, io sono Erri» pronuncio con estrema lentezza.

«Sono italiana, mia madre è giapponese» ribatte Tomoko porgendomi la mano.

Valerio mi dà una pacca sulla spalla. È inverno, ma lui indossa una T-shirt e il suo sorriso perenne.

Entrambi i miei fratelli evidenziano un benessere psicofisico invidiabile. Ed è proprio questo il termine esatto che descrive la mia sensazione mentre osservo Valerio e la sua incredibile fidanzata sedersi a tavola. Invidio mio fratello che si accompagna a una donna tanto bella, che affronta la vita in maglietta e delle sue giornate fa ciò che vuole. Lo invidio e mi sembra incredibile che una ventina di anni fa fosse lui a invidiare me. Mi guardava con occhi strabiliati se mi portavo una ragazza a casa, se mi accendevo una sigaretta o andavo in discoteca. Ero il suo fratello maggiore, lui aveva undici anni, io venti, normale che provasse ammirazione e invidia. Lo è meno che adesso a provarle sia io. O forse è normale anche questo,

perché io nemmeno a trent'anni mi sono accompagnato a
una sventola del genere.

Anche su Valerio ho una non scelta da raccontare. Per un
periodo si è presentato di notte in camera mia chiedendomi
di dormire con me. A volte, se tornavo tardi, lo trovavo già
sotto le lenzuola. Allora lo spostavo nell'angolo, mi sdraiavo
e mi mettevo a fumare, tanto lui neanche se ne accorgeva.

La prima volta che me lo ritrovai ai piedi del letto, mi alzai di scatto, spaventato, ma quando mi disse che aveva fatto
un brutto sogno, sorrisi e gli feci spazio. Dopo qualche sera
si rifece vivo, gli chiesi cosa fosse successo, rispose: « Nulla ».

« E perché non dormi nella tua stanza? »

Lui fece spallucce. « Così... »

Le visite andarono avanti a intervalli regolari per un inverno, e mai mi fermai a riflettere sul perché, mai gli chiesi
il motivo del comportamento anomalo, mi accontentavo
dei suoi silenzi e di un *così* appena sussurrato. Non è che
mi accontentavo, in realtà, è che proprio non riuscivo a
prendere in mano la situazione.

Poi una sera entrò e mi trovò nel letto con Giulia (la stessa che poi avrei scoperto frequentava anche altri letti).
Aspettavamo la mezzanotte per essere sicuri che mia madre
e Mario dormissero, poi ci intrufolavamo in casa. Appena
lei vide mio fratello, urlò, Valerio fuggì, io mi alzai, lo rin-
corsi, gli afferrai il braccio ed esclamai: « Non ti azzardare a
dirlo a mamma, altrimenti non ti faccio dormire più con
me! »

Lui spalancò gli occhi e fece di no con la testa. Ciononostante, fu l'ultima volta che si presentò di notte nella
mia stanza, e ne fui contento. Solo molti anni dopo – era-

vamo a una cerimonia, tutti i fratelli intorno alla stessa tavola – Valerio decise di rivelarmi il motivo per il quale si rifugiava da me.

«È che quei due nella camera a fianco facevano un tale baccano che non riuscivo a dormire e me ne restavo tutta la notte con le mani sulle orecchie sperando che la finissero con i grugniti animaleschi.»

Lo disse ridendo, mentre sorseggiava il vino, e tutti gli andarono dietro, a cominciare da Giovannino, che tenne a precisare di non ricordare nulla al riguardo.

Io, invece, proprio non ce la feci a ridere, nonostante i numerosi calici di vino buttati giù. Avevo appena imparato che, a volte, anche le domande non poste, proprio come le scelte che non facciamo, possono far del male a chi ti sta a cuore.

Una delle migliori espressioni
linguistiche della famiglia

Insomma, quel giorno di quindici anni fa mi presentai da mio padre, pronto a far valere le mie ragioni; gli avrei finalmente rivelato i miei desideri, il sogno che cullavo di nascosto e che non avevo il coraggio di confessare a nessuno. Eravamo ancora tutti e quattro a tavola, subito dopo cena, quando lui esordì: «Ho parlato con tua madre».

«Lo so» risposi di getto. Mi ero preparato per giorni al confronto con lui da uomo a uomo, nonostante non avessimo mai parlato sul serio.

«Ha finalmente capito che l'università non è nelle tue corde.»

Tirai un sospiro di sollievo e finsi di non capire l'allusione al fatto che lui, in realtà, aveva sempre pensato che gli studi di ingegneria non facessero per me.

«Non tutti siamo portati per lo studio, l'importante, però, è avere un obiettivo, uno scopo, un sogno da perseguire.»

Alla parola «sogno» i miei occhi brillarono. Io l'avevo un sogno, perciò inspirai a lungo e biascicai: «Avrei pensato di tentare la carriera di fumettista», e subito dopo mi consumai le mani sui jeans nel tentativo di asciugare il sudore.

«Il fumettista?» fu la sua domanda-risposta.

«Già.»

A quel punto ero anche pronto a una reazione ostile, un rimbrotto, addirittura un'umiliazione, nonostante in ventisei anni di rado mi avesse rimproverato. Per Raffaele Gargiulo anche sgridare i figli era stancante e andava fatto con parsimonia. A ogni modo, da come aggrottò le sopracciglia sono certo che fosse pronto a stancarsi, sennonché accadde l'imprevisto. Rosalinda, seduta al suo fianco, non appena sentì il mio progetto, disse queste testuali parole: «Wow, bellissimo, disegnare fumetti!»

Sono sicuro che senza il suo intervento la discussione avrebbe preso ben altra piega, invece mio padre si girò a guardare la moglie con aria perplessa.

«Che bella idea!» proseguì lei con un entusiasmo ingiustificato.

«Sì, grandiosa!» la seguì Flor, che all'epoca era un'adolescente in piena fioritura e parlava con chiunque dei magnifici fumetti del suo «fratellone».

Papà si portò le mani alla barba e mi squadrò serio, al che io, d'istinto, estrassi dalla tasca il foglietto accartocciato sul quale, durante la notte, avevo faticosamente elencato le quattro possibili alternative al mestiere di fumettista in ordine decrescente di gradimento.

Per fortuna non fu necessario mostrarglielo, perché lui, dopo alcuni secondi, commentò: «Tempo fa volevo aprire una libreria...»

«Lo so» risposi subito.

«Lo sai?»

«Già.»

«Te ne ho parlato io?»

«No, mamma.»

«Mamma. Immagino cosa ti avrà raccontato.»

Rimasi in silenzio, la discussione rischiava di prendere una brutta piega, come accadeva tutte le volte che saltava fuori mia madre. Per la verità, succedeva anche quando era lui a far capolino nelle discussioni con lei. La mia infanzia è stata un continuo sforzo per evitare di pronunciare il nome dei miei genitori.

Ma questo è un altro discorso.

In definitiva, ero convinto che mi sarebbe toccato scendere di almeno un paio di gradini nella mia scala dei sogni, invece papà se ne uscì con la frase che, a distanza di quindici anni, resta negli annali come una delle migliori della famiglia Ferrara/Gargiulo.

«Be', alla fine sempre meglio che fare l'ingegnere!» E scoppiò in una grassa risata che si tramutò in tosse convulsa, dato che già all'epoca fumava una confezione di toscani Garibaldi al giorno.

Il bigliettaio del Castello di Lord Sheidon

A questo punto mi sento in dovere di esaminare più a fondo la figura di Raffaele Gargiulo, che a molti potrebbe apparire decisamente controversa. Questo mi dà anche la possibilità di spiegare il significato del mio nome, che tanto normale non è. Come non lo è chi me lo ha attribuito, del resto.

Laureato in Giurisprudenza, Raffaele Gargiulo si formò nei turbolenti anni Settanta e ben presto si fece rapire dal movimento giovanile e da un gruppo anarchico molto in vista a Napoli. Nonostante l'indole ribelle, era un ragazzo perbene, colto, innamorato delle donne e della vita incasinata; non a caso, in quegli anni fu occupato non solo dal diritto e dalla lotta politica, ma anche dal matrimonio, dalla mia nascita, dal successivo abbandono della carriera avvocatizia, poi da quello della moglie, infine dalla fuga dall'Italia in seguito a un qualche guaio non meglio specificato. So solo che qualcuno gli rivelò che il suo nome compariva in un'indagine della magistratura e che la polizia lo voleva incastrare. Perciò, alla fine degli anni Settanta, decise di espatriare da un amico a Ibiza, dove aprì un piccolo bar e conobbe Rosalinda.

A distanza di anni, la soffiata si rivelò una panzana: non era mai finito nell'elenco degli anarchici da tenere sott'occhio. D'altronde, di cose davvero imperdonabili Raffaele Gargiulo non ne aveva mai fatte.

A parte lasciare una moglie e un figlio e rifarsi una vita all'estero.

Oltre a essere un anarchico, papà era anche un grande lettore. Amava la letteratura e si sarebbe volentieri iscritto a Lettere se solo i genitori non avessero deciso di fargli espiare le colpe del fratello maggiore, zio Vittorio, incanalandolo controvoglia verso la carriera di avvocato. Carriera che, loro malgrado, si interruppe dopo poco, quando il non più giovane Raffaele, con già un matrimonio fallito alle spalle e un figlio con un nome non nome sul groppone, capì che il diritto non sarebbe stato il suo futuro e smise di arrancare dietro il suo capo, un anziano avvocato amico del nonno, per dedicarsi esclusivamente alle sue passioni: la lotta politica e la letteratura. Della lotta politica ho già parlato, sulla letteratura invece c'è poco da dire: papà tentò fino all'ultimo di dar vita al sogno di aprire una libreria, solo che non fece in tempo perché fu costretto a fuggire in Spagna.

Al ritorno aveva con sé una compagna già incinta e non poté che accettare il posto di bigliettaio del Castello di Lord Sheidon offertogli da un vecchio compagno di battaglia. Il Castello di Lord Sheidon, per chi non lo sapesse, era l'attrazione più in voga di Edenlandia, il parco divertimenti più grande del Meridione.

Agli occhi miei e dei miei amici di allora, era il lavoro più bello del mondo, perché mi permetteva di entrare e uscire a piacimento dalla fortezza. Il lavoro di papà influenzò molto la mia personale ascesa fra i banchi della scuola elementare, dato che ogni sabato pomeriggio ero io a nominare i fortunati che avrebbero preso parte alla spedizione al castello. Fu così che i miei compagni iniziarono ben presto a idolatrarmi e a fare a gara per aiutarmi nello studio. Grazie al lavoro di papà trascorsi i migliori anni della mia carriera scolastica e riuscii anche a baciare sulle labbra Celeste, la ragazzina più bella dell'istituto, che per molti sabati di seguito si trovò in prima fila davanti al maniero.

Purtroppo, però, anche quel periodo ricco di soddisfazioni terminò. Celeste con la fine della scuola mi tolse il saluto, mentre ai miei compagni delle medie poco importava che mio padre fosse il bigliettaio del Castello di Lord Sheidon. Col tempo capii che il suo lavoro non era poi tanto prestigioso, di certo non come quello di Mario, il cui studio si andava arricchendo sempre più di collaboratori, e iniziai a mentire se qualcuno chiedeva notizie al riguardo.

Negli anni, a seconda delle mie risposte, Raffaele Gargiulo ha ricoperto il ruolo di dirigente scolastico, insegnante, ingegnere (in questo caso, al bisogno, potevo sempre dire di essermi confuso con Mario), pilota di aerei, biologo marino, maestro di arti marziali e, una volta, persino meccanico della Ferrari. Quest'ultima bugia mi procurò parecchi guai perché due compagni patiti di Formula Uno si incollarono alla tv per capire chi fosse mio padre fra tutti quegli uomini indaffarati attorno alla macchina di Nigel Mansell.

Nella realtà papà rimase a strappare biglietti e a fumare toscani fuori dal castello per otto anni.

Il suo esempio di vita mi è stato di grande insegnamento: grazie a lui ho capito che si può benissimo assistere al tracollo dei propri sogni senza ammattire o deprimersi, basta avere una confezione di sigari a portata di mano e una compagna attraente dalla quale tornare la sera. E Rosalinda attraente lo era, eccome se lo era.

Per concludere, tornando alla passione del giovane Gargiulo per la letteratura, fra i tanti autori che amava uno in particolare gli aveva rubato il cuore: Henry Charles Bukowski.

Quando nacqui, ci fu una lunga discussione in famiglia fra mamma, che mi avrebbe voluto chiamare Valerio, e papà, che desiderava invece darmi il nome del suo unico vero idolo. Alla fine Renata fu costretta a demordere e Raffaele andò tutto felice all'anagrafe, dove un impiegato calvo e con un grosso bitorzolo sul naso (negli anni, in realtà, sull'impiegato in questione sono nate numerose leggende; una lo vuole donna, e anche parecchio bella) trascrisse il nome dello scrittore cambiandolo da Henry in Erri. Senza nemmeno la N.

Neanche col nome sono riuscito a dare una soddisfazione a mio padre.

Un'ultima precisazione: sul foglietto stropicciato che lasciai appallottolato sul tavolo, quel giorno lontano, al secondo posto fra i lavori papabili c'era proprio « Aprire un negozio di fumetti ».

Una fumetteria è l'alternativa giusta per chi non è riuscito a diventare fumettista. A ben vedere, già allora avevo capito che ci si può sempre rialzare da una caduta finché c'è ancora un sogno di scorta da rincorrere.

I Cavalieri della Tavola rotonda

« Bene, ci siamo tutti » esordisce nostra madre, visibilmente agitata.

Quando mi ha chiamato, qualche giorno fa, chiedendomi se ero libero per stasera, non ho dato molto peso all'affermazione che lei e Mario dovessero dirci « qualcosa di importante ». Ultimamente, infatti, mamma ha usato spesso questa formula. L'ultima volta, in realtà, d'importante c'era la notizia della gravidanza di Clara. Peccato che allora con noi ci fosse anche Matilde, per la quale la novella non fu per niente lieta.

La mia ex moglie abbozzò un sorriso, ma subito dopo posò con eleganza il tovagliolo sulla tavola, sfilò silenziosa la sedia e si imbucò nel bagno per dieci imbarazzanti minuti. Quando andai a recuperarla, era davanti allo specchio che tentava di asciugare il trucco sciolto dal pianto. Abbracciandola, la pregai di tornare di là, perché non riuscivo più a sostenere gli sguardi paralizzati della famiglia.

Appena seduti, mia madre afferrò la mano di Matilde e le rivolse un breve sorriso. « La prossima volta toccherà a voi. »

Mario fece un rapido giro per riempire di spumante i bicchieri, mentre Giovannino e Clara ci dedicavano sguardi pietosi dall'alto della loro vita che scorreva fluida, e Valerio... Valerio scriveva messaggini al telefonino.

« Valerio » lo richiamò nostra madre quando eravamo ormai tutti in piedi, con i calici in mano, pronti a brindare al primo erede di casa Ferrara.

Valerio infilò di corsa il cellulare in tasca e, alzandosi col bicchiere fra le mani, domandò: «Allora, che si festeggia?»

Una volta a casa, Matilde mi raggiunse in cucina mentre mi preparavo ad affrontare la notte ingurgitando l'ennesimo Gaviscon.

Giovannino stava per diventare padre, io, invece, avrei continuato a masturbarmi in giro per i laboratori di Napoli nella speranza che prima o poi i miei spermatozoi riuscissero nell'ardua impresa di fecondare mia moglie.

«Forse c'è un significato dietro tutto questo» accennò Matilde, «forse abbiamo sbagliato qualcosa.»

Mi girai e rimasi a fissarla. In cosa potevamo aver sbagliato?

«Non credo che Giovannino conosca segreti del sesso a me ignoti» risposi infastidito e buttai giù il liquido viscoso del medicinale.

Ero stufo di quelle discussioni con Matilde, degli eterni sensi di colpa con i quali giustificava gli insuccessi. Per lei c'era sempre un motivo se alla fine un figlio non arrivava, una nostra presunta mancanza.

«Non intendevo questo» proseguì, «è che forse loro lo fanno in modo diverso, ci mettono più passione, più ardore.»

E vorrei ben vedere, avrei voluto rispondere, stanno insieme da poco, possono fare l'amore senza chiedere il permesso a un camice bianco e non hanno installato un'app sull'iPhone per calcolare il giorno dell'ovulazione. Invece, ribattei: «Devi smetterla di trovare sempre una causa, non c'è un perché, nessuno sa il perché, nessuno ci capisce nulla. E di sicuro non è colpa nostra».

«Intanto Clara è incinta dopo pochi mesi di matrimonio e noi stiamo ancora qui.»

«Clara ha ventiquattro anni e Giovannino nemmeno trenta» replicai di getto.

Lei mi guardò e sbuffò.

La verità è che avevamo aspettato troppo prima di iniziare a provare ad avere un figlio e ora ci meravigliavamo che la natura non si prostrasse dinanzi alla nostra scelta consapevole e giudiziosa. La natura, in realtà, si fa beffe del giudizio; non serve saggezza per mettere al mondo un figlio, serve un buon numero di spermatozoi che non abbiano paura di ascoltare il canto seducente di un giovane utero che per l'occasione si traveste da Circe.

«Non ci siamo tutti, manca Arianna!» esclama Mario, con la mano appoggiata allo schienale della sedia che lo sosterrà durante la cena.

«C'è pure Arianna?» chiede Giovannino.

«C'è pure Arianna?» ripeto io.

Arianna. Le dedicherò più di un capitolo, non ora, però, perché, manco a farlo apposta, suona il citofono.

«Eccola» prorompe nostra madre sempre più agitata, e si siede.

Fosse stata sua figlia, sarebbe corsa alla porta, ma Arianna non è sua figlia, e Renata Ferrara non spreca energie e amore per chi non è sangue del suo sangue. Così, siamo io, Mario e la domestica (che nel frattempo ha ottenuto un nome, Pari, e la cittadinanza indiana) ad accoglierla. Arianna sbuca dalla porta e bacia il padre sulla guancia, quindi mi viene incontro e mi abbraccia senza dire una parola. E allora avverto di nuovo il suo profumo di cannella, lo stesso che ha accompagnato la mia infanzia e che mi sentivo addosso la sera, dopo aver giocato con lei tutto il pomeriggio.

Arianna è la mia sorellastra, nonché la prima donna della quale mi sono innamorato, all'età di sette anni. In realtà, a essere pignoli, Arianna non ha nessuna parentela con me, è nata dal primo matrimonio di Mario, e anche lui, in fondo, non è un mio parente. Ma se la pensassi davvero così sarei quasi solo al mondo, perché la mia vita è piena di legami con persone che non mi sono niente. Perciò contraccambio l'abbraccio e sorrido. Lei mi punta gli occhi addosso e sussurra solo « Erri ». L'attimo dopo arriva il resto della truppa ed è un susseguirsi di baci, abbracci e domande di rito. Quando raggiungiamo la sala da pranzo, mia madre porge la guancia ad Arianna senza alzarsi ed esclama un poco convinto « Come sei bella! »

Infine, ci sediamo attorno alla tavola rotonda acquistata da Renata Ferrara un paio di inverni fa con la scusa che « voglio godermi le volte che stiamo insieme e avervi tutti vicini ». La sporca verità è che l'ultimo Natale si era consumato sul vecchio tavolo rettangolare di legno massello dal quale il nostro capo miliziano non riusciva ad avere il controllo della conversazione. Con una tavola rotonda ha risolto il problema e adesso, circondata dai suoi fedeli cavalieri, può interpretare senza remore il ruolo di re Artù.

Inutile specificare chi di noi fratelli sia Lancillotto.

Odio tua madre

Il primo ricordo che ho di Arianna risale all'inizio degli anni Ottanta. Era domenica, avevo suppergiù sette anni e la mia vita, seppure già falcidiata dalla separazione dei miei genitori, scorreva tranquilla. Papà se n'era andato, è vero, ma in fin dei conti non c'era mai stato sul serio. E poi, senza la sua presenza in casa, le attenzioni di mamma erano tutte per me. Una conquista non da poco.

Un altro dei vantaggi della separazione era stato che il parentado mi aveva inondato di regali. Perciò, per un periodo breve ma intenso, fui un bambino sì traumatizzato e con il padre lontano, ma anche molto invidiato da cugini e amichetti. Se a loro compravano al massimo cinque bustine di figurine, a me mamma comprava tutta la scatola. Fui il primo a terminare l'album dei calciatori e quello con più doppioni da scambiare in classe. Fui anche il primo ad avere il famoso Galeone dei Pirati della Playmobil. Insomma, grazie ai sensi di colpa con i quali conviveva mia madre, io me la spassavo.

Quella domenica d'autunno me ne stavo tranquillo sul sedile passeggeri della vecchia Due cavalli ad attaccare le figurine Panini sul mio invidiabile album. Appena mamma arrestò l'auto, sollevai il capo e fuori dal finestrino incrociai il faccione sorridente di Mario, che si presentò e cinse la mia manina con la sua, enorme. Poi si scostò e dietro di lui comparve Arianna. Aveva lo stesso viso minuto di oggi, la pelle lattescente e lentigginosa, gli zigomi pronunciati, gli occhi chiari un po' incavati e i capelli rossicci tagliati a carré. Non sorrideva, aveva le braccia lungo i fianchi e lo sguardo triste, ciononostante mi porse la mano e si presentò. Rimasi folgorato e il cuore iniziò a battermi forte.

Quando mamma mi pregò di andare dietro insieme ad Arianna in modo che Mario potesse prendere il mio posto, schizzai sul sedile posteriore e non dissi più una parola mentre la mia vicina guardava fuori dal finestrino e mamma e l'uomo barbuto sembravano divertirsi. Poi, a un certo punto, Arianna puntò gli occhi tristi sull'album dei calciatori adagiato sulle mie ginocchia e domandò: « È tuo? »

Feci di sì con la testa.

« Anche le figurine? » chiese subito dopo guardando il mazzo che stringevo fra le dita come un tesoro.

Annuii di nuovo. Non avevo il coraggio di parlare. Lei, però, sembrava non farci caso e con la massima naturalezza mi chiese: « Me le regali? »

Sgranai le palpebre, quindi guardai prima il mazzo di doppioni poi lei, che mi fissava con occhi inespressivi.

« Allora? »

Avevo quasi riacquistato la parola per dire che no, per nulla al mondo mi sarei separato dalla mia collezione di doppioni, sennonché lei aggiunse: « Mi renderesti felice ».

Non avevo mai conosciuto una come Arianna. Lo sguardo malinconico e la serietà con la quale mi parlava mi mettevano a disagio, ma allo stesso tempo mi attraevano e mi facevano sentire più grande di quel che ero.

Perciò allungai la mano e le porsi il mazzo. Lei lo strinse e mi sorrise un istante prima di ribattere: « Grazie, non lo dimenticherò ».

Allora non potevo saperlo, ma quel gesto mi aveva appena aperto la strada per il suo inaccessibile cuore.

Trascorremmo la giornata in un ristorante sul lago d'Averno. Nonostante l'autunno inoltrato, il sole ancora riscaldava l'aria e Mario pregò il cameriere di prepararci un tavolo sulla terrazza. Non avevo mai visto mia madre tanto serena e sorridente, nemmeno prima che papà si trasferisse sul divano, e mangiavo incantato la mia cotoletta, guardando un po' lei, che pendeva dai racconti di Mario, un po' Arianna, che invece mangiava composta e fissava il piatto. Dopo poco, Arianna si rivolse al padre. «Possiamo andare a giocare io ed Erri?»

«Certo, però non vi allontanate» rispose lui, anche se non avevamo finito di mangiare.

Guardai mamma con apprensione, ma lei sembrava avere occhi solo per quell'omaccione, così sfilai dal tavolo silenzioso e ghermii la mano che mi offriva la mia nuova amica.

«Quanti anni hai?» le chiesi.

«Quasi sette» rispose di getto, «tu?»

«Sette e mezzo» replicai pieno d'orgoglio.

«Che nome è Erri?» chiese poi, mentre sedevamo cavalcioni su un muretto che delimitava il parcheggio del ristorante.

«Un nome come tanti» risposi seccato. Tutti mi chiedevano del nome, tutti volevano sapere il perché. Solo che io un perché non ce l'avevo ancora.

«Mi piace molto» disse invece lei.

«Davvero?» fu la mia reazione sorpresa.

«Già» ribatté mentre giocava con una formica che si era

avventurata sul suo polpastrello, « è originale, ce l'hai solo tu! »

Fu quello l'istante esatto in cui ho iniziato ad amare il nome strano che portavo appresso come un peso.

La osservai mentre si guardava le mani e i capelli le ricadevano davanti agli occhi rendendola ancora più misteriosa. Dal vestitino sbucavano due gambe bianchissime e sottili con le ginocchia sbucciate e al collo aveva un ciondolo a forma di F.

« Non ti chiami Arianna? » chiesi allora.

« Certo. »

« E perché al collo hai una F? »

Lei mi guardò negli occhi e rispose senza turbarsi: « È l'iniziale del nome di mia madre ».

« Ho capito » sussurrai, ma lei era già scesa dal muro per strappare un fiore giallo che sbucava fra gli incavi del tufo. « E dov'è tua madre? » chiesi allora, non sapendo cosa dire.

Lei rispose con voce gelida, rigirandosi il fiorellino fra le mani: « È morta ».

Ammutolii e socchiusi gli occhi. Non avevo mai conosciuto un'orfana e quasi mi sarei messo a piangere se Arianna non avesse proseguito la conversazione come se nulla fosse.

« Anche tuo padre è morto? »

« No! » gridai, spaventato al solo pensiero.

« Scusa » sussurrò. Poi, dopo un po', aggiunse: « E allora dov'è? »

« A casa sua. »

« Dove? »

Riflettei e risposi: « Boh ».

« Lui e tua madre si sono lasciati? »

Annuii. A quel punto decise che era stufa di parlare e giocammo per il resto del pomeriggio, mentre mamma e Mario ci lanciavano sguardi divertiti e soddisfatti da lontano.

Prima di risalire in auto, Arianna si avvicinò al mio orecchio e sussurrò: «Ti devo dire una cosa».

La guardai, inebriato dal profumo di cannella che scaturiva dalle sue labbra, e attesi che mi rivelasse il segreto.

«Odio tua madre» bisbigliò con le mani attorno alla bocca, quindi si infilò in auto e non mi rivolse più lo sguardo.

A casa mamma mi abbracciò e mi chiese se Mario mi era simpatico e se m'ero divertito a giocare con sua figlia. Risposi di sì a tutte e due le domande, e lei, prima di sciogliere l'abbraccio e andare in cucina, commentò: «Bene, sono proprio contenta che Arianna ti sia simpatica. Sai, presto potrebbe diventare la tua sorellina».

Non capii subito che con quella frase buttata lì mamma mi aveva appena comunicato che da quel momento in avanti nella mia vita ci sarebbe stato un padre in più.

Il mio unico dilemma, quella sera, era che se Arianna fosse diventata davvero mia sorella, non sarebbe mai potuta essere la mia fidanzata.

I padri tornano sempre

Per qualche giorno la frase di Arianna mi rimbombò nel cervello. Mi chiedevo perché odiasse mia madre e se il fatto che odiava lei volesse dire che odiava anche me. E poi, come si faceva a odiare una persona? Non avevo ben capito cosa fosse di preciso l'odio. Certo, alcuni compagni di classe mi erano antipatici e lo stesso potevo dire degli spasimanti di mamma che ogni tanto si affacciavano nella mia vita, ma erano sentimenti diversi da una cosa così forte come l'odio.

Se Arianna odiava mia madre voleva dire che lei aveva fatto qualcosa di molto grave per farsi odiare, ma io non riuscivo ad andare oltre le ipotesi. Anche perché a me, in quel periodo, mamma piaceva molto. Era affettuosa con me come mai più sarebbe stata, non alzava mai la voce e mi portava sempre a vedere cose nuove.

Una domenica pomeriggio mi portò agli Astroni, il parco naturale nei pressi di Agnano pieno di viali alberati, cespugli di more, scoiattoli, volpi, ghiande, fango e acquitrini. E proprio in un laghetto di acqua stagnante notai tre rane che gracidavano placide sulle ninfee. Mi immobilizzai, euforico, e indicai il punto a mia madre. Mamma si sedette su un tronco spezzato e mi sistemò sulle sue gambe, quindi iniziò a fantasticare sulle tre rane, mamma rana, papà rana e figlioletto rana, che nel frattempo, nonostante la nostra presenza, chiacchieravano indisturbate.

«Che si stanno dicendo?»

«Credo che la mamma voglia sapere cosa desiderano i suoi uomini per cena.»

«Il figlio è maschio?» chiesi.

«Sì» rispose lei sicura.

«E che mangiano?»

«Insetti.»

«Bleah» commentai inorridito.

«Be', a loro piacciono parecchio.»

Dopo un po' di silenzio domandai: «Qual è il padre?»

Mamma squadrò le tre rane, identiche tra loro, e indicò la rana un po' più scura delle altre. «Quello.»

Rimasi a fissarlo finché l'anfibio fece un verso e si tuffò in acqua.

«Dove va?» chiesi preoccupato.

«Forse a cacciare gli insetti per la cena» rispose subito lei con un sorriso.

«E poi torna?»

«Perché non dovrebbe tornare?»

«Così...»

Lei mi mise a terra e mi fissò a lungo. Infine, con voce dolce, disse: «Erri, guarda che i padri tornano sempre. Prima o poi tornano».

Le afferrai una ciocca di capelli e gliela lisciai. Renata mi diede un bacio sulle labbra, si alzò, mi prese per mano e aggiunse: «E ora andiamo, che anche noi dobbiamo cenare».

L'episodio deviò la mia attenzione dall'odio inspiegabile che Arianna nutriva per mamma. Non avevo pensieri che per quella frase, «i padri tornano sempre».

Già.

Il problema è che, spesso, non tornano in tempo.

Giovannino e i suoi fratelli

Siamo al dolce quando mi vibra il cellulare nella tasca. È un messaggio di Flor.

> Hai parlato con papà?

> Sì.

> Embè?

> Ti chiamo dopo.

> Diamine, Erri, non tenermi sulle spine. Com'è andata?

Impiego alcuni minuti per digitare la risposta.

> Ma non eri tu quella che se ne fregava del giudizio di nostro padre?

> Che c'entra... sono curiosa.

« Ora che ci siamo gustati la cena, è arrivato il momento di parlare! » esclama Mario.

« Erri, posa il telefono » dice mia madre.

« Un attimo. »

```
Non posso parlare, ti chiamo dopo.
```

```
'Fanculo fratellone!
```

« Erri, insomma, Mario deve comunicarvi una decisione importante, puoi parlare dopo con la tua amichetta! »

« Non ho amichette, mamma » rispondo, e poso il telefono sulla tavola.

« Ecco perché sei sempre triste, fratellone » interviene Valerio, e scoppia a ridere guardando Tomoko che, però, non sembra divertita.

« È successo qualcosa? » interviene Giovanni visibilmente preoccupato.

« No, no » si affretta a rispondere Mario prima di versarsi un altro po' di vino.

« E allora, se permetti, Clara e io vorremmo dire una cosa... » dichiara con un sorriso imbarazzato.

A quelle parole tutti si girano verso di lui. Mamma si porta le mani al petto e sussurra: « Non dirmi che... »

I miei occhi dovrebbero puntare mio fratello minore, in attesa che ci renda partecipi della seconda buona novella, invece, chissà perché, puntano Arianna, che è seduta accanto a me e ha appena chinato il capo, la mascella serrata. Strizzo le palpebre un istante, per cancellare la sensazione di déjà-vu che accompagna la scena, poi Giovannino e consorte si alzano mano nella mano e lui dichiara: « Be', insomma, avrete capito... Clara è di nuovo incinta! »

Tra l'ultima parola pronunciata da Giovanni e il grido di gioia di nostra madre passano pochi millesimi di secondo. Se si fosse a una gara automobilistica, Renata Ferrara avrebbe appena conquistato la pole position.

« Che bella notizia! » esclama Mario.

«Colpito e affondato!» dice Valerio.

«Auguri» replica Tomoko.

«Aug...» tento di dire infine io, ma mamma mi zittisce per urlare che stavolta «sarà un maschio e si chiamerà Mario», che «Giovanni e Clara siete gli unici che mi date delle soddisfazioni», che «è proprio una gran bella serata questa, dobbiamo festeggiare!» e che «sono felice perché tutti i miei figli sono felici».

Che Valerio sia un uomo felice ho ben pochi dubbi, basta guardare la giapponesina al suo fianco per avere di che gioire. Che anche Giovanni e Clara siano contenti è tutto da vedere, invece. Checché ne pensi mia madre, non basta fare un figlio ogni volta che in tv non danno la tua serie preferita per essere soddisfatto della vita. Per quel che mi riguarda, il benessere psicofisico e il sottoscritto abitano, da almeno trentacinque anni, in due universi paralleli.

E infine c'è Arianna. E anche per lei il discorso sulla felicità è quantomeno fuori luogo, basta guardarla in faccia.

Ma tanto, per Renata, Arianna rientra nel sottoparagrafo *Figliastri* del capitolo intitolato *Giovannino e i suoi fratelli*.

Tucano

Il termine « infanzia » deriva dal latino ed è l'unione del verbo *fari*, che significa « parlare », con il prefisso *in*, che ha valore di negazione. Gli antichi racchiudevano con questo vocabolo il periodo della vita nel quale ancora non si è imparato a parlare. Con l'età moderna, l'infanzia ha assunto un connotato diverso e l'accezione odierna copre un arco di tempo molto più dilatato. Se volessi rifarmi al significato etimologico dei latini, al momento starei uscendo dalla fase infantile. Ho trascorso i primi trent'anni utilizzando il linguaggio in modo del tutto accessorio e solo ultimamente ho imparato a dire la mia in qualche rara occasione, anche se mai in modo categorico. Al contrario, quelle poche parole le balbetto, ancora incapace di affermare la mia esistenza nel mondo. Come un bambino di nemmeno due anni, solo a quaranta sto incominciando a cacciar fuori le parole che mi servono.

Non so cosa ho detto quando ho cominciato a parlare, ma ricordo il giorno in cui Giovanni, in braccio a mamma e con una marea di parenti attorno, iniziò a indicare Mario e a storcere la bocca nel tentativo di articolare la sua prima parola. So che il papà gli sorrise, pronto ad accogliere la prima delle tante soddisfazioni che l'ultimo arrivato gli avrebbe dato. Ma quel furbone di mio fratello se ne uscì dicendo « Tucano » e indicò il faccione simpatico di un grosso uccello dal becco giallo che faceva capolino da un cartone alla tv alle loro spalle.

Il suo gesto mi lasciò, manco a dirlo, senza parole. A poco più di un anno, Giovanni aveva avuto il coraggio di aprire bocca per dire una cosa diversa da quella che chi gli era di fronte voleva sentirsi dire.

Io, per fare lo stesso, ho impiegato qualche decennio in più.

L'incidente

Ci vuole un certo talento per riuscire a vivere una vita intera in compagnia del risentimento represso. Ma non posso prendermi tutto il merito, perché la capacità di inibire gli stati d'animo mi è stata data in dono da mio padre, il re delle emozioni calpestate in nome di una presunta pace interiore.

Perciò, se oggi me ne vado in giro con la faccia imbronciata e lo stomaco gonfio, un po' è anche merito suo. Ma siccome non mi va di passare per lo sfigato che a quarant'anni incolpa il padre per le proprie mancanze, va detto che anche mia madre ha la giusta dose di responsabilità. Quanto a emozioni lasciate alla deriva, anche lei sa il fatto suo.

È buffo pensare che due persone tanto diverse possano aver avuto la costanza di cercare un punto in comune. Ma la cosa più buffa è che quel punto sono io. Grazie a me hanno potuto sfoggiare la loro totale inettitudine nel ruolo di genitori, sono io ad aver dato loro la possibilità di applicare nella pratica il sistema dottrinale del controllo emotivo così caro a entrambi. Certo, che l'unico punto davvero in comune fra i due sia questo è ai limiti del grottesco.

Per il resto, non so come abbiano fatto a sposarsi e a mettere al mondo un figlio. Ma questo stesso fatto suffraga la teoria per la quale mi sono battuto per mesi con Matilde, e cioè che dietro la nascita di un figlio non ci sono particolari segreti, formule algebriche o colpe da espiare: solo coincidenze. Io, come milioni di altre persone, sono frutto di un avvenimento fortuito, di un incidente, se così lo vogliamo chiamare.

Sì, nel mio caso il sostantivo calza a pennello.

A quanto ne so, si conobbero a una manifestazione. Lui era appena laureato, lei frequentava Scienze politiche. Una sera che era in vena di rivelazioni, mamma mi spiegò il perché di quella lontana scelta così «fuori di testa».

Papà era bruttino (parole di lei), a venticinque anni aveva già pochi capelli e una barba folta, gli occhiali spessi e la fronte corrugata. Insomma, non era certo un ragazzo spensierato e allegro, non la faceva ridere, non la portava a prendere un gelato, come facevano i fidanzati delle amiche. No, lui era un orso, detestava il divertimento e parlava citando filosofi, scrittori e politici. Era antipatico, ma colto e affascinante, con gli occhi scuri spesso fissi sul vuoto, la bocca contratta e la barba che sapeva di tabacco. Fumava il sigaro e indossava sempre un basco alla Che Guevara, l'eroe rivoluzionario delle bandiere (parole di mia madre) al quale forse voleva somigliare.

A questo punto mi preme specificare un dettaglio rilevante, che è stato la causa della nascita e della subitanea morte del loro amore, nonché della piega che ha poi preso la vita di Renata Ferrara e, di conseguenza, quella dei suoi figli, in primis il sottoscritto.

Di umili origini, mamma è cresciuta in un quartiere popolare della periferia. Proprio lei – la stessa che adesso, al semaforo, risponde infastidita ai ragazzi di colore – nei primi vent'anni ha conosciuto la povertà e ha poi speso i restanti cinquanta a cercare di dimenticarla, di cancellare quel passato inglorioso. Se avesse messo altrettanta dedizione nella cura dei rapporti umani, alla sua morte sarebbe subito in lizza per la beatificazione.

È facile capire perché il ragazzo colto che parlava come un filosofo e recitava poesie di Neruda finì per conquistare il suo cuore. Lei, che aveva schiere di ragazzi che le ronzavano attorno e, in potenza, innumerevoli gelati e giri in motoretta, scelse Raffaele Gargiulo e la sua lotta politica. E pur di stargli accanto finì per emularlo e combattere le sue stesse battaglie.

Se fosse stata un po' più matura e meno accecata dalla voglia di riscatto sociale, avrebbe capito che le battaglie dell'amato mai sarebbero state le sue, perché è vero che i suoi genitori erano ignoranti e avevano poco da offrire ai figli, ma le avevano donato tutto quello che era nelle loro possibilità, senza pretendere nulla in cambio. Mamma, insomma, aveva sì un passato da dimenticare, ma il presente avrebbe potuto costruirselo come più le piaceva. Al contrario, il giovane che parlava di Kant e di lotta politica aveva una famiglia colta alle spalle, dalla quale però doveva difendersi ogni giorno. Era in gioco la sua identità, che due genitori invadenti gli contendevano per rifarsi del dolore procurato loro dal primogenito (il famoso zio Vittorio, di cui prima o poi parlerò).

In conclusione, mio padre e mia madre hanno speso una vita nell'illusione di riscattare l'infanzia. E per farlo lei ha puntato a salire, lui a scendere: lei con il suo mondo fatato di divani floreali, tappezzerie, amici potenti; lui con l'idea che, dopotutto, distruggere il proprio futuro non era così orribile se a farne le spese fossero stati anche i suoi genitori.

Devo un grazie al rodeo

Adesso però voglio raccontare che cosa accadde quando tornai a casa con la notizia che papà aveva appoggiato la mia idea rivoluzionaria di diventare un fumettista.

Ero felice e fiero di me stesso, avevo affrontato quell'uomo burbero che si diceva mio padre, gli avevo confidato un sogno, lo avevo convinto. Ero riuscito, insomma, dove per ventisei anni avevo fallito: fare una scelta e portarla avanti.

Mi illudevo.

«Allora, che ti ha detto tuo padre?» domandò mamma.

Mario era in camera con Giovannino per aiutarlo nel disegno tecnico.

Da adolescente, capitava spesso che Mario mi spiegasse qualcosa o mi aiutasse, in matematica o in disegno, e in quei momenti mi sembrava addirittura bello studiare, mi sembrava perfino possibile diventare un ingegnere, come l'uomo grande e buono che mi ritrovavo accanto. Ricordo che spesso restavo a fissarlo, chiedendomi come facesse una persona così serena a trascorrere la vita con mia madre, che già allora era l'antitesi della serenità. Mi chiedevo cosa avessero in comune quei due, che in mia presenza non si erano mai scambiati una carezza o un bacio.

Le idee mi si schiararono un giorno di molti anni dopo, quando mi ero allontanato da Matilde e me ne stavo chiuso nel mio silenzio. Mario si sedette accanto a me sul divano, mi posò la grossa mano sulla coscia e sussurrò: «Non facciamoci sentire da tua madre, ma ci sono anche dei lati positivi nella rottura di un matrimonio». Sorrise sornione e aggiunse: «Io, per esempio, se non mi fossi separato, non avrei incontrato tua madre».

Ebbene sì, quella domenica pomeriggio sul muretto Arianna mi aveva raccontato una enorme bugia. Sua madre, come ebbi modo di capire un po' di tempo dopo, non era affatto morta, anzi, se la passava piuttosto bene. Si era pazzamente innamorata di un fotografo americano conosciuto a un rodeo durante un viaggio e aveva lasciato che Mario si rifugiasse tra le braccia di mia madre. Facile capire come mai Arianna la dichiarasse morta, ai suoi occhi prima ancora che a quelli dei ragazzini ingenui come me.

Se la mamma di Arianna non fosse andata al rodeo, io non avrei goduto di un secondo padre che un po' riempiva il mio buco nello stomaco. Soprattutto, non avrei mai conosciuto Arianna, e sarebbe stato persino peggio di non incontrare Mario.

Tornando a noi, anche Mario aveva conosciuto il dolore della perdita, della frattura e dell'abbandono. Sapeva cosa stavo provando, cosa mi attendeva.

Avrei potuto chiedergli come superare il momento, a cosa aggrapparmi, in che cosa sperare, come recuperare la dignità e un po' di fascino. Invece, mi venne spontanea una sola domanda.

«Come hai fatto a passare tutti questi anni con mia madre?»

Lui scoppiò a ridere e disse: «Una madre può fare molti più danni di una moglie». Poi mi offrì una sigaretta e accese la sua.

Dopo un po' mi venne in mente la seconda domanda.

«Come si fa a stare insieme tanto tempo?»

Lui stavolta non mi guardò nemmeno e rispose cacciando il fumo dal naso: « Sai, Erri, ci sono individui che dicono di credere nell'amore, ma non sono disposti a farsi sottrarre una porzione di letto, parlano di condivisione e non accettano di trovare il bagno occupato, si riempiono la bocca di progetti, e poi sbuffano se per caso la televisione è sul canale sbagliato. Grazie a loro ho capito che esistono persone che amano altre persone, e persone che amano solo l'idea di amare altre persone. Con queste ultime si può, al più, fare una cena galante, con le prime, invece, si possono anche spacchettare i cartoni di un trasloco ».

Prima o poi mi sa che dovrò ringraziare mamma per aver scelto con tanta cura il mio secondo padre.

Abbi dubbi

« Allora, che ti ha detto tuo padre? »

Prima di rispondere alla domanda di mamma, devo premere di nuovo PAUSA. La vita mi stava mettendo alla prova, stava testando voglia e capacità di combattere per realizzare un sogno. Ancora una volta, potevo scegliere o lasciare che qualcuno lo facesse per me.

« Che faccio bene a fare ciò in cui credo. »

« Perché, in cosa credi? »

« Voglio fare il fumettista. »

« Il fumettista? »

« Già. »

« Cioè, fare disegni? »

« Sì. »

« Che storia assurda è questa? »

« È quello che voglio. »

« Ma è come non fare niente. Chi vuoi che campi disegnando fumetti? »

« Ci campano in molti. »

« E tuo padre ha detto che va bene? »

Annuii.

« Quel disadattato irresponsabile » starnazzò Renata Ferrara mentre andava avanti e indietro nel salotto con le mani sui fianchi. « E io l'ho pure chiamato, e ti ho spinto a parlare con lui credendo che ti volesse incoraggiare a studiare davvero. »

« Io non so studiare, mamma » osservai calmo.

Lei si bloccò e gracchiò: «Che fesseria è mai questa? È solo una questione di volontà. Volere è potere, Erri, non scordarlo mai!»

«Volere è potere» è la frase preferita da mia madre. E da tutti coloro che credono di far girare il mondo a proprio piacimento.

«Ho già deciso» ribattei senza muovere un muscolo, «è inutile che ti sbatti.»

Ero fiero della mia audacia, della strafottenza con la quale stavo affrontando la discussione. In realtà, non era del tutto merito mio: prima di tornare a casa mi ero fatto una canna con un amico. Grazie all'erba, persino mia madre mi sembrava affabile.

«Ah sì?» gridò in preda a una crisi isterica. «Allora adesso chiamo tuo padre e mi faccio dire la verità, vediamo se poi continui a fare il gradasso!»

«Chiamo tuo padre» è stato l'incipit di gran parte dei capitoli della mia infanzia. Questa semplice frase era in grado di procurarmi una specie di febbre ansiogena. È che ogni volta che si sentivano al telefono iniziavano le urla, i rinfacci, gli scaricabarile, le lunghe perifrasi per arrivare a dire che la colpa della mia inettitudine era dell'altro. A ogni telefonata ripiombavo nel passato, a quando le stesse cattiverie se le dicevano faccia a faccia, con me nella stanza che tentavo di concentrarmi sulle parole dei Barbapapà alla televisione, così da non ascoltare le loro, che comunque assorbivo senza accorgermene, come fossero radiazioni.

Quella volta, però, Renata Ferrara mi sorprese. Non telefonò a mio padre, fece di meglio: la sera mandò Mario in camera mia.

Gli anni trascorsi in politica le avevano insegnato che ci sono molti modi per raggiungere l'obiettivo. Mamma decifrò il comportamento di Raffaele Gargiulo come quello di colui che si presta volentieri a sacrificare il futuro del figlio pur di ferire la ex moglie. Nella sua mentalità, l'ipotesi che papà per una volta avesse ritenuto di lasciar decidere me non era contemplata. Mamma le decisioni importanti non le lascia mai agli altri, men che meno ai diretti interessati.

E così mi trovai ad affrontare Mario, un nemico ben più potente dei miei genitori. Di lui, infatti, mi fidavo, sapevo che voleva solo il mio bene e non mi avrebbe obbligato a intraprendere una strada che non mi interessava. Perciò, feci proprio ciò che mia madre si aspettava: mi sedetti buono buono e rimasi ad ascoltarlo tutta la sera, lasciando che le sue parole mi instillassero il dubbio che il mio progetto fosse un'enorme scemenza. Instillare un dubbio è l'unica tecnica di comprovata efficacia per chi vuole arrestare l'avanzata di chi è pronto a tutto pur di non sacrificare i propri sogni. Se Mario quella sera mi avesse obbligato a continuare a studiare ingegneria, lo avrei mandato a quel paese e ora, forse, disegnerei fumetti come mia sorella Flor.

Mario non impose alcun divieto, non si permise di proclamare verità o dare consigli. Si limitò a dirmi di pensarci bene, che la strada del fumettista era impervia, che pochi ci vivevano davvero, che a una certa età una donna guarda queste cose, il lavoro del compagno, la sicurezza economica, che io non ero abituato a una vita di stenti. Che, in ogni caso, nulla mi vietava di continuare a disegnare per passione, come sfogo, la sera magari, o nei fine settimana. Concluse dicendo: «Ora che ci penso, un mio caro amico per il quale faccio delle consulenze è in cerca di personale per la sua azienda di fotovoltaici. È il lavoro del futuro, in continua espansione. Potresti trovare il tuo spazio lì. Che dici, ti va di provare? Se non ti piace, sei sempre libero di andartene».

Ero così stordito dalle sue chiacchiere sterminate e da quel po' di cannabis che ancora mi scorreva nel sangue, che annuii e lo ringraziai per le sue parole, perché si era sforzato di trovare una soluzione alternativa senza urlare, come avrebbe fatto, invece, mia madre.

Solo una decina di anni dopo venni a sapere che l'idea di chiedere il favore al caro amico non era stata sua, ma di Renata.

La prima cosa che direi a un figlio, una volta adulto, sarebbe: «Fai il possibile perché ciò che ti piace non diventi un passatempo da coltivare solo nel fine settimana. È la via più diretta per trasformarsi in un infelice».

Quello che avrebbe dovuto dirmi Mario.

A volte chi si preoccupa per te può fare molti più danni di chi a stento si accorge della tua presenza.

Piccola riflessione sul dubitare

Si dice che il dubbio è per le persone intelligenti e che il superficiale non dubita di nulla, ha un buon matrimonio, un impiego che lo soddisfa e un dio da ringraziare. Io non ho un buon matrimonio, per lungo tempo ho avuto un impiego poco soddisfacente e il mio dio non mi evita di dubitare di tutto. Bene, sono una persona intelligente e piena di dubbi. Dovrei essere contento. Invece la notte nel letto non riesco a star fermo un minuto, a volte sembra che mi manchi il respiro, ho incubi ricorrenti e mi sveglio di soprassalto.

Se dico che ho il sonno leggero, mi sento consigliare della camomilla.

Altro che camomilla, per poggiare la testa sul cuscino e iniziare a russare mi servirebbe un potente infuso di superficialità.

Statua di cera

«No, mamma» esclama Giovannino con voce ferma, «stavolta spetta a Clara decidere il nome.»

Renata Ferrara serra le mascelle per un millesimo di secondo, quindi chiude i pugni e li appoggia sul tavolo, solo dopo riesce a imbastire un sorriso e ribatte: «Ma certo, come no, mi sembra giusto. E che nome hai pensato, cara?»

A questo punto la scena è identica a quella che si è ripetuta negli anni davanti ai nostri occhi quando le nostre varie fidanzate cercavano di tenere testa al capo miliziano. Clara, che certo non brilla per coraggio e determinazione, arrossisce e, dopo qualche colpetto di tosse, borbotta: «Se è di nuovo femmina, come speriamo, avrei pensato Luisa, il nome di mia nonna».

Sul tavolo cala il silenzio e, poiché tutti la guardano, Clara è costretta ad abbassare gli occhi. Tutti, tranne Valerio, che sta inzuppando un pezzo di pane nell'olio di quel che resta dell'insalata. Nostra madre si gira d'istinto verso di lui.

«Valerio, che modi sono, mica sei un barbaro! Noi di certo non ti abbiamo insegnato a mangiare così. E poi, diamine, hai già preso anche il dolce!»

«Tranquilla, ma'» ribatte lui senza alzare il capo dall'insalatiera, «voi non avete colpe, sono io che sono irrecuperabile.»

Mamma guarda un secondo il marito e ribatte: «Sì, sei

irrecuperabile, davvero non capisco come faccia chi ti sta accanto a sopportare tanta maleducazione».

Sorrido di fronte al nuovo record stabilito dalla signora Ferrara: è riuscita a criticare la compagna del figlio due ore dopo averla conosciuta. Tomoko, però, non coglie, o quantomeno non sembra offendersi. Forse le dinamiche piccolo-borghesi dell'italiano medio sono estranee alla sua cultura mista. Forse sarà proprio questa distanza culturale a salvarla. Valerio, però, sembra infischiarsene del bagaglio culturale della sua ragazza; si gira verso di lei ed esclama con un mezzo sorriso: «Amore, questo era destinato a te, una specie di rito di iniziazione».

Tomoko sorride per non piangere, al che interviene Mario.

«Tomoko, ma davvero sei consapevole di quel che fai? Davvero stai con Valerio per libera scelta?»

La giapponese risponde con un altro sorriso e nostra madre può così tornare alla sua nuora preferita. «Scusami, tesoro» le dice, «non voglio intromettermi in questioni che non mi riguardano, la scelta è vostra, ma, se posso dire la mia, Luisa non mi sembra proprio il nome adatto. È un po' popolare, non credi?»

«La nostra tata si chiamava Luisa» commenta Valerio, con la testa ancora china nella zuppiera.

«Appunto» ribatte serafica Renata.

«A me piace, è un nome importante della nostra città, della nostra cultura» si intromette Arianna, rompendo il proprio silenzio.

Mamma dilata le narici e quasi le esce il fumo dal naso. Poi, per fortuna, arriva la risposta di Clara.

«Be', non lo so, è che mi farebbe piacere per la nonna, è stata importante per me.»

«Mamma» interviene Giovannino, «non abbiamo ancora scelto, è prematuro. Quando sarà il momento, si vedrà. Adesso è inutile stare qui a discuterne.»

A questo punto Renata si lascia andare sullo schienale della sedia e, carica del più bel sorriso di circostanza di cui è capace, esclama: «Alzo le mani. Le vostre decisioni non mi riguardano. Però se un domani vostra figlia vi rinfaccerà la scelta, non venite da me. E poi non capisco perché sperare che sia femmina. Io, invece, mi auguro che sia un bel maschio!»

Infine poggia i polsi sul tavolo e rimane lì, imbalsamata nel pesante fondotinta che le nasconde il viso, nei bracciali d'oro giallo che le cingono le braccia abbronzate tutto l'anno, nel vestito aderente che magicamente dissimula la panciera che, sono certo, indossa anche stasera.

Giulia e il nudo

Dopo il breve periodo di depressione legata al crollo della Democrazia Cristiana e all'avviso di garanzia, mamma decise che non si sarebbe lasciata andare, che avrebbe reagito a modo suo, con veemenza. All'inizio rifiutò, ma poi cominciò ad accettare gli inviti delle varie redazioni televisive campane che la esortavano a commentare la nascente Seconda Repubblica. In breve tempo le emittenti regionali divennero il suo salotto e non c'era trasmissione politica nella quale Renata Ferrara non fosse presente per dire la sua. Finché arrivò il 26 gennaio del 1994. Non posso dimenticarlo, fu uno dei momenti peggiori della mia vita, secondo solo alla sera in cui Matilde mi rese partecipe della sua relazione con Ghezzi.

Ma torniamo al '94. Quando infilai le chiavi nella toppa di casa, avevo appena fumato due canne insieme a un amico di allora, Orlando. Più che un amico, era proprio un compagno di fumate: come me, non doveva passarsela tanto bene in famiglia e quando ti imbattevi in lui eri certo di scroccare un po' d'erba. In quel periodo Orlando era il mio unico raggio di sole. Era l'epoca di Giulia, la fedifraga, e dell'amara scoperta dei miei vent'anni: se l'infanzia ti ha lasciato in dono un vuoto da riempire, è certo che gli altri non si preoccuperanno di colmarlo, ma ci sguazzeranno come un bambino in una piscina gonfiabile.

Giulia aveva sguazzato a lungo nella piscina che avevo dentro.

Era andata così. Lei frequentava l'ultimo anno di liceo e nel mese di novembre del '93 gli studenti, come ogni autunno, occuparono la scuola per non so quale protesta. Una mattina di dicembre, pertanto, mi venne la folgorante idea di farle una sorpresa. Mi intrufolai fra i ragazzi e vagai nei corridoi dell'istituto alla ricerca della mia fidanzata. Non trovandola, mi infilai in una classe e assistetti a una chiassosa, noiosissima assemblea durante la quale due ragazzi (un maschio e una femmina), in piedi sulla scrivania, blateravano di riforme, cultura, ministri, volantini, rivolta, occupazione, polizia bastarda e quant'altro. Molti li seguivano con enfasi, altri facevano tutt'altro.

Anche allora l'istinto ebbe facilmente la meglio sulla mia scarsa morale e mi unii al trio che, in fondo alla stanza, era intento a preparare una canna. Il più giovane non doveva avere nemmeno sedici anni mentre il più vecchio, che ero io, ne aveva diciannove e avrebbe dovuto essere a lezione di fisica generale, non certo in un liceo occupato. Ma il mio scarso feeling con lo studio è ormai noto a tutti.

Stavo fumando e chiacchierando con quei simpatici ragazzi quando fece il suo ingresso Giulia.

Nemmeno il tempo di abbozzare un sorriso, e mi accorsi che era mano nella mano con un ragazzo con i dread e una T-shirt verde, nonostante la temperatura.

Avrei dovuto alzarmi, andare da lei, insultarla, schiaffeggiare il Bob Marley con cui si accompagnava e schizzare via dall'aula. Invece, per l'ennesima volta, scelsi di non scegliere e me ne stetti in disparte, a rodermi il fegato mentre la mia amata si limonava il rasta insensibile al freddo. È che all'epoca ancora nessuno mi era venuto a spiegare che quaggiù è come una savana, e se non fai la parte del leone ti spetta quella della gazzella, la quale, poverina, fa davvero una vita di merda.

Seguii tutta l'assemblea e quando si trattò di votare alzai pure la mano, prendendo parte alla decisione di proseguire l'occupazione perché «noi studenti non abbiamo paura di lottare per i nostri diritti».

Io studente di liceo non lo ero più e quanto al lottare per i miei diritti, be', in diciannove anni non ne avevo mai provato l'ebbrezza.

Attesi che l'aula si svuotasse e sgattaiolai furtivo dalla scuola, quindi vagai per le strade cercando di non farmi vincere dal pianto per la perdita di quello che credevo l'amore della mia vita. La vita, l'ho già detto, ci ha messo poco a spiegarmi che gli amori non colmano i vuoti, semmai ne aggiungono altri. Considerata la mia ingenuità di allora, questa verità avrebbe potuto rivelarsi fatale.

Per fortuna al termine di quella fatidica passeggiata mi imbattei in Orlando, che sapeva bene come ammazzare il retrogusto amarognolo che ti rimane in bocca *all'apparir del vero*, quando ti scopri ancora bambino, ancora incapace di contrastare il devastante urto della vita.

Il mio caro amico mi offrì una canna e comprò sei bottiglie di birra.

Altro che vivere, amare, scopare, ridere, mangiare, ballare. Quella sera mi convinsi che la vera arma in più per essere felici era un'altra: bere.

Discesa in campo

Il fatidico istante in cui aprii la porta di casa, il 26 gennaio del 1994, era passato poco più di un mese dalla scoperta del tradimento di Giulia. In quel breve periodo, spodestato senza troppi problemi dal rasta, avevo smesso di essere il suo fidanzato per diventarne l'amante. Il punto è che già allora convivevo con un problemino che ancora oggi disturba il pieno godimento della mia sessualità: ero brutto, e di certo non potevo paragonarmi all'epigono del re del reggae, che brillava di luce propria. Nonostante questo, riuscivo a strapparle un po' di sesso qua e là, qualche strofinamento su un muretto o una panchina, in attesa che lei incontrasse il fidanzato e io mi rifugiassi tra gli spinelli di Orlando.

Insomma, ero schiavo dei miei difetti, perché se solo fossi stato un po' più carino, con un pizzico soltanto di autostima, se le mancanze della mia famiglia non mi avessero costretto a una rincorsa senza fine per prendermi l'amore e le attenzioni che loro non mi avevano dato, non avrei accettato l'infimo ruolo: avrei lasciato Giulia e mi sarei lanciato alla conquista di un'altra donna. Invece mi accontentai di fare l'amante della mia ex ragazza, un po' per le ragioni suddette e un po' perché Giulia, io, la amavo.

La amavo come si poteva amare una ragazza a vent'anni vent'anni fa, e cioè col batticuore perché dopo giorni riuscivo a incontrarla in quella certa piazza, perché adoravo guardarla ridere con le amiche a qualche metro di distanza nella speranza di tornare a far parte della sua vita. La amavo nell'illusione che fosse lei a chiedermi scusa. Insomma, io di Giulia ero cotto e di tutti quei discorsi sull'amore e l'autostima m'importava una sega.

La vita, d'altronde, è un continuo incontrare le persone sbagliate. Anche perché se ci imbattessimo a ogni occasione in quelle giuste, forse cominceremmo a mettere in crisi l'idea che ci si innamora davvero una volta sola. Credo sia più corretto dire che se si è fortunati si incontra una persona giusta sul nostro percorso, le altre migliaia, che pure lo sarebbero, purtroppo non ci è dato scovarle.

Quel fatidico pomeriggio avevo accettato di incontrarla al solito posto, un muretto in un viale isolato del nostro quartiere, lontano da occhi indiscreti. Lei aveva lasciato che le toccassi il seno, ma con riluttanza, come se mi stesse facendo un favore. Mi prendevo brandelli di sesso senza amore e gliene ero pure grato!

Giulia, dal canto suo, sembrava concedersi più che altro per riempire un vuoto pomeridiano. E più lei riempiva i suoi vuoti di tempo, più si allargava il mio vuoto nello stomaco.

Ce n'era abbastanza per allontanarla e recuperare un po' di dignità, sennonché, mentre mi strusciavo contro il suo corpo, lei mi passò una mano in testa, se la portò davanti agli occhi, rise e commentò: «Erri, ma stai perdendo i capelli? No, mamma mia, sai come sei brutto senza capelli!?»

Poi, senza attendere la mia risposta, mi disse che si era fatto tardi e doveva vedersi col rasta. Tornai a casa col morale sotto i tacchi e corsi in bagno. Accesi la luce e mi passai una mano fra i capelli. Sì, ero un po' stempiato, ma non era detto che sarei diventato anch'io pelato, come papà. Mia madre del resto aveva una bella chioma, non potevo aver preso da lei?

Poi li vidi: tre capelli morti fra le dita. Era l'inizio della fine. Stavo per scoppiare a piangere quando Renata Ferrara, senza neanche bussare, aprì il bagno e disse queste testuali parole: « Erri, vieni, dobbiamo festeggiare, tua madre ha appena deciso di scendere di nuovo in campo! »

Quel giorno, un altro personaggio ben più potente di Renata Ferrara aveva preso la stessa decisione. Mamma si era sintonizzata sul messaggio a reti Fininvest unificate di Silvio Berlusconi e aveva commentato: « Finalmente si rivede la luce in fondo al tunnel. Finalmente qualcuno che toglie l'Italia dalle grinfie delle toghe rosse ».

Dieci minuti dopo aveva deciso di tornare in politica nelle fila di Forza Italia. Con una lettera scritta di suo pugno a Berlusconi, « un eroe che sacrifica le sue aziende per il bene del Paese », lo avrebbe ringraziato dell'opportunità.

Di fronte alla gioia incontenibile della moglie, anche Mario, che pure aveva già le sue perplessità sulle reali intenzioni del Cavaliere, fu costretto a festeggiare con tanto di spumante.

Quella sera la famiglia Ferrara al gran completo (meno Arianna, che già allora non era considerata indispensabile nei nostri festeggiamenti) si riunì intorno al tavolo per celebrare la rinascita della sua donna. Tutti, quella lontana sera del '94, eravamo a nostro modo contenti: mamma, che a quasi cinquant'anni aveva un nuovo obiettivo e un altro appassionante lavoro nel quale sciogliere le frustrazioni che continuavano a germogliare sotto il suo perbenismo; Mario, perché in quel modo gran parte delle suddette frustrazioni non sarebbero più ricadute su di lui; noi figli, perché l'uomo calvo e abbronzato che sorrideva alla tv ci avrebbe liberati della presenza del capo miliziano in casa.

Duecentomila valide ragioni

« Credo sia arrivato il momento di svelarvi il perché di questa riunione » dice Mario.

Arianna, seduta al mio fianco, solleva solo un attimo lo sguardo verso il padre e torna a guardare il piatto. Giovannino si sistema meglio sulla sedia, Valerio butta giù un altro po' di vino e Tomoko gioca con l'anello che porta all'indice.

« Come sapete, ultimamente le cose allo studio non sono andate benissimo. Ho avuto un po' di noie per ragioni che non sto qui a spiegare, ma che Giovannino conosce bene. »

Tutti ci giriamo verso il minore dei fratelli e lui ci conferma con uno sguardo le parole del padre.

« Come tutti voi, però, Giovanni non conosce il motivo di questa riunione. »

« Nessuno sa nulla » interviene mamma, « è una scelta fatta da vostro padre e da me, per il bene di tutti voi. »

« Per farla breve... » riprende la parola Mario, « è un po' che ci rifletto. Ormai non sono più tanto giovane, e il pensiero di cosa lascerò a ognuno di voi continua a frullarmi per la testa... »

« E dai, pa'... » esclama Giovanni, nel tentativo di cancellare anche solo l'idea della dipartita del padre.

« E dai, cosa? Prima o poi accadrà. Ma non è questo il punto. Il punto è che sono due i motivi che mi hanno spinto a prendere questa decisione. Il primo riguarda la famiglia Ferrara. Siamo una famiglia grande e bella, che si vuole bene» afferma, e dedica uno sguardo a ognuno di noi, «però non possiamo nascondere di essere anche un po' particolari...»

«Pa', se non è successo nulla di grave ti pregherei di stringere» interviene Valerio. «Per la mezza devo stare a casa, inizia il torneo on line...»

Chiunque conosca Valerio anche solo occasionalmente lascerebbe cadere la frase. Invece mamma, come punta da uno scorpione, trasale e grida: «E figurati se non perdevi l'occasione per fare lo stupido! Tuo padre sta dicendo una cosa importante e tu pensi ai giochini!»

Allenato da anni e anni di crisi uterine, Valerio non si scompone e ribatte: «Ma quali giochini? Sto parlando di lavoro».

«Che lavoro?» fa a questo punto Giovanni.

«Il mio.»

«E quale sarebbe il tuo lavoro, vorresti rendere partecipi anche noi?» chiede Mario, abituato a non perdere la calma.

«Ah, già, non ve l'ho ancora detto! Sono un giocatore di poker professionista, ora.»

Mamma arretra sulla sedia e quasi scivola col sedere per terra, Mario borbotta una bestemmia che si perde nei meandri della barba e Giovannino scoppia a ridere.

«Cazzo c'hai da ridere?» domanda Valerio con espressione contrariata.

«Sei un genio! Far passare il poker per un lavoro...»

«Giovanni, tu che parli di lavoro? Non si può sentire...» ribatte Valerio.

«Che intendi?» replica l'altro, protendendo il busto in avanti.

È Mario, come sempre, a gettare acqua sul fuoco. Deve placare gli animi per evitare che la moglie si lasci andare a una sfuriata generale che, ne sono certo, alla fine colpirebbe anche il sottoscritto, che pure non ha aperto bocca.

« Insomma, ragazzi, avremo modo di parlare del lavoro di Valerio, ma adesso mi preme tornare alla nostra famiglia, che seppure così unita... »

« No, adesso tu mi spieghi cosa volevi dire con quella frase! » sbotta Giovannino, mentre Clara lo tiene per un braccio.

« Lo sai bene che cosa intendevo dire, che non volevi fare l'ingegnere, e l'ingegnere sei finito a fare! »

« Non volevi fare l'ingegnere? » domanda nostra madre con un filo di voce e gli occhi lucidi.

Giovannino abbassa solo un attimo lo sguardo, rosso in viso, poi parte all'attacco. « Ma sta' zitto, che fai ancora il ragazzino che gioca a poker e rimorchia ragazze! »

Tomoko fa per dire qualcosa, ma Valerio ribatte repentino: « Farò anche il ragazzino, ma lo sai quanto ho guadagnato nell'ultimo anno grazie al poker? »

« Ora basta! » interviene mamma, che si alza e sbatte il palmo sul tavolo, svegliando di colpo Renata, che dormiva nel passeggino. La piccola scoppia a piangere e Pari chiude la porta della cucina in preda al terrore.

« Sentiamo, quanto hai guadagnato? » prosegue Giovanni, come se la madre non avesse detto nulla e la moglie non si fosse alzata a placare la figlioletta.

« Duecentomila. »

Nella stanza cala il silenzio.

« Duecentomila cosa? » fa Giovanni.

« Duecentomila valide ragioni per giocare a poker... » ribatte Valerio divertito.

« Duecentomila euro? » chiede allora Mario.

Il figlio annuisce.

«Duecentomila?» ripete nostra madre, di colpo ritornata alla calma.

«Duecentomila?» ripeto io per ultimo, e il mio pensiero va al bilancio annuale della fumetteria, che ha uno zero in meno.

«Duecentomila?» fa eco Arianna. «Io con tutti quei soldi scapperei in capo al mondo per non vedere più le vostre brutte facce!»

«Oh, insomma, papà stava parlando» riprende Valerio come se nulla fosse, «facciamolo finire, poi vi racconterò del mio lavoro. Allora, papà, siamo tutt'orecchi...»

Mario butta giù un sorso di vino e dice: «Non ricordo dove ero arrivato».

«Alla famiglia Ferrara, che è così unita...» interviene di nuovo Arianna in tono ironico, e mi strappa un sorriso.

Mario sembra rifletterci un istante, quindi lancia la sedia all'indietro e dice: «Andate al diavolo!»

«Mario...» abbozza nostra madre con disappunto e, sull'orlo del pianto, corre dietro al marito.

Clara getta invece un'occhiata spazientita a Giovanni e si rifugia nella stanza destinata a loro in caso di visite, mentre Tomoko sussurra uno «scusatemi» e si dilegua in bagno.

Solo allora Valerio si rivolge a Giovanni e, con aria bonaria, dice: «Allora, fratellino, veniamo a noi. Dicevamo del poker...»

Mi giro per cercare Arianna, ma anche lei non c'è più.

Le battaglie di Raffaele Gargiulo

Una delle cause della profonda diversità fra me e i miei fratelli è dovuta senz'altro al percorso scolastico. I miei riuscirono a litigare anche sulla scelta tra pubblico e privato. Se per l'asilo papà aveva lasciato che fosse lei a decidere, anche per una serie di comodità relative all'orario (mi potevano lasciare lì fino a pomeriggio inoltrato), alle elementari si lamentò perché Renata aveva scelto senza il suo consenso.

Alle medie, il problema si ripropose, ma la scuola era solo un pretesto per mettere altra benzina sul fuoco di faccende che nulla c'entravano con la mia istruzione e riguardavano piuttosto la mia dieta malsana a casa Gargiulo da una parte, e dall'altra il continuo rimpinzarmi di giochi (a detta di mio padre stupidi e rimbecillenti) da parte di mamma e Mario.

Giunto alle superiori, mia madre decise che non l'avrebbe più data vinta a Raffaele Gargiulo. La mia esperienza alle medie pubbliche era stata, a suo dire, catastrofica: avevo stretto amicizia con i peggiori elementi della classe, i più fannulloni, i più maleducati, con quelli di più bassa estrazione sociale (anche se quest'ultima cosa non ha mai osato dirla).

In effetti, il mio migliore amico era un ragazzino grasso che diceva un sacco di parolacce, facendomi sbellicare dalle risate, mandava a quel paese gli insegnanti e sapeva già andare sul motorino. Si chiamava Peppino ed era figlio del fruttivendolo sotto casa. Poi c'era Angelo, altra colonna portante della leggiadra comitiva con la quale uscivo il sabato pomeriggio in cerca di conquiste. Portava i capelli impiastricciati di gel e l'orecchino, e parlava quasi esclusivamente in dialetto. Il padre di Angelo era il parrucchiere di mamma, perciò capitava spesso che lei se lo trovasse a casa per pranzo e non potesse far altro che sorridere. E infine c'era Pasquale, il più tamarro di tutti. A dodici anni si vantava di aver già fatto l'amore con tre donne (una di queste tra l'altro frequentava il liceo), aveva il buco a entrambi i lobi, un tatuaggio vero sulla spalla (una rarità all'epoca), una cicatrice sul mento che spacciava come lo sfregio di un coltello e un occhio orbo che a stento teneva aperto. Non aveva il padre (sulla sua morte circolavano le leggende più disparate) e in tre anni la madre non si vide una sola volta a scuola. Fu l'unico a non invitarci mai a casa, per cui ancora oggi non so dove abitasse. A volte diceva di vivere con la madre e un fratello più grande al Vomero, ma dopo qualche tempo si dimenticava della bugia e diceva di essere di Chiaia, o dell'Arenella. Una volta la sparò grossa e raccontò di abitare sul lungomare e che la sua stanza affacciava su Capri.

A ogni modo, Angelo, Pasquale e Peppino ebbero una notevole importanza nella mia formazione di adolescente. Se non li avessi incontrati, infatti, al primo pugno in faccia che la vita mi ha dato sarei cascato a terra come un salame. Siccome però iniziavo a parlare come loro, a gesticolare come loro e a ridere come loro, mamma decise che avrei fatto un liceo privato.

Ma doveva fare i conti con papà, e lui replicò che mai e poi mai avrebbe permesso che io crescessi sottovetro, insieme ai figli di borghesi arricchiti e annoiati. Come tutti, dovevo andare in una buona scuola pubblica, che avrebbe contribuito ad allargare i miei orizzonti e a darmi l'istruzione adeguata. Lui spingeva per il Genovesi, mamma per il Nazareth, alla fine fu Mario a mediare, proponendo il Sannazaro che, perlomeno, era al Vomero.

Molti anni dopo, Renata Ferrara si prese la sua rivincita con i miei fratelli, che fecero le scuole private senza fiatare.

Loro sono cresciuti nella bambagia, in un ambiente protetto e fra le carezze di due genitori presenti, io, però, ho imparato a conquistare l'attenzione più difficile, quella che non ti è dovuta. Se mai un giorno mi troverò ad abbottonare il grembiule a mio figlio, gli accarezzerò la testa e dirò testuali parole: «Vai, e impara a farti accettare da chi non è obbligato a farlo».

Oltre a essere stato il solo a frequentare la scuola pubblica, sono stato l'unico della famiglia a provare l'ebbrezza di diventare un lupetto scout. Mamma si convinse che gli scout mi avrebbero aiutato a crescere, che avrei fatto nuove amicizie oltre a quelle della scuola, che sarebbe stata un'esperienza utile per comprendere le dinamiche di gruppo, imparare a cavarmela da solo, amare la natura e gli animali. Non aveva fatto i conti con Raffaele Gargiulo, che iniziò una nuova guerra. Ma neanche lui aveva fatto i conti con la tenacia di lei, che alla fine ebbe la meglio. Così diventai lupetto e partecipai al campo estivo in un posto sperduto dell'Irpinia. I tre giorni più brutti della mia vita, peggiori dei ben più famosi «tre giorni» che servivano all'esercito per reclutarti. In effetti, più che in un campo scout, sembrava di essere in una base militare. Ci costringevano a dormire in una camerata gelida, col materassino adagiato per terra, infilati nel sacco a pelo per combattere l'umidità del pavimento. Ci svegliavano alle sei del mattino, accendevano la luce e urlavano di fare presto (non ho mai capito cosa ci fosse da fare di tanto urgente), poi ci costringevano a correre attorno alla parrocchia con indosso solo la canottiera. Per mangiare dovevamo accendere il fuoco e scaldare le nostre brodaglie. La sera, infine, partecipavamo alle « prove », una specie di tortura inflitta a un lupetto a caso, il quale doveva dare prova, appunto, della sua tempra, magari trangugiando un intero tubetto di dentifricio o restando per un'ora legato a un tronco.

Al secondo giorno chiamai mio padre singhiozzando e lo supplicai di venirmi a prendere. « Il campo estivo » ripeteva lui sulla via del ritorno, con me sul sedile posteriore che ancora mi asciugavo le lacrime, « ma quale campo estivo? Chillo è nu campo 'e concentramento! Le regole... ma mi facessero il piacere, loro e quelle stronzate di regole! A dieci anni si deve giocare a pallone e basta! »

Quel giorno finì la mia breve avventura nei boy scout. A distanza di anni ho capito che non tutto fu inutile, che le tanto bistrattate « regole » sono in parte giuste e condivisibili, che, spesso, i ricordi dei bambini travisano la realtà (credo che le temibili prove fossero semplici giochi di gruppo) e che a me lo scoutismo è servito a comprendere due cose. La prima è che mangiare il dentifricio non fa diventare più forte. La seconda è che è inutile temprare i bambini alle prove, tanto ci penserà la vita. Meglio giocare a pallone, finché si può.

I fanti contro tutti

La scuola non è l'unico fattore che mi ha reso diverso dai miei fratelli. Anche l'età conta; loro sono cresciuti in un'altra epoca, si sono divertiti con altri giochi. Quando loro erano adolescenti, per esempio, il Subbuteo non si usava quasi più, relegato a ricordo di un tempo lontano per genitori nostalgici. Oppure i cartoni animati. Negli anni Settanta e Ottanta eri fortunato se beccavi un cartone sulle tv regionali. Valerio e Giovanni non hanno giocato con il Commodore, i Playmobil e i Lego. Soprattutto, non hanno letto *Topolino* o *Asterix*.

Certo, anche ai loro tempi c'era di che leggere, ma mamma, in questo, non li ha mai spronati. Con me, invece, ogni sera accendeva l'abat-jour al mio fianco e mi leggeva i fumetti di Paperino, Nonna Papera, Obelix. A volte non le andava di leggere e mi raccontava le favole dei fratelli Grimm, oppure inventava storie fantastiche i cui protagonisti erano i miei giocattoli, che di notte si animavano e vivevano la loro vita in attesa che tornassi a utilizzarli l'indomani.

Uno dei racconti più strampalati riguardava i soldatini, fanti, cowboy e indiani, che riposavano tutti insieme su una lunghissima mensola. Nella fantasia di mia madre quegli esseri di notte combattevano, i cowboy contro gli indiani e i fanti contro tutti. Si nascondevano nelle pieghe del tappeto, in mezzo ai libri, ai piedi del letto o sul davanzale, e andavano avanti per ore in una battaglia di nervi senza vincitori né vinti. Poi alle prime luci del giorno si ritiravano sulla mensola e riprendevano le loro posizioni, in attesa dell'oscurità e di un'altra battaglia.

Che io ricordi, con Valerio e Giovanni tutto questo non succedeva. Un po' perché spesso era il padre a addormentarli, un po' perché mamma, con gli anni, si è ingoiata la sua fantasia ed è diventata la donna concreta e risoluta che tanti danni ha fatto.

Alla fine degli anni Settanta, invece, Renata Ferrara era ancora una giovane sognatrice e la fantasia era un rifugio sicuro per entrambi. Un modo per dimenticare la stranezza di vivere soli. Io, lei e nessun altro.

È lì che è nata la mia passione per i fumetti, i disegni, la letteratura, il cinema, nelle sere in cui mia madre raccontava e con la mano mi accarezzava i capelli.

È da allora che mi servo della fantasia nel tentativo di ritrovare quella donna che non c'è più.

Quelli che soffrono sono stupidi

Entro in quella che un tempo era la mia camera e trovo Arianna di spalle, che guarda fuori dalla finestra. Chiudo la porta e mi avvicino, ma lei non si gira, così per qualche secondo stiamo zitti e nell'aria c'è lo stesso silenzio dei pomeriggi estivi nei quali Ari, come la chiamavo allora, veniva a giocare da me; quasi sento l'odore delle Big Babol che masticava vorace per poi sfidarmi a fare bolle sempre più grosse. Anche allora non rideva quasi mai, se non quando schiacciava la mia bolla impiastricciandomi il volto. Ridevo pure io, nonostante le labbra appiccicate. Però a volte lei rideva così forte che il riso diventava pianto, e allora si girava per nascondermi le lacrime. Io mi pulivo la bocca e restavo in silenzio, proprio come adesso, a chiedermi cosa fosse successo, dove avessi sbagliato, perché la ragazzina che avrebbe potuto avere tutto l'amore che desiderava preferisse tenere a distanza gli altri.

« Quando da piccola mi chiudevo qui con te, mi sembrava di essere felice, anche se solo per un pomeriggio » esclama, continuando a guardare la strada.

Allungo la mano sulla sua spalla in attesa di capire se accetterà il contatto. Per fortuna non si scosta, non si volta, anzi prosegue: « Questa camera era il mio rifugio, il mio parco giochi, così la chiamavo. Qui dentro pensavo che tutto sarebbe stato possibile, anche vivere per sempre al tuo fianco, a giocare e disegnare ».

«Un mondo perfetto» commento.

«Già» ribatte lei amara.

A dieci anni già amavo disegnare, così andavo nella biblioteca di Mario e sfilavo un *Peanuts* a caso. Lui aveva una collezione immensa che ancora oggi fa bella mostra di sé in salotto. Tornavo in camera e tentavo di riprodurre quei magnifici personaggi irreali, da Snoopy a Linus, a Charlie Brown. Gli occhi si perdevano nei contorni dei volti che tratteggiavo con pazienza e pignoleria, seguivano la linea di una palpebra, la curva di un sorriso, il tondo di una pupilla. E poi scendevano giù, verso il selciato, dove la mano aveva imparato a far fiorire un cespuglio con un rapido movimento del polso, o su, fino a un cielo addobbato con tante morbide nuvolette gonfie di sorrisi. Disegnando entravo in quel mondo bizzarro e mi dimenticavo per un po' del mio, di mondo, che non era altrettanto bizzarro, ma parecchio strano senz'altro: per vedere mio padre, nel fine settimana ero costretto a fare la valigia e a trasferirmi da lui, senza la mia stanza, i giochi, gli album, le matite, i pastelli. Senza mia madre e Mario. Senza Arianna. Nei fumetti, tutto questo non accadeva. Nel mondo dei fumetti, in realtà, i genitori non esistevano proprio, e a me, per certi versi, sembrava meglio così.

«Non è rimasto più nulla della stanza di allora» commenta Arianna, guardandosi attorno. Ha ragione, non c'è più niente qui che mi appartenga, nemmeno un disegno, un poster, un fumetto, un libro. Come se la mia esistenza fosse stata cancellata per sempre.

«Il barattolo con gli scheletri di riccio è ancora lì» dico con un mezzo sorriso.

« Già, almeno lui ha resistito al tempo. »

Qualche volta Arianna arrivava in camera mia e, senza chiedermi il permesso, si metteva a colorare le mie vignette ancora da completare. Io la lasciavo fare, sperando così di rubarle un sorriso, ma lei non rideva mai.

« Stavo pensando... » riprende, « che tu e io siamo legati da un filo invisibile. »

Sorrido e stringo la mano sulla sua spalla. Lei infine si gira. « Ti ricordi il giorno in cui ti mostrai le tette? »

E come potrei dimenticarlo? Eravamo stesi sul letto a leggere, quando all'improvviso Arianna si voltò con la solita smorfia piantata sul viso e mi chiese se volessi vedere il suo seno.

Aveva undici anni e sotto la canotta sporca con la quale andava in giro non c'era che una piccola sporgenza. Ciononostante, sgranai gli occhi e annuii, mentre il cuore mi sobbalzava nel petto. Arianna sollevò la maglietta e si coprì il viso, chiedendomi se mi piacesse.

« Sì » riuscii a dire, e forse si sarebbe aspettata qualcosa in più. In ogni caso tirò giù la canottiera e riprese a leggere come se nulla fosse. La notte non riuscii a chiudere occhio e mi rigirai per ore nel letto.

« Certo che mi ricordo » rispondo.

« Ero una bambina stupida » dice poi.

« Macché, non lo eri affatto! »

« Tutti quelli che soffrono sono così. Stupidi, intendo. Non si dovrebbe perdere l'infanzia a soffrire. »

« Mica possiamo decidere se soffrire o meno! »

« Certo che possiamo. »

Non so cosa ribattere, e lei prosegue. « Anche tu sei stupido » fa, e mi sfiora la punta del naso con l'indice, « anche tu perdi ancora le giornate a soffrire. »

« Che ne sai tu di come impiego il mio tempo? » domando con voce ironica.

« Basta guardarti. Sprechi troppe energie e tempo dietro al dolore, quando dovresti pensare a vivere. »

La guardo senza capire fino in fondo le sue parole, lei allora abbozza un sorriso e punta gli occhi tristi nei miei. « Guarda Valerio e Giovanni. Le loro vite scorrono più o meno quiete. Almeno all'apparenza, sembrano soddisfatti del loro percorso. Quelli come noi, invece, soddisfatti non lo sono mai. »

« Non abbiamo avuto un'infanzia molto allegra » tento di giustificarmi.

« L'infanzia non è allegra per nessuno » ribatte seria.

Con Arianna non so mai cosa rispondere, quale sia la frase giusta, l'aggettivo adeguato. Lei ti spiazza di continuo. E lo faceva anche da piccola. Non credo sia tanto normale, ma a me piace lo stesso.

D'improvviso mi abbraccia e fa: « E, comunque, uno che ha così tanta bellezza dentro non può non essere contento. Sarebbe uno spreco ».

Ecco, appunto.

Un giorno, mentre costruivamo un castello della Lego, si bloccò e disse: « Ho un segreto da confessarti, però non lo devi dire a nessuno ».

Feci di no con la testa e mi fermai con un mattoncino colorato fra le dita. Lei avvicinò le mani alla bocca e la bocca al mio orecchio, quindi sussurrò: « Ho pensato a un piano per disfarmi di Barry ».

Barry era l'americano fissato con i rodei e con sua madre.

Le sue parole mi provocarono un piccolo brivido dietro la nuca: sapevo che Arianna non scherzava mai e che faceva sempre quello che diceva. Perciò non replicai e attesi che finisse.

« Posso accusarlo di avermi toccato di nascosto. »

Mi girai a guardarla incredulo, non capivo. « In che senso? » chiesi poi.

« Dirò che mi ha messo le mani sulla farfallina e sul seno e che poi si è sbottonato i pantaloni e mi ha mostrato il pisello. »

Rimasi a bocca aperta e le chiesi: « Davvero ti ha mostrato il pisello? »

« No, però l'ho visto una volta che usciva dalla doccia. È grosso e nero. »

« Grosso e nero? »

« Già. »

Quindi tornò ai Lego e ci dimenticammo del suo piano. Barry non fu mai accusato di pedofilia, però dopo qualche anno lasciò la madre di Arianna di punto in bianco e tornò in America.

« Che dici, andiamo di là? » chiedo dopo un po'.

« Questa famiglia è patetica. Queste cene sono patetiche. »

« Sì, può darsi, ma è la nostra famiglia » abbozzo.

Lei ride. « Tu davvero ancora non hai capito? »

« Cosa? »

« Se questa fosse stata la mia famiglia, questa sarebbe stata la mia camera, la mia casa. E quella pazza di là, mia madre. »

La guardo e, come sempre, non so cosa rispondere. Vorrei poterle dire che a volte esagera, che dovrebbe emanciparsi dal ruolo di vittima, che parla di non sentire dolore e invece ci sguazza nel dolore. Ma resto zitto, so che sarebbe inutile, che la farei solo fuggire via. Arianna scappa da sempre, ormai l'ho imparato.

« Tu non mi sei niente, eppure per me sei quanto di più vicino al concetto di famiglia » dice poi.

La abbraccio e lei non oppone resistenza. Allora tento di farla ridere. « Sono il fratello migliore! » esclamo facendole l'occhiolino.

Arianna lascia la stretta e mi guarda seria prima di ribattere: « No, non intendevo in questo senso ».

Poi esce dalla stanza e mi lascia solo con i miei ricordi.

Piccola riflessione sulla sofferenza

Dicono che la sofferenza renda migliori le persone.

Io sono una persona sensibile grazie al dolore che ho ingurgitato.

Certo, se sapessi anche cosa farmene di tutta questa sensibilità.

Perché sarà pur vero che chi ha sofferto è più delicato e profondo, ma sono sempre i felici quelli che ti sorridono senza un perché.

Mezzi figli

Valerio e Flor hanno due mesi di differenza, lui è di maggio, lei di luglio. Un giorno, qualche mese prima che nascesse Valerio, Arianna mi portò fuori, sul balcone, e con la solita aria ombrosa disse: «Ora tutto sarà diverso. Questo bambino non sarà un mezzo figlio».

«Che vuoi dire?»

«Io e te siamo mezzi figli, un po' qua, un po' là. Lui, invece, sarà completo, non dovrà stare da una parte e dall'altra, questa sarà la sua unica casa.»

A nove anni Arianna già parlava come un'adulta e a volte non la capivo. La cosa mi faceva paura e mi affascinava, rendendola ai miei occhi sempre più bella.

A ogni modo, nonostante non avessi preso bene la notizia della gravidanza di mamma, non avevo mai pensato alla nascita di Valerio in questi termini. Perciò feci spallucce, come a dire che certi discorsi per me erano troppo complicati e che preferivo tornare ai nostri giochi.

Lei, però, mi afferrò il braccio e proseguì: «Non capisci? Lui verrà a prendersi l'amore dei nostri genitori, la casa, forse questa stanza. Dobbiamo studiare un piano per contrastarlo. Dobbiamo unirci ed essere più forti di lui».

«Ma che dici?»

Arianna sbuffò e aggiunse: «Erri, sei proprio un bambino stupido. Anzi un mezzo bambino stupido!»

Io tirai il braccio e risposi risentito: «E tu una mezza bambina cattiva!»

Qualche mese dopo, quando nacque Flor, Arianna corse a chiedermi com'era.

«Come tutti i bambini piccoli» risposi.

«È più bella di me?»

«No» replicai subito. Era vero, una neonata non poteva essere più bella di Arianna, che lo era ogni giorno di più.

«Mi devi fare una promessa!» esclamò poi.

«Cosa?»

«Che vorrai sempre più bene a me. Che io sarò la tua unica sorella. Per sempre!»

Sorrisi, ma lei non rideva per niente e dopo un po' una lacrima le rigò la guancia. Allora mi feci serio e mentii.

«Non piangere. Sarai la mia unica sorella.»

Però, l'esserino che già in culla rideva sempre iniziava a starmi simpatico. Flor era la figlia di un padre che in fondo temevo e col quale parlavo poco, e di una spagnola che mi sorrideva gentile e ogni tanto giocava con me, ma che sapevo non mi avrebbe mai amato come un figlio. Flor, soprattutto, non era figlia di mia madre. Eppure mi sembrava di volerle bene.

«Sarai la mia unica sorella» ripetei ad Arianna per farla smettere di piangere.

In fondo, non avevo mentito del tutto. Arianna non sarebbe stata la mia unica sorella, però il nostro essere speciali, il superpotere che ci distingueva dagli altri, ci avrebbe unito per tutta la vita.

Solo noi due saremmo stati per sempre mezzi figli.

La poltrona in similpelle del dottor Iazeolla

I primi tempi dopo la separazione da Matilde furono duri da digerire, anche perché Orlando, che era stato così importante durante la mia prima crisi d'amore, era sparito da tempo dalla mia vita. Non potendomi affidare alle sue cure, presi la decisione di rivolgermi a qualcuno che ascoltasse i miei sfoghi contro Matilde.

Prima di sedermi sulla comoda poltrona in similpelle del famoso dottor Iazeolla, non potevo sapere che della mia ex moglie, alla fine, avrei parlato pochissimo.

L'impatto non fu facile. Sapevo che Arianna aveva intrapreso una lunga terapia dopo l'aborto (eh già...), ed era l'unica cui potevo chiedere un consiglio.

Lei mi indirizzò dal suo vecchio terapeuta, raccomandandomi di prepararmi a soffrire e a mettere in discussione le mie certezze. Soffrire già soffrivo, certezze ne avevo ben poche, perciò mi feci dare il numero e presi appuntamento. Buffo, uno impiega una vita per cercare di dimenticare e di gettarsi il passato (almeno quello che non gli piace) alle spalle, poi, superati i quaranta, si ritrova a dover fare il percorso inverso, a recuperare l'irrecuperabile.

Mi accolse un uomo bassino, né giovane né vecchio, occhi azzurri e capelli neri corti spruzzati di bianco, con un bel sorriso, un pizzetto folto, e la voce pacata, che alla seconda seduta mi interruppe per chiedermi come trascorressi le giornate.

« Non le trascorro » risposi.

« Non le trascorre? »

« No, le subisco. »

Iazeolla si portò una mano al volto e mi squadrò; aveva capito di trovarsi davanti un tipo tosto. Da quando ero bambino, infatti, combatto contro una parte di me che non accetta aiuto, che crede di non meritarlo. Ma forse la verità è ancora più subdola: quello che col mio atteggiamento strafottente intendevo far comprendere a mia madre, le volte che tentava di « darmi una mano », e al mio terapeuta, è che nessuno conosce meglio di me il sentiero che sto tracciando; pur se pieno di buche e fango, credo sia l'unico in grado di non farmi smarrire.

« Lei dovrebbe rimettere in piedi una parvenza di vita sociale » ribatté lui, « ritrovare il gusto di uscire, svagarsi. Più ci rintaniamo e più il dolore viene a scovarci. Se ci gettiamo nella mischia, invece, c'è la possibilità di passare inosservati. »

Già, nonostante tu faccia di tutto per nasconderti, la vita ti viene a snidare, e il più delle volte fa anche « tana ».

« Noi qui possiamo fare molto » riprese Iazeolla, « ma l'analisi deve andare di pari passo con il cambiamento della sua vita quotidiana. Altrimenti sarà inutile. »

Eravamo già arrivati al dunque, a quel che sapevo e che facevo finta di non sapere: dovevo tornare a vivere.

« Capisce cosa intendo? »

« Mi sta dicendo che devo cambiare il mio presente? Credevo che per la psicanalisi tutto risiedesse nel passato, che fossimo il risultato di quel che eravamo da piccoli. Di come erano i nostri genitori. Il solito discorsetto che fate un po' a tutti. »

Lui sembrò non cogliere la battuta e rispose placidamente: «Io penso che lei abbia dei seri problemi con la sfera emotiva... ha paura di lasciarsi andare, di vivere appieno le emozioni, positive o negative che siano. Probabilmente ha visto sua madre comportarsi così e ha pensato che fosse normale temere le emozioni. E ha imparato così bene la lezione che non ha più bisogno di un ripasso, come si dice in gergo scolastico. La colpa non è sua, quel bambino non poteva averne. Ma la persona che mi trovo davanti, e che non fa nulla per rompere il circolo vizioso, ne ha di responsabilità. E anche parecchie».

Tentai di abbozzare una risposta, ma lui mi anticipò: «La verità è che se si passa la vita a tentare di non sentire dolore e paura va a finire che non si sente più niente».

Per settimane andammo avanti a parlare di Matilde, del tradimento, di Ghezzi, del matrimonio che, senza figli, si era accartocciato su se stesso. Poi un giorno in cui sembrava meno disponibile ad ascoltare i miei sfoghi, disse: «Se vuole, possiamo continuare a parlare del suo matrimonio per anni, ma sarebbe più utile centrare il problema».

Lo guardai perplesso. «Quale problema?»

Lui sorrise e ribatté con la solita calma: «Il più grande di tutti: sua madre».

Un grande bluff

Sto per tornare dagli altri quando la porta della mia vecchia stanza si apre. È Clara, con Renata addormentata nel passeggino.

«Scusa» sussurra, «posso lasciarla qui? La nostra stanza è troppo vicina alla sala da pranzo e non vorrei che tua madre la svegliasse di nuovo.»

«Nessun problema, ma ti avverto che con Renata non si è mai al sicuro. Non sai quante volte mi sono svegliato per le sue urla.»

Clara mi fissa e ribatte: «Scusami, non dovrei dirlo, so che è tua madre, ma certe volte sa essere davvero insopportabile!»

Mi viene spontaneo sorridere e Clara sembra sorpresa. Perciò aggiungo: «Che c'è, ti sembra strano che lo trovi divertente?»

«No, è che con Giovanni non si può mai parlare di vostra madre: se mi permetto di dire qualcosa, subito esplode e inizia a parlare della mia. Per carità, ogni famiglia ha i suoi problemi, solo che... ecco, Renata a volte è proprio difficile.»

«Già, è così.»

Clara mi guarda e non capisco cosa voglia da me. «Mi piacerebbe poter parlare così anche con Giovanni, ma lui ha le sue certezze, e quelle non si possono toccare.»

«Giovanni non ha conosciuto il dottor Iazeolla» ribatto.

«Chi è il dottor Iazeolla?»

«Niente, niente. È solo che la vita mi ha spinto per forza di cose a sviluppare un certo senso critico.»

Lei mi fissa, si vede che vorrebbe aprirsi, che lotta per non lasciarsi andare. «Stavolta sarò io a decidere il nome di mia figlia» accenna poi, una volta preso coraggio.

«Fai bene» rispondo di getto.

Clara sorride e io penso che, nonostante la gravidanza e la collezione di *meno*, rimane pur sempre una gran bella ragazza. E mentre rifletto sulla fortuna che bacia sempre chi non ne ha bisogno, arriva proprio colui che è al centro dei miei pensieri.

«Clara, che ci fai qui?» esclama Giovanni. «Su, vieni, che ci siamo riseduti. Papà deve ancora svelarci il motivo di questa riunione.» Poi si accorge della mia presenza e aggiunge: «Erri, Arianna dov'è?»

«Boh, da qualche parte di là.»

«Dille che ci siamo spostati sui divani.»

Vorrei chiedere a mio fratello per quale motivo debba essere io a cercare Arianna, ma conosco già la risposta, qualcosa tipo: «Sei l'unico che sa come prenderla», che serve a celare il vero senso della frase: «Fra matti vi capite». Abbozzo ed esco dalla stanza. Tanto a lasciar perdere sono ancora il numero uno, dal matrimonio fallito fino al mio primo disegno (Woodstock, l'uccellino giallo di Snoopy), la mia vita è fatta di milioni di progetti lasciati a metà. Uno in più non farà certo la differenza.

Perché, se mio fratello non avesse aperto la porta, avrei chiesto a Clara se le parole di Valerio riguardo al lavoro di Giovanni fossero vere, se anche lei sapeva che il marito non ama il suo lavoro, e se in qualche modo le due Renate (madre e figlia) c'entrassero qualcosa con la scelta di Giovanni: accontentarsi di portare a casa uno stipendio. E se, considerata l'influenza della prima Renata sulla sua vita, anche il matrimonio non fosse da imputare più alla volontà di nostra madre che a quella di Giovannino. È una fortuna che stavolta l'intenzione sia morta sul nascere: sarebbe stato impervio spiegare a Clara che in genere le vite più sembrano perfette più sono un grande bluff.

La bellezza dei gesti umani

Il giorno in cui nacque Giovannino ero in viaggio con papà, Rosalinda e Flor. Era inizio agosto e mi trovavo nell'assolata Andalusia con la mia seconda famiglia. Rosalinda è di un paesino vicino a Malaga e quell'estate eravamo diretti proprio lì, a trovare i suoi genitori. Papà per l'occasione aveva noleggiato un pulmino un po' vecchiotto da un amico e trascorreva le giornate alla guida, col sorriso sulle labbra. Era contento come poche volte lo avevo visto e parlava più del solito, persino con me.

Mentre il nostro pulmino attraversava la penisola iberica, lui ci raccontava le antiche vicende dei romani, che per primi avevano dominato l'Andalusia, e poi l'invasione dei vandali, cui secondo alcuni storici si deve il suo nome. Gli arabi, infatti, pare la chiamassero Vandalicia, la Terra dei vandali.

E mentre lo ascoltavo perdersi nella storia, mi chiedevo come facesse a sapere tutte quelle cose.

All'inizio non volevo partire, non mi andava di allontanarmi da mia madre e da Mario, di lasciare casa per trascorrere le giornate con un uomo che a stento mi rivolgeva la parola. Ne parlai a mamma e lei diventò paonazza, si mise a urlare che era stanca, che non poteva pensare a tutto, che ormai ero grande e dovevo collaborare, che lei doveva partorire e non poteva starmi dietro, che a Napoli faceva caldo e cosa avrei fatto un'intera estate in casa. A me importava poco del caldo, mi bastava avere i miei videogiochi; avrei fatto carte false per restare nella mia stanza a giocare per un mese intero. Invece, anche in quell'occasione, fu Mario a prendere in mano la situazione. Si presentò da me e domandò: « Perché non vuoi partire con tuo padre? »

Lui, al contrario di mamma, iniziava sempre con una domanda. E, in effetti, in quegli anni avevo bisogno proprio di qualcuno che mi chiedesse il perché dei miei comportamenti e si preoccupasse prima di capire cosa mi passava per la testa e poi, semmai, di dirmi cosa fare.

« Mi scoccio » fu la prima risposta.

« 'Mi scoccio' non è una risposta » disse lui.

Sospirai e tentai di nuovo. « Non voglio stare senza di voi. »

« Sono solo quindici giorni. »

« Quindici giorni sono tanti. »

« Non hai voglia di passare un po' di tempo con tuo padre? »

« No. »

« E con tua sorella Flor? Nemmeno con lei? »

« È troppo piccola. »

Lui si grattò la folta barba e cambiò approccio. « Aspettami qui » disse e sparì nel salotto. Quando tornò, mi confessò: « Sai, è una vita che desidero vedere quei posti. La Spagna è un Paese bellissimo, ricco di tradizioni, e l'Andalusia è una terra piena di colori, profumi... » Io a stento lo ascoltavo, allora lui mi porse una macchina fotografica. « Mi faresti la cortesia di fare qualche fotografia per me? Così quando torni potremo guardarle insieme e mi sembrerà di essere stato anche io lì con te. »

Dilatai gli occhi e restai a fissare la macchina fotografica professionale con l'obiettivo gigantesco che tante volte mi ero fermato ad ammirare mentre Mario lo ruotava alla ricerca della messa a fuoco.

Dopo la nascita di Valerio, Mario aveva immortalato il figlio per giorni; con la macchina a portata di mano, scattava foto in continuazione, tanto che mamma a un certo punto decise: «Mario, posa un po' la macchina e prenditi Valerio». A essere sincero, Mario fotografava spesso anche me e il resto della famiglia, e molte nostre immagini sono ancora appese alle pareti della casa.

«Dai, prendila!» mi esortò.

Allungai la mano e ghermii l'inaspettato tesoro. Poi chiesi: «Davvero me la regali?»

«No, regalartela no» si affrettò a precisare, «te la presto. Però sai quanto è importante per me, quanto ci tengo. Mi raccomando, abbine cura come se fosse tua. E fotografa tutto quello che puoi!»

Sorrisi felice prima di rendermi conto che non avevo idea di come usare quell'aggeggio.

«Stasera facciamo una rapida lezione» disse.

Tutto soddisfatto, affondai un bacio nella sua lunga barba. Lui rise e mi scompigliò i capelli, poi aggiunse: «E quando tornerai con le foto, troverai anche un altro fratellino ad accoglierti».

Mi bloccai e chiesi preoccupato: «E tu come farai a fotografarlo?»

«Aspetterò il tuo ritorno» rispose sereno.

In realtà aveva un'altra macchina fotografica, ma questo lo scoprii solo dopo.

Feci tutto il viaggio in Andalusia con la macchina di Mario al collo. Scattavo foto in ogni istante, tanto che papà a un certo punto disse: « Erri, ma perché non guardi il paesaggio invece di stare sempre con quella cosa in mano? »

« Lascialo stare » intervenne Rosalinda, « vedrai che diventerà un grande fotografo. » E mi fece l'occhiolino.

Un pomeriggio, il giorno prima che arrivassimo a destinazione, ci fermammo in una radura, sotto l'ombra di un grosso albero. Ricordo che il caldo era insopportabile e Rosalinda, che indossava un costume a due pezzi e dei pantaloncini, si asciugava di continuo il petto sul quale scintillavano goccioline di sudore. Io tentavo di distogliere lo sguardo, ma ero in pieno sviluppo, e lo spettacolo non mi lasciava indifferente. Papà, invece, non sembrava infastidito dall'afa e se ne stava seduto su un sasso a fumare il sigaro e a guardare l'orizzonte.

A un certo punto Rosalinda prese in braccio la figlia e si mise a farle le pernacchie sul collo. Flor rideva come una matta e più rideva, più la madre continuava. Persino papà cominciò a divertirsi e si avvicinò. Fu allora che scattai la mia prima foto a degli esseri umani. In quella landa deserta i miei occhi si accorsero per la prima volta della bellezza di un sorriso, uno sguardo, un abbraccio. Afferrai al volo la macchina fotografica e scattai.

Venne fuori la più bella foto del viaggio: papà con il sigaro fra i denti e il mento abbassato a guardare Rosalinda che ride e a sua volta guarda Flor, distesa sulle sue ginocchia con la testa reclinata all'indietro, in una smorfia di felicità e terrore allo stesso tempo.

Non potevo sapere allora che la foto sarebbe rimasta per anni sul comodino di Rosalinda. Non potevo sapere che per anni avrei sostato sul bordo del suo letto a fissare inebetito l'immagine e a pensare che sì, ero stato proprio bravo. Non potevo sapere, mentre scattavo, quanto avrei desiderato esserci anch'io nella cornice, e che lo sguardo dolce che Rosalinda dedicava alla figlia esistesse, da qualche parte nel mondo, anche per me.

Un insolito rammarico

Una volta arrivati a destinazione, quasi mi dimenticai di mamma, Mario e Valerio. Quasi dimenticai il secondo fratellino che di lì a qualche giorno sarebbe arrivato. E il merito non fu solo della casa dei genitori di Rosalinda, una specie di vecchia fattoria piena di animali che da sola sarebbe bastata a rendere indimenticabile il viaggio. Il merito fu anche e soprattutto di Inés, sorella maggiore di Rosalinda, che aveva deciso di trascorrere le vacanze dai genitori e aveva portato con sé la figlia di dodici anni.

Quando, al nostro arrivo, incrociai per la prima volta il viso di Clarinda, strabuzzai gli occhi e ingoiai la saliva che mi si era fermata in gola. Era la bambina più bella che avessi mai incontrato (dopo Arianna, ovvio), con lunghi capelli castani, pelle color ebano, occhi neri un po' a mandorla e un modo canterino di parlare che mi conquistò subito.

Quei dieci giorni volarono. Io e Clarinda passavamo il tempo a giocare, parlare (anche se non sempre ci capivamo), disegnare o ispezionare i dintorni della fattoria. Non appena capì che ci sapevo fare con la matita, mi pregò di farle un ritratto. Era la prima volta che qualcuno me lo chiedeva e, anche se il risultato non fu dei migliori, lei sembrò comunque contenta.

Mi scordai del compito assegnatomi da Mario e lasciai la macchina fotografica a prendere polvere sul comodino della nostra stanza da letto, finché Clarinda non mi chiese di insegnarle a usarla. Nel giro di un paio di giorni le scattai una ventina di foto, e al termine della vacanza ero perdutamente innamorato. Non avevo occhi che per lei e a stento mi accorgevo degli altri, a cominciare da mio padre, che passava gran parte del giorno su un'amaca a leggere un libro dietro l'altro, e la sera, dopo cena, a fumare in compagnia del suocero, un simpatico uomo di mezza età con le guance sempre rosse. Due giorni dopo il nostro arrivo, aveva chiamato Mario. « È nato Giovannino! » aveva urlato euforico, costringendomi ad allontanare la cornetta dall'orecchio. « Mamma sta bene e ti manda un grosso bacio. »

Io quasi non biascicai parola, ma tanto lui era troppo felice per accorgersene. Lo salutai e passai il telefono a papà, quindi tornai da Clarinda.

Avevo già vissuto l'esperienza, con Valerio prima e con Flor dopo. Sapevo che nei giorni successivi al parto gli adulti sono presi solo dal nuovo arrivato. Sapevo anche che l'eccitazione sarebbe durata un po' per poi scemare. Eppure, nonostante l'esperienza, anche quella volta mi rigirai nel letto tutta la notte con un bel peso sullo stomaco, un misto fra senso di colpa perché non gioivo del nuovo fratello e sconforto perché forse, in un tempo lontano, anche la mia venuta al mondo aveva provocato uguale esaltazione nei miei genitori. Solo che io non potevo saperlo.

La notte prima della partenza ero tristissimo e non volevo andare a dormire. Desideravo assaporare fino in fondo le sensazioni che quel posto mi regalava, perciò rimasi sotto il portico a guardare il campo dove i girasoli riposavano afflosciati al chiarore della luna e ad ascoltare il vocio degli insetti intorno a me, nella speranza che prima o poi arrivasse Clarinda.

In dieci giorni non ero riuscito a dichiararle il mio amore; c'era qualcosa dentro di me che me lo impediva. E non per mancanza di coraggio: era come se istintivamente mi accontentassi di passare il tempo con lei, come se sapessi che di più non potevo ottenere.

La mia condizione di bambino con due famiglie, due case, due padri, una madre e mezza e non so più quanti fratelli, mi aveva spogliato del ruolo di figlio, delle sensazioni che i bambini provano nella pancia senza nemmeno saperlo, un insieme di coraggio e forza che nascono quando ci si sente importanti, al centro dell'attenzione dei propri familiari. Io, quella forza, semplicemente non l'avevo.

Non arrivò Clarinda, ma Rosalinda. Si accese una sigaretta, mi sorrise e si sedette al mio fianco. Poi, col suo italiano ancora stentato, mi chiese: « Sei triste che partiamo? »

Annuii.

« Anch'io. »

La fissai, e lei proseguì: « È che qui se sta bene, qui sono cresciuta, ci sono le mie radici. Me capisci? »

Feci di nuovo sì con la testa, anche se il concetto di radici mi era estraneo.

« Te sei divertito? » chiese, avvolta nel fumo della sigaretta.

« Molto. »

« Non avevo dubbi. » Restammo in silenzio ancora un po', e alla fine lei disse: « E ora che torni trovi un nuevo fratellino. Bello, no? »

« Sì » mentii.

Rosalinda terminò di fumare e si tirò giù la sottana, dalla quale sbucavano gambe abbronzate e muscolose.

« Sai, forse a Natale mi hermana ce verrà a trovare en Italia. »

Mi girai di scatto, con la bocca aperta.

« Ovviamente con el marito e Clarinda. »

« Davvero? »

« Se stanno organizzando. Esperiamo. »

« Speriamo » ripetei.

Dopo un istante di pausa, aggiunse: « Alcune persone te stanno accanto una vita entera e neanche te ne accorgi, altre te sfiorano un solo istante e te restano impresse per siempre ».

Poi si girò a sorridermi. « È così, giusto? »

Non sapevo che rispondere, perciò lei mi schioccò un bacio sulla guancia e concluse: « Andiamo a dormire? »

« Okay. »

La sola speranza di rivedere Clarinda mi tranquillizzò. Seguii Rosalinda e mi infilai nel letto, dove mi persi dietro un nuovo, insolito rammarico. Per anni mi ero afflitto al pensiero che Mario non fosse mio padre e la famiglia Ferrara non fosse del tutto mia, ora, invece, mi trovavo a pensare che se Rosalinda fosse stata la mia vera madre le cose avrebbero potuto essere migliori, e tra l'altro non avrei nemmeno dovuto attendere la maggiore età per chiedere il cambio di cognome da Gargiulo a Ferrara (uno dei tanti progetti lasciati per strada).

Insomma, comunque la mettessi, c'era sempre una condizione irrealizzabile fra me e la serenità.

La mattina dopo, mentre papà caricava il pulmino, recuperai un po' di coraggio e sgattaiolai nella camera di Clarinda. Lei sembrava mi stesse aspettando perché non apparve troppo sorpresa. Nonostante il cuore mi dondolasse nel petto, tentai di camminare dritto e non fuggire con lo sguardo mentre compivo i pochi passi che mi separavano da lei. Quando le fui di fronte, contai fino a tre, chiusi gli occhi e mi lanciai sulle sue labbra, in un momento di esaltante follia. Le nostre bocche, però, si toccarono per pochi istanti, perché quando ebbi l'ardire di cacciare un pizzico di lingua, Clarinda indietreggiò avvampando e mi guardò sbalordita. Poi sussurrò uno «scusa» e scappò via.

Restai a fissare il muro dinanzi a me finché non sentii la voce di Rosalinda che mi cercava, e per l'intero viaggio di ritorno me ne restai accucciato in fondo al pulmino, cercando di nascondere agli altri e a me stesso la delusione che avevo dipinta sul volto.

La vita successiva mi ha poi spiegato alcune cose: che non sempre un bacio deve essere con la lingua, che le scuse spesso non cancellano le ferite e che l'amore, corrisposto o meno, serve a ricordarti che sei vivo, in mezzo a una marea di morti.

Ovviamente, Clarinda e la sua famiglia non vennero a Napoli né quel Natale, né i successivi. Dovetti attendere più di vent'anni per rivederla.

E sarebbe stato meglio se non fosse accaduto.

Come le oche degli Aristogatti

Entro in salotto e Arianna è già seduta sulla poltrona di fronte al divano. In effetti, si sono tutti accomodati e parlottano fra loro come se nulla fosse successo. Mario sfoglia il giornale e mamma, con espressione fintamente colpevole, ha appena chiesto a Clara notizie su Renata. Valerio sta rollando una sigaretta e Tomoko gioca con il telefonino, noncurante del groviglio di incomprensioni, frustrazioni, parole non dette ed emozioni sopite che intorcina le nostre relazioni.

Poi Mario decide che è arrivato il momento di parlare.

«Bando alle ciance, se no ci ripenso» dice e chiude il giornale. «Il prossimo che si permette di interrompermi, lo caccio di casa.»

Con la coda dell'occhio noto che Valerio e Tomoko hanno sollevato lo sguardo in direzione del capofamiglia e capisco che sono fatti l'uno per l'altra. Anzi, siamo in tre a essere fatti l'uno per l'altro; anch'io ho pensato di intervenire, così è la volta buona che mi buttano fuori. Devo ricordarmi di chiedere a Valerio se è disponibile a un triangolo con me e Tomoko.

«Insomma, dopo attente valutazioni, infinite discussioni con vostra madre e con il commercialista, sono giunto alla conclusione che la cosa migliore è una donazione.»

Ci guardiamo a vicenda, nessuno sembra aver capito cosa stia accadendo.

Per fortuna Mario ha appena iniziato. «Sì, la mia idea è questa. Anziché lasciare un testamento, vi dono oggi quel che vi devo e così evitiamo problemi un domani, quando non ci sarò più. Non voglio che ci siano litigi, malcontenti o incomprensioni, desidero che la questione sia affrontata con maturità da ognuno di voi, in modo da farmi vivere con serenità quel che mi resta da vivere.»

A questo punto mi sento in dovere di intervenire. «È successo qualcosa di cui non siamo al corrente? Stai male?»

«No, Erri, è che provo il bisogno di sistemare le cose» ribatte lui senza guardarmi.

Il silenzio scende nella stanza. Nostra madre tossicchia mentre si sistema meglio sulla sua porzione di divano.

«Tra l'altro, fiscalmente la donazione conviene. Però, prima di metterla nero su bianco, ho preferito parlarne con voi, non per chiedervi il permesso ma per darvi la possibilità di sollevare dubbi e perplessità.»

Per un po' resta a fissarci e sorride, poi aggiunge: «Ah, dimenticavo. Io e vostra madre manterremo l'usufrutto di ogni proprietà; ciò significa che il beneficiario potrà goderne solo alla nostra morte. Per voi, in realtà, non cambia nulla, si tratta solo di affrontare il discorso con me davanti, anziché con me in una fossa».

Giovannino è il primo a parlare. Sfila il braccio dalle spalle della moglie, porta i gomiti sulle ginocchia e poi dice: «Be', non vedo perché dovremmo sollevare perplessità o dubbi su una tua scelta!»

«Aspetta almeno di conoscere le divisioni» interviene Arianna imbronciata, le braccia conserte. Ha le gambe accavallate e quella di sopra ondeggia pericolosamente avanti e indietro, sfiorando il tavolino di cristallo ai piedi del divano.

«Arianna, sta' attenta» dice mia madre, che da svariati minuti è concentrata sulla traiettoria del suo anfibio.

Erri, insomma, mi vuoi chiamare?

Un nuovo messaggio di Flor. «Dopo» digito.

Ho un problema.

«Sto attenta, non ti preoccupare» ribatte senza troppa cortesia Arianna.

Che problema?

Grave, fratellone.

Mi alzo dal posticino che mi ero ritagliato, accovacciato sul tappeto con la schiena poggiata al bordo del divano, e mi allontano. Se non conoscessi Flor, mi preoccuperei. Invece resto calmo, anche se le sue parole mi incuriosiscono.

Mario nel frattempo ha tirato fuori un foglio scritto a penna e dichiara: «Qui c'è un piccolo schema delle nostre proprietà, del loro ipotetico valore e di come avremmo pensato di dividerle».

Giovannino allunga il collo per sbirciare, ma Mario è lesto e attira il foglio a sé, quindi è nostra madre ad aggiungere: «Vogliamo che prima di leggerlo ci promettiate che le questioni economiche non saranno mai motivo di contrasti tra voi». In realtà, il tuo bel giochino, mamma, sembra mirare proprio a questo. Lo penso ma non lo dico, e annuncio che devo andare in bagno.

«Proprio adesso?» fa lei.

«Ci metto un secondo.»

Mi avvio verso il gabinetto, poi torno indietro e, guardando i miei fratelli, dichiaro: «Oh, vi avverto, la collezione dei *Peanuts* è mia!» Quindi esco dalla stanza. Le parole di Valerio mi arrivano attutite mentre percorro il corridoio. «Allora io voglio la casa al mare!»

«Finalmente ti sei deciso a chiamarmi» esordisce Flor.

«Avanti, che è successo di così urgente?» chiedo.

«Hai parlato con papà?»

«Ti ho detto di sì, ma ci vediamo con calma e ti spiego.»

«Sei stronzo, allora? Avanti, dimmi che cosa ha detto.»

«Ma cosa c'è di così importante?»

«Niente, solo che altrimenti non mi avresti telefonato.»

«Flor, senti, sono nel pieno di una discussione con la mia famiglia al completo, ti devo chiamare più tardi. Ma per 'più tardi', intendo tardi, tardi.»

«Ah sì? Allora adesso mi apro una bottiglia di vodka e mi ubriaco, così ammazzo la bambina.»

«Flor, non fare la stronza, che ti riesce benissimo.»

«Tu non fare lo stronzo. C'è sempre la merdosa famiglia Ferrara fra noi. Loro vengono sempre prima dei Gargiulo, sempre prima di me.»

Poi chiude la conversazione e io resto a guardare il telefono. Sul display c'è ancora l'immagine di mia sorella che abbraccia Ernesto, il meticcio di casa Gargiulo che per tre mesi ha vissuto con me e Matilde, un'era fa. Riprovo a telefonare, ma Flor ha il cellulare spento. Cazzo, non è così folle da attentare alla vita che ha nella pancia per farmi un dispetto, ma nemmeno posso escluderlo a priori.

«Erri, Erri.» La voce di mia madre fuori dalla porta del bagno mi costringe a uscire.

«Che c'è?»

«Muoviti, è un momento delicato, dobbiamo mostrarvi la divisione.»

«Un attimo, e che diamine...» sussurro alle sue spalle.

Quindi corrugo la fronte e le vado dietro mentre sculetta nel corridoio e mi fa tornare in mente le odiose oche degli *Aristogatti*.

Troppo avanti

Prima di tornare alla discussione in casa Ferrara, voglio parlare di Ernesto, il cane di Flor. E non per afflato animalista, ma perché Ernesto mi dà la possibilità di parlare di Matilde, anzi di me e Matilde nei primi tempi, quando le cose sembravano funzionare alla grande.

Avevamo da poco affittato un bilocale nel cuore del Vomero e ci stavamo divertendo ad arredarlo: trascorrevamo intere giornate a scegliere una tenda o un copridivano, lo specchio del bagno o la mensola da mettere in soggiorno. All'epoca, tra l'altro, il signor Ikea non aveva ancora sistemato la sua famiglia per diverse generazioni a venire, e il punto vendita più vicino si trovava a Roma. Ogni quindici giorni, perciò, Matilde e io ce ne stavamo per duecento chilometri a parlare degli acquisti da fare, calcolando la cifra da spendere e discutendo sul colore del poggiapiedi del salotto (che poi era l'unica stanza a parte la camera da letto), lei con il catalogo sulle cosce, io col volante fra le mani. Giunti a destinazione, passavamo la giornata a bighellonare fra tavoli e tappeti, Matilde con lo sguardo perso fra la mobilia, io, invece, a studiare le persone che ci ronzavano attorno. In certi posti, le più interessanti sono sempre le coppie, d'ogni età e genere. Si distinguono in *coppie alle prime armi*, che stanno decidendo di convolare a nozze o andare a convivere, per cui le vedi aggirarsi fra i divani con aria felice, scambiarsi opinioni, colloquiare amabilmente sul tipo di tappetino per

il bagno, chiamarsi a gran voce quando l'altro è andato troppo avanti e si è lasciato sfuggire un reperto fondamentale. E
coppie navigate, che ti accorgi subito che, se non stessero al-
l'Ikea, rimarrebbero davanti al televisore senza scambiare
una parola. In genere in questo tipo di coppie l'uomo cammina un paio di passi dietro la moglie, così da poter osservare indisturbato la marea di sederi che gli si presentano davanti. La compagna, del resto, sa benissimo ciò che accade
alle sue spalle, ma preferisce far finta di nulla, per non incor-
rere in una nuova discussione senza via di uscita. Però è solita usare abili trabocchetti per far sentire quantomeno in
colpa il partner. E così di tanto in tanto gli pone qualche
domanda su uno specifico tessuto o sul lampadario per la
stanza da letto, pretendendo che lui inquadri subito ciò di
cui si parla. Ma il poveretto non sa nulla di lampade e tes-
suti, al più potrebbe disquisire sul pantacollant della signora
che li precede. Poi ci sono quelli come noi, come me e Matilde, che ci trovavamo nel mezzo, né troppo felici, né spie-
gazzati dalla vita e dal matrimonio. Quelli che ogni giorno
cercano di mettere un po' di se stessi nel rapporto e proce-
dono a braccetto. Perché è così che le cose vanno a rotoli
senza nemmeno accorgersene, quando uno dei due inizia
a camminare due passi indietro al compagno.

A ogni modo era un periodo carico di novità e soprattutto di
aspettative. Ci aspettavamo che la casa diventasse ogni giorno
più bella, che crescesse insieme col nostro amore, che il nostro
lavoro un giorno fosse solo nostro (mio suocero permetten-
do) e che la vita un domani ci donasse il figlio che avrebbe
suggellato e completato il senso di tutto ciò che stavamo co-
struendo.

Eravamo felici, e chi lo è si sente sempre un po' in colpa nei confronti degli altri, come se stesse rubando qualcosa dal piatto comune, come se la serenità conquistata venisse sottratta a qualcuno che ne ha più bisogno. E poi, se dichiari al mondo di essere felice, puoi star certo che il mondo, nel giro di due minuti, ti vomiterà addosso tutte le sue sventure. Perciò dovevamo espiare in parte le nostre colpe: avremmo fatto del volontariato, o una donazione.

Invece, ci pensò Flor ad aiutarci a saldare il debito con la vita.

Si presentò una sera che ce ne stavamo sul divano mezzi nudi, dopo aver fatto l'amore come allora sapevamo fare, senza freni inibitori dovuti alla ricerca della posizione che avrebbe favorito la marcia dei nostri soldatini. Stavamo guardando non so quale film e sgranocchiando patatine quando suonò il citofono. Corsi ad aprire e lei era già sulla porta, sorrideva e non era sola.

«Ernesto, questo è zio Erri. Saluta!»

Flor aveva trovato Ernesto lungo una strada provinciale nei pressi di Villa Literno e non aveva potuto che prenderlo con sé. Come darle torto...

Lì per lì non mi chiesi cosa ci facesse mia sorella a Villa Literno, ma dopo qualche settimana seppi che non si era imbattuta per caso nel cucciolo, lo aveva cercato. Da un po' di tempo, infatti, faceva parte di un'associazione di volontari che si dedicava al salvataggio dei cani abbandonati. Azione nobilissima che, tuttavia, si scontrava col fatto che l'associazione – nella realtà una semplice congrega di amici un po' cazzari – non aveva né agganci con enti né un posto dove sistemare i trovatelli. E a farne le spese erano i familiari dei soci.

Quella sera, e anche questo lo scoprii dopo un po', il povero Ernesto era già stato cacciato, nell'ordine: da casa del padre di Matteo, dall'appartamento della sorella di Alice e, da ultimo, da papà in persona, che, dopo aver accettato solo il mese prima l'arrivo di Giacomo, un bellissimo incrocio fra un setter e un labrador, aveva chiuso la discussione dicendo: «Se entra lui, me ne vado io».

Perciò a Flor e al povero Ernesto non eravamo rimasti che Matilde e io. Mia sorella e il cane invasero la casa con tutta la loro grazia; Ernesto saltando sul finto parquet Ikea e infilando il naso ovunque, Flor toccando qualsivoglia oggetto e catalogandolo come «carino».

Fra Matilde e Flor non c'è mai stata sintonia. Troppo rigida la prima e molto folle la seconda perché andassero d'accordo. Però si rispettavano e, forse, da qualche parte, si invidiavano. Matilde avrebbe voluto un po' della pazzia di mia sorella, e Flor un po' della sua risolutezza.

Comunque, ero già pronto a dire che la casa era troppo piccola e non c'eravamo mai e che Ernesto da noi non poteva stare, quando lui incrociò lo sguardo di Matilde. Folgorazione.

«Lo teniamo noi per un po'» esclamò la mia futura moglie, strappandomi un'espressione stupefatta, «finché non gli trovi una sistemazione definitiva.»

«Yahoo!» urlò Flor e corse ad abbracciarla, ottenendo di rimando molto meno calore.

È che con la storia dei cani Flor aveva sempre scatolette di cibo appresso e un odore sugli abiti non proprio gradevole. Inoltre, aveva già non so quanti tatuaggi, i dread e parecchi piercing. Quando camminavo con lei per strada, la gente si scostava. A me questa cosa divertiva, lei ormai non ci faceva nemmeno caso.

Flor mi è sempre piaciuta, sia nella fase rasta, sia in quella punk, e anche nel periodo più morbido di «figlia dei fiori», fino a quello attuale, un po' sbarazzino e molto libertino. Ogni suo modo di essere esprime la vivacità del suo animo e l'assoluta mancanza di filtri interni. Certo, non è un tatuaggio o un piercing a emancipare una persona, è che Flor la libertà l'ha dentro, le scorre nelle vene. È una di quelle persone che non hanno bisogno di conquistarsi un posto nel mondo, di lottare per i propri spazi o le proprie scelte. A lei, in realtà, non interessa scegliere, è libera proprio perché è svincolata. La sua libertà consiste nel sottrarsi alle decisioni.

Per uno come me è troppo avanti.

Ernesto rimase con noi. Dopo due giorni già lo amavamo e dopo una settimana non potevamo più farne a meno. La sera ci accoglieva con guaiti e scodinzolii interminabili, correva a prendere il suo giocattolo preferito (un piccolo coccodrillo di peluche comprato all'Ikea) e voleva che glielo tirassimo via dalla bocca. Si sdraiava al nostro fianco sul divano e dormiva sereno mentre noi guardavamo un film.

I primi giorni se ne stava tutto il tempo accucciato ai nostri piedi, indirizzandoci occhiate malinconiche. Fui io a cedere. «E se gli pulissimo le zampe? Che dici, in quel caso potrebbe salire sul divano?»

Matilde mi dedicò una delle sue smorfie divertite e, dopo un'accurata valutazione dei pro e dei contro, acconsentì.

La sera dopo cena ero io a portarlo a passeggio. Facevamo un lungo giro dell'isolato, lui con la testa sul selciato ad annusare le diverse gradazioni di ammoniaca presenti nelle urine, io a guardare le stelle o gli appartamenti dei vicini. Mentre Ernesto svuotava la vescica, io mi perdevo nella contemplazione dell'infinita varietà di vite attorno a me, tutte rinchiuse in quelle scatole illuminate che chiamiamo case, e mi chiedevo, oggi come allora, se davvero ognuna delle persone lì dentro avesse scelto di essere lì in quel momento, davanti al televisore o dietro un tavolo, con accanto la stessa persona di sempre. Se ci fosse, insomma, da qualche parte, qualcuno che lottasse per cambiare la sua vita ed essere davvero felice.

E allora come oggi mi dicevo che forse il più infelice di tutti era proprio chi tentava di ribellarsi a una strada che non sentiva sua. Tutti gli altri, quelli che se ne stavano comodamente a guardare la tv con uno sconosciuto accanto, quantomeno erano anestetizzati.

Che poi è l'unico modo che conosciamo per non sentire il dolore.

Samuele è strano

Poi una sera si ripresentò Flor, con i capelli rasati dietro e ai lati e lunghi sul davanti. La guardai e mi misi a ridere. Matilde, invece, rimase a bocca aperta.

«Ciao, ragazzi, come va?» chiese, prima di presentarci il ragazzo che l'accompagnava. «Lui è Samuele.»

Samuele sollevò la mano e biascicò un «ciao». Era magro da far spavento, indossava jeans neri attillati, gli anfibi, i piercing lungo tutto il padiglione auricolare, una maglietta nera corta che gli lasciava scoperta la pancia pelosa e aveva i capelli unti che gli ricadevano sulle spalle.

Stavo cucinando e, poiché i due se ne restavano in piedi a guardarci, mi vidi costretto a chiedere se volevano unirsi a noi.

«Con piacere» rispose Flor, «che si mangia?»

«Spaghetti al pomodoro.»

«Benone» rispose entusiasta, quindi si lanciò sul divano e si dedicò a un'intensa grattatina a Ernesto.

Matilde aggiunse altri due posti a tavola e io riempii i piatti. Per tutta la cena Samuele non disse una parola, Flor invece non rimase zitta un momento. Con la mano destra arrotolava gli spaghetti, con la sinistra accarezzava Ernesto. Impiegò mezz'ora per svuotare il piatto, e noi potemmo solo aspettare che smettesse di parlare o di mangiare.

Solo dopo cena ci disse perché era venuta.

«Ho litigato con papà.»

« Perché? »

« Be', si vanta tanto di essere un tipo alternativo e poi si arrabbia se gli annuncio che me ne vado di casa. »

« Te ne vai? »

« Già. »

« E dove? »

« Samuele e io » e posò la mano sulla coscia del compagno muto, « abbiamo trovato un appartamento a Licola, con un bel giardino. Così possiamo accogliere tutti i cani che vogliamo. E siamo venuti a riprenderci Ernesto. »

A quelle parole mi bloccai mentre Matilde sfoderò un istintivo « no ».

« In che senso 'no'? » chiese subito Flor.

« Già, in che senso? » ripetei.

Matilde si accasciò contro lo schienale della sedia e rispose: « No, è che mi sono affezionata a lui ».

« Potrai venire a trovarlo quando vorrai » ribatté subito mia sorella.

« Potremo andare a trovarlo quando vorremo » ribadii io nel tentativo di rendere meno amaro il momento.

« Potevi almeno avvisarci prima » biascicò Matilde.

« È che lo abbiamo deciso poco fa. Lunedì ho conosciuto Samuele, ieri mi ha detto della casa a Licola e oggi abbiamo deciso di venire a prendere Ernesto. »

« Vi conoscete da tre giorni? » chiesi sbigottito.

« Da lunedì » rispose serena lei.

« Appunto, sono tre giorni, a meno che non parli di un lunedì di qualche mese o anno fa. »

« Be', sì, tre giorni, embè? Erri, non fare il pesante come papà. »

Mi portai le mani al viso e incontrai lo sguardo avvilito di Matilde. Sospirando, tentai di riacquistare la lucidità.

«Papà lo sa che vi conoscete da tre giorni?»

«Sì, ti ho detto che non l'ha presa bene...»

«E mica ha tutti i torti» intervenne Matilde, che fino a quel momento si era adeguata al mutismo del nostro ospite.

«Okay, ragazzi, vi voglio bene, vi sono grata perché vi siete presi cura di Ernesto, ma non c'è alcun bisogno che anche voi mettiate bocca nella mia vita.»

Samuele continuava a non parlare, così mi rivolsi a lui. «E tu che dici?»

«Che devo dire?»

«Come vivrete?»

Flor si alzò, afferrò per il braccio il compagno ed esclamò: «Okay, è ora di andare. Grazie ancora. Se volete venire a trovare il cane, chiamatemi, così vi spiego la strada. Non è difficile arrivare».

Detto questo, infilò il collare a Ernesto e raggiunse la porta insieme a Samuele, che per salutarci si limitò a sollevare la mano. Ernesto si fermò sull'uscio e si girò un istante, quasi volesse chiederci se era il caso di seguire la strana ragazza vestita di nero che parlava sempre. Un attimo dopo lei gli strattonò il guinzaglio e il cane sparì dalla nostra vista.

Matilde era ancora seduta al tavolo, io appoggiato al piano della cucina. Iniziai a riempire la lavastoviglie, e lei ruppe il silenzio. «Tua sorella è completamente pazza!»

«Già.»

«Il problema è che con la sua pazzia fa del male agli altri. A noi, a vostro padre e a Ernesto, in questo caso.»

Chinai il capo. Non sapevo che fare.

«Ma poi, chi è quel tipo? Chi lo conosce? Mi sembra anche strano, non ha aperto bocca. E se le fa del male?»

«Tu dici?»

«Dico che dovresti chiamare tuo padre.»

« Flor è maggiorenne, può fare quel che vuole. »

« Flor è matta, dovresti fare i conti con questa cosa. » Poi si alzò e si rifugiò nella stanza da letto.

A me la scelta, ancora una volta. Avrei potuto chiamare nostro padre, oppure impormi e obbligare mia sorella a tornare a casa e non fare idiozie. Ci avrei pensato durante la notte.

Quando mi infilai nel letto, Matilde mi dava le spalle. Un attimo prima di spegnere la lampada, dichiarò: « Comunque domani vado a riprendermi Ernesto. Con te o senza di te ».

Per fortuna, il giorno dopo fu Flor a chiamarci. Erano le sei e un quarto del mattino.

« Erri? »

« Che è successo? » chiesi, col cuore in gola.

« Niente » ribatté Flor come nulla fosse. Fece una pausa e disse: « Senti... non è che... verresti a prenderci? »

« A chi? »

« A me e a Ernesto. »

« Dove siete? »

« A Licola. »

« Che è successo? »

« Niente di grave, poi ti spiego. Allora, che fai, vieni? »

Dieci minuti dopo Matilde e io eravamo già in auto. Trovammo Flor che ci attendeva fuori casa, dopo un buio sottopassaggio alla fine di una strada piena di rifiuti, tossici chiusi nelle auto ai bordi della carreggiata e carcasse di animali morti.

Sorrideva e tratteneva a fatica Ernesto, che abbaiava.

« Diamine, Flor, dove cazzo ti sei andata a nascondere? » chiesi quando fu in auto.

« Bruttino, eh? »

Il cane non fece che leccare tutto il tempo le mani di Matilde e le mie orecchie.

« Che è successo? » chiesi di nuovo.

Lei sembrò titubare, ma alla fine parlò. « Niente, è che quel Samuele è un tipo strano. »

« Ma va'! » intervenne Matilde. « Non ce n'eravamo accorti! »

« Ieri sera ci siamo fatti un paio di canne e qualche birra e ci siamo messi a scopare » disse poi.

Avrei voluto tapparmi le orecchie per non ascoltare i dettagli, ma c'era poco da fare, dentro l'abitacolo ero in trappola.

« Però lui era troppo ubriaco. Alla fine ha chiuso gli occhi e mi ha lasciato tutta la notte sola in quella casa sporca e puzzolente di umidità. Alle prime luci del sole ho tentato di svegliarlo, ma lui niente, non riprendeva conoscenza. Allora ti ho chiamato. »

« Ma non è che è morto? » chiese Matilde allarmata.

« Ma no... »

« Flor, tu sei pazza. »

« Tu dici? » chiese lei e si mise a ridere.

La accompagnammo a casa e Rosalinda ci venne incontro per le scale in lacrime. A quel punto Raffaele Gargiulo fu costretto a rimangiarsi la parola e a darla vinta a quella strana figlia che, a differenza di me, aveva imparato a scalciare pur di ricordargli la propria esistenza.

Il buon Ernesto ha vissuto il resto della vita accanto a Giacomo (l'altro cane di casa Gargiulo), a mio padre e a Rosalinda. Flor, invece, l'anno dopo se ne andò davvero di casa.

Il giorno che Ernesto morì papà pianse. Almeno così si racconta in famiglia. Nonostante fosse vissuto per gran parte della sua vita per strada, si era abituato subito alle regole di casa e non aveva fatto una sola volta pipì sul pavimento. Forse anche nel mondo dei cani la sofferenza plasma anime più meritevoli.

Mica avrai pensato di votare Berlusconi?

Tornati in salotto, io sprofondo sul divano e mamma resta in piedi a dirigere la discussione. Con un attento e pedante utilizzo della mimica facciale, passa la parola ora a uno ora all'altro, come del resto ha fatto per più di dieci anni, da quando la sua fallimentare carriera politica si tramutò in carriera giornalistica di successo.

Già, con lei ero rimasto alla sera del 1994, quando aveva deciso di scendere in campo al fianco del Cavaliere.

I giorni che seguirono furono per me abbastanza traumatici. Mio padre, non so come, venne a sapere la notizia e non la prese benissimo. Una sera mi invitò a cena per parlarne.

«Erri, che si è messa in testa tua madre?»

«In che senso?»

Mi guardò spazientito. «Nel senso che a quanto pare vuole candidarsi con Forza Italia.»

«Ah, sì» risposi e tornai alla mia tortilla. La tortilla di Rosalinda era quanto di meglio si potesse gustare a casa Gargiulo. In realtà, la maestra della tortilla non era lei ma sua madre, che durante la nostra visita di molti anni prima in Andalusia mi aveva deliziato per giorni con frittate di ogni tipo.

In Italia avevo pregato la figlia di emulare la madre, cosicché le tortillas di Rosalinda avevano il doppio merito di rallegrare il mio palato e riportarmi con il pensiero ai giorni trascorsi in Spagna, e a Clarinda, l'amore di una sola estate che occupava, però, ancora tutte le mie stagioni.

« C'è poco da scherzare, Erri, quel che sta facendo tua madre è immorale! »

« Raffaele, smettila » intervenne Rosalinda, « e fai mangiare in santa pace tuo figlio. »

« Perché, a lui non interessa che la madre svergogni tutta la famiglia? »

« Addirittura? »

« Sì, addirittura. Erri, senti, devi parlarle, devi convincerla che sta commettendo un grosso errore, che quell'uomo è un farabutto che porterà il Paese alla rovina. »

« Quale uomo? » chiesi io.

Lui si fece rosso in viso e ribatté: « Cristo santo, ma quanti anni hai? Venti? È mai possibile che alla tua età pensi solo alle femmine e ai fumetti? Non ti interessa la politica? »

Avrei dovuto rispondere con sincerità e confessargli che non trovavo la politica affascinante quanto le altre due opzioni. Ma al momento in cui sarei riuscito ad alzare la voce con mio padre mancava ancora un bel po', e poi, in effetti, anche a me la scelta di mamma sembrava stupida. Per tutte queste ragioni, balbettai: « No, mi interessa, ma mamma la conosci, figurati se sta a sentire qualcuno ».

Accese il sigaro e si mise a fissare il vuoto, nonostante Rosalinda lo avesse pregato mille volte di non fumare in presenza di Flor. Alla fine, mentre la moglie sparecchiava, tornò all'attacco. « Non so perché l'ho sposata. Deve avermi fatto un incantesimo, quella donna è una strega. »

Chiunque altro lo avrebbe fermato ricordandogli che la donna di cui parlava era mia madre. Invece rimasi ad ascoltarlo come se nulla fosse.

« Ma Mario che dice? »

«Boh.»

Papà mi guardò con curiosità, poi si avvicinò e puntò gli occhi nei miei. «Di' la verità, mica avrai pensato di votare Berlusconi?»

Per un attimo, la sua domanda mi fece tornare col pensiero all'anno prima, quando a Napoli si erano tenute le elezioni amministrative. Era la prima volta che votavo e papà aveva speso un po' di tempo per spiegarmi il suo punto di vista. Senza dimenticare di indicarmi chi meritasse la mia preferenza. Così, la domenica delle elezioni ero pronto a fare il mio dovere, a mettere in atto il «consiglio» di Raffaele Gargiulo. Peccato che quando aprii il cassetto alla ricerca del certificato elettorale trovai solo un pezzetto di fumo regalatomi da Orlando.

Per l'intera mattinata misi a soqquadro la stanza, poi mi tornò in mente che la sera prima avevo infilato il certificato nei jeans, proprio per essere sicuro di portarlo con me alle urne, ed ero andato con gli amici a giocare a calcetto. Dopo la partita, ancora sudati e con indosso le casacche, ci eravamo fermati a fumare uno spinello, e alla fine ero tornato a casa in pantaloncini, maglietta col numero otto e le scarpe coi tacchetti. Appena tornato lucido, ero subito corso al campo, ma dei miei vestiti non c'era più traccia.

Dopo pranzo, arrivò puntuale la telefonata di papà.

«Erri, hai fatto il tuo dovere?»

«Sì» mentii senza esitazione, guadagnandomi la sua stima.

Avrei mentito e mentirei altre cento volte pur di ottenere la sua attenzione. Perché se ti prendi la briga di voler essere amato, capisci presto che hai bisogno di una nutrita scorta di bugie da elargire al momento giusto.

Inconsapevole tentativo

«Di' la verità, mica avrai pensato di votare Berlusconi?»

In realtà non avevo pensato proprio a niente. In quel periodo avevo problemi ben più gravi di Berlusconi.

«Ma va'» risposi.

«No, perché altrimenti ti diseredo» proseguì lui, incurante della moglie che, dalla cucina, lo rimproverava per la sua severità.

Per quel che riguarda l'eredità, ero e sono sempre stato sereno: alla morte di nostro padre, Flor e io dovremo solo dividerci i milioni di libri che invadono la sua piccola casa in affitto. All'epoca, però, parliamo di ventidue anni fa, la sua collezione di libri non era molto folta, proprio come i suoi capelli, che avevano già fatto una fine ingloriosa.

Perciò, mentre lui si aspettava una presa di posizione rispetto alle scelte di mia madre, che era passata dalla gioventù anarchica e filocomunista mentre era al suo fianco a un'età adulta con lo scudo crociato prima e con il Cavaliere sorridente poi, io me ne uscii con questa domanda, iniziale e inconsapevole tentativo di ribellarmi a lui: «Pa', ma tu i capelli a che età li hai persi?»

Per tutta risposta, lui sbatté la mano sul tavolo e andò a rifugiarsi nei libri. A tavola eravamo rimasti solo io e Flor, che all'epoca era una bambina di undici anni. Fu a lei che posi la domanda che più di ogni altra, in quel periodo, occupava le mie notti turbolente. « Flò, ma secondo te sto perdendo i capelli? »

Per fortuna il destino decise di darmi una mano. Non so perché, ma il Cavaliere non accettò di iscrivere Renata Ferrara nelle sue liste, nonostante, parole di mamma, « l'inchiesta si sia conclusa con un nulla di fatto, il che prova che ci fu un complotto per togliermi di mezzo, perché iniziavo a fare paura ai piani alti ».

Nessuno, in realtà, nemmeno Mario, ha mai creduto alla tesi del complotto, ma nessuno, nemmeno Mario, ha osato contestarla. Fatto sta che da quel momento è iniziata la guerra personale di Renata Ferrara contro Silvio Berlusconi, tuttora in atto.

Quando il neonato partito milanese oppose un garbato rifiuto alla sua autocandidatura, mamma andò su tutte le furie. Passò intere giornate al telefono sbraitando ora con uno ora con l'altro, e a tutti ricordava il suo glorioso passato fra le fila del « più grande partito europeo degli ultimi cinquant'anni », la sua esperienza più che decennale, gli agganci, la conoscenza delle problematiche del territorio, la capillare rete di amicizie influenti che con certosina pazienza si era costruita negli anni. Non avrebbe permesso a un « buffone abbronzato » di rovinare la sua carriera politica, non gli avrebbe permesso di rovinare l'Italia. Così, approfittò dell'invito da parte di una trasmissione regionale in onda su Canale 21 per iniziare a inveire contro Berlusconi, un « uomo sbucato dal nulla, senza un passato, se non la forte amicizia con Bettino Craxi, cui deve la sua fortuna ».

Fatto sta che ai produttori e ai telespettatori dell'emittente campana la verve di Renata Ferrara, la foga con la quale esponeva le proprie ragioni, piacque molto, e nel giro di tre settimane mamma si ritrovò a condurre un talk show politico in prima serata. Talk show che è andato in onda per più di dieci anni, diventando ben presto un appuntamento fisso per i napoletani.

Il motivo del successo, per molti, era che la Ferrara *tene 'e palle!*

Il dottor Iazeolla, invece, qualche anno dopo l'avrebbe definita «madre fallica» e, di fronte alla mia risata, con sguardo severo avrebbe aggiunto: «Nei suoi panni non mi divertirei così tanto».

Quelli come noi si accontentano del dubbio

« Erri, papà ha voluto legarci a forza » commenta Arianna.

« In che senso? »

Mi porge il foglio sul quale, con una biro blu, Mario ha abbozzato uno schizzo con la divisione delle case. Lo studio un istante, quindi lo allontano dagli occhi e guardo gli altri, che attendono in silenzio una spiegazione.

« Come vedete, ho cercato di prendere la decisione che mi sembrava più equa. E vi spiego. Lo studio e questa casa vanno in parti uguali a Valerio e Giovanni. Lo studio perché Giovannino è l'unico che potrà proseguire l'attività, la casa perché un domani potranno frazionarla e vivere vicini con le rispettive famiglie. Erri e Arianna, invece, vi dividerete la casa di Gaeta e quella di Pescasseroli. Siete cresciuti insieme, andate d'accordo e vi volete bene. Saprete trovare un accordo. »

« Sarebbe a dire che avevate paura di uno scontro fra me e Valerio o Giovanni » esclama Arianna.

« No, è che fra te ed Erri c'è un rapporto... più stretto. È innegabile » interviene mamma.

« Forse avresti potuto farcelo sapere in un altro modo » commenta Giovanni, « non così, con una cena in famiglia, con Tomoko che conosciamo appena. »

« Che c'entra Tomoko? » trasale Valerio.

« Nulla, è che non mi va di spiegare le mie ragioni qui, in questo contesto. »

« E figurati se non avevi qualcosa da dire. Che c'è, hai paura che qualcuno ti rubi l'osso dal piatto? »

« Non ti rispondo neanche. »

« Se volete, posso togliere il disturbo » interviene Tomoko.

« Oh, insomma » alzo la voce, « non so perché tu abbia voluto fare tutto questo, ma non me ne starò qui a discutere di come ci spartiremo le tue proprietà quando sarai sotto terra. Non voglio nemmeno pensarci, gradirei anzi bermi un altro po' di vino e raccontare le cose belle che una volta tanto mi accadono. »

Capisco solo dopo di essermi spinto troppo in là. Tutti, infatti, si girano verso di me e mi fissano. È Valerio a formulare la domanda che ognuno ha sulla punta della lingua. « E quali sarebbero le cose belle che ti sono successe? Noi non ne sappiamo nulla. »

Sarà per il troppo vino mandato giù, sarà perché così scaccio l'aura di morte che ha riempito la stanza, ma mi sento pronunciare una frase che mai avrei creduto di ascoltare dal mio *Io*. Invece, il mio *Io* non aspettava che un momento simile per allontanare i fantasmi e gettarsi nel vortice della vita.

« Matilde aspetta un bambino » sussurro, e mi sto già chiedendo perché l'ho detto.

Infatti, siccome ho parlato di una « cosa bella », a nessuno viene in mente di chiedere se il figlio è mio.

Mamma si porta le mani al volto, Mario si apre in un sorriso, ed è Clara a rompere il silenzio.

« Ma, com'è possibile? Non vi siete lasciati da un anno? »

« Be', la cara Matilde, evidentemente, se n'è stata con due piedi in una scarpa! » esclama Valerio, che poi si alza e mi abbraccia. «Auguri, fratellone, è una gran bella notizia! Dobbiamo festeggiare!»

«Sì, ha ragione» interviene Mario, «vado a prendere un'altra bottiglia di spumante!»

Mamma mi viene incontro con gli occhi lucidi e mi posa la mano sulla guancia. «Sono troppo felice. Ma se è maschio non ti azzardare a chiamarlo come tuo padre!»

In breve tutti si alzano e mi abbracciano.

Giovanni mi strizza l'occhio ed esclama: «Finalmente potrò divertirmi con un bambino senza dovermi preoccupare di educarlo!»

Tomoko mi porge la guancia e dice «auguri», ma si vede che non gliene frega niente e che si chiuderebbe volentieri la porta di casa alle spalle.

L'ultima ad avvicinarsi è Arianna. Mi fissa un istante, poi mi stringe piano, come fa sempre, e mi sussurra all'orecchio: «Sicuro che sia proprio tuo figlio?»

Io sorrido e ribatto fra i denti: «No, ma quelli come noi si accontentano del dubbio».

La Moleskine

Un'altra scelta che avrei fatto bene a prendere riguarda il lavoro. La mattina dopo la rivelazione di mia moglie, infatti, mi ero presentato in ufficio puntuale, nonostante avessi dormito poco e male sul divano di mio fratello Giovanni, e nonostante da quel pomeriggio dovessi cercare una nuova sistemazione.

Matilde non mi degnò di uno sguardo per tutta la giornata e l'ardore col quale varcai la soglia dell'ufficio si spense non appena mi resi conto che Ghezzi non sarebbe arrivato, forse avvertito dall'amante. Mi ero preparato a comportamenti animaleschi e sguardi feroci e carichi di odio, atti a difendere il mio territorio, invece mi ritrovai a ingurgitare la rabbia poco alla volta. Alla fine delle otto ore era rimasta solo la nausea a farmi compagnia.

La sera, a casa, Matilde non c'era. Aveva lasciato un bigliettino che diceva: «Ho pensato ti servisse un po' di tempo per organizzarti. Chiamami quando avrai trovato una sistemazione».

Lo accartocciai e lo gettai nel cestino della spazzatura. Poi riempii la mia valigia di poche e confuse cose. E fu aprendo un cassetto del comò che ritrovai la vecchia Moleskine di Matilde, soffocata sotto una pila di maglioni che non le vedevo addosso da una vita. La afferrai e la aprii nel punto dove la scrittura era stata interrotta. Mi bastò leggere poche frasi, però, per richiudere in tutta fretta le pagine, con le lacrime che iniziavano a bagnarmi il viso. Gliela avevo regalata io un Natale di qualche anno fa e lei la mattina dopo mi aveva abbracciato mentre mi radevo e aveva detto: «La userò per scrivere i nostri pensieri, per far capire un domani a nostro figlio quanto lo stavamo aspettando».

Infilai anche la piccola agenda in valigia, mi chiusi la porta di casa alle spalle, e tornai da mia madre.

Dall'agenda di Matilde lasciata a metà

Pensavo a quando un domani ti innamorerai. A chi porterai a casa. In fondo siamo tutti estranei prima di conoscerci. Anche io e Erri lo siamo stati. Innamorarsi è il più grande atto di fiducia che ci possa essere fra due estranei. Pensa questo ogni volta che ti troverai in difficoltà nell'entrare in una stanza piena di gente sconosciuta, o al cinema, se ti scoprirai di fianco a chi non conosci, pensa che la vita ti sta solo donando una nuova possibilità di trovare qualcuno di speciale.

Non ti dirò, come molti, di restartene sulle tue, di non esporti troppo. No, io ti dirò di avere fiducia e imparare ad accogliere gli altri. Più muri alzerai, e meno luce entrerà nella tua vita.

Il primo no a Matilde

Per giorni, Matilde e Ghezzi non vennero al lavoro. Per giorni me ne rimasi seduto dietro la scrivania senza scambiare una parola con nessuno, fissando per lo più lo schermo del computer finché arrivava l'ora di tornare a quella che un tempo era stata la mia casa, da mia madre e Mario.

Avevo creduto che la questione potesse rimanere privata, ma mi ero illuso; in nessun ufficio una relazione segreta fra due colleghi rimane tale.

Per giorni mi feci forza per non mettere le mani addosso a Gambino, un collega giovane e rampante, trentacinque anni, capelli sempre impomatati, gessato e mocassino appuntito alla Aladino. Gambino e io non c'eravamo mai sopportati, un po' perché l'avevo sempre tenuto a debita distanza (a volte, in verità, anche con immotivata scortesia), un po' perché lui mi aveva sempre visto come il figlioccio del capo. Perciò, in quei giorni se ne andava in giro per i corridoi dell'ufficio con un risolino stampato in faccia e, quando mi incrociava, mi salutava con grande enfasi, ridendo sotto i baffi della mia sventura.

Un pomeriggio, approfittando della presenza di due soli impiegati in tutto il piano, mi intrufolai nella stanza di Matilde e mi sedetti dietro la sua scrivania. Poi iniziai ad aprire i cassetti alla ricerca di non so cosa. Dopo dieci minuti avevo già terminato la mia misera investigazione. Rimasi a fissare lo schermo del computer, pensando alle innumerevoli scuse che avrei potuto accampare nel caso qualcuno avesse aperto la porta. D'altronde, era la stanza di mia moglie, non c'era nulla di male in quel che stavo facendo. Almeno agli occhi degli altri.

Intanto il pc si era avviato e ispezionai il desktop alla ricerca di qualche file dal nome sospetto, poi aprii la sua posta e lessi qualcosa come cento messaggi degli ultimi mesi. Di Ghezzi non c'era traccia. Stavo per spegnere sconsolato quando mi ricordai di controllare il programmino che mette in comunicazione via chat i diversi computer dell'azienda. E lì trovai quello che cercavo, decine e decine di conversazioni fra Matilde e Ghezzi. Mi bastò il primo messaggio per chiudere di tutta fretta il programma e il computer. Lo aveva mandato lui due giorni prima della confessione di Matilde.

«Non posso più fare a meno di te.»

Corsi verso il bagno e mi sciacquai il viso più volte con l'acqua fredda. Quindi rimasi a fissarmi allo specchio e mi persi nei miei occhi stanchi, nella bocca contorta, nei peli bianchi della barba e nelle piccole rughe sulla fronte. È il dolore sordo, quello che non fa casino e non arriva all'improvviso, ma ti fa compagnia silenzioso, ogni giorno e ogni notte, e si infiltra poco alla volta, finché ti crepa la pelle, proprio come l'acqua erode l'intonaco.

Tornato nel mio ufficio, trovai ad attendermi mio suocero. Aveva un'espressione contrita e visibilmente imbarazzata. Capii subito che era lì per parlarmi. Dopo la confessione di Matilde avrei dovuto correre in azienda, prendere le mie cose e salutare tutti. Invece ero rimasto al mio posto per quasi una settimana, ad attendere per l'ennesima volta che qualcun altro mi dicesse quel che andava fatto.

Dopo un lungo giro di parole, Crispino Del Gaudio mi invitò a prendermi una pausa per vedere come andavano le cose, se c'era qualche possibilità di recupero. Disse che era rammaricato, ma siccome non poteva costringere la figlia a non presentarsi al lavoro, era costretto a chiedermi di allontanarmi per un po'. Lo ascoltai senza dire una parola, come sempre, e come sempre non feci domande né richieste di alcun tipo. Fu lui, un attimo prima di chiudere la porta, a precisare: «Erri, non so cosa sia successo tra voi, ma ti dico ciò che ho detto a lei: prima di buttare tutto all'aria pensateci bene. Un momento di crisi può capitare a tutti».

Non replicai, mi mancò la forza di raccontare a mio suocero la verità, e cioè che la nostra crisi si protraeva ormai da un anno. Dalla fatidica sera nella quale, per la prima volta, avevo detto di no a mia moglie.

La volta giusta

Dopo cinque anni di infruttuosi tentativi, Matilde e io avevamo optato per l'adozione.

Ricordo ancora il preciso istante in cui prendemmo la decisione, subito dopo aver fatto l'amore. Era uno dei giorni «giusti» e, come ogni mese, avevamo organizzato la giornata in previsione del rapporto, rifiutando un invito a cena e uno al cinema.

Tornati a casa, ci aspettavano una cena frugale e dieci minuti di sesso intenso. Dopo cinque eravamo già distesi sul letto e quasi certi di aver gettato alle ortiche una serata in compagnia di amici per un nuovo quanto inutile «rapporto mirato». Perciò ce ne stavamo in silenzio, i nostri corpi intrecciati e freddi, quando lei se ne uscì con la proposta. «Non aspettiamo neanche di sapere cosa succede questo mese, domattina andiamo a presentare la domanda.» Già da un po', a dire il vero, l'adozione faceva capolino nei nostri discorsi, ma più che altro come paracadute per i nostri insuccessi mensili, come se il solo fatto di sapere che esisteva anche quella possibilità ci aiutasse ad attutire la mazzata che ci colpiva puntuale ogni ventotto giorni.

Quella sera, invece, Matilde decise di spingersi oltre, di non attendere il ciclo per muoversi, di seppellire da subito la speranza che «questa è la volta giusta». Perché passano i mesi, e poi gli anni, e tu sei sempre lì a dirti che sarà la volta giusta, che prima o poi l'avrai vinta tu, come fosse un'infinita partita a carte tra te e la natura.

«Dovete solo ubriacarvi e fare l'amore» ci avevano detto in più di un'occasione i diversi medici ai quali, negli anni, ci eravamo rivolti. E noi avevamo preso alla lettera anche quel consiglio. Una volta, pressoché certi che il segreto dei pancioni che spuntavano come funghi attorno a noi fosse solo la giusta scelta del vino da abbinare alla serata d'amore, ci eravamo rintanati in casa con cinque bottiglie di Barbera d'Asti, quello che si dice un vino «robusto».

Purtroppo a metà della seconda ci eravamo dovuti fermare, Matilde era corsa in bagno a rimettere e io un po' ridevo e un po' piangevo. Altro che gravidanza, a noi quel vino avrebbe portato solo un magistrale mal di testa. La mattina dopo mi ero svegliato con l'amara consapevolezza che, se era l'alcol la pozione magica che aiutava a concepire, Matilde e io non saremmo mai diventati genitori.

A ogni modo, dicevo dell'adozione. Accolsi la proposta di Matilde con entusiasmo e la settimana seguente, dopo aver preparato tutta la documentazione, andammo al Tribunale dei minori per presentare la domanda. All'uscita ci sentivamo felici, come se fosse successo chissà cosa. È che per la prima volta da anni ci sembrava di aver fatto qualcosa di concreto anziché starcene ad aspettare, come ci dicevano tutti. Ricordo che ci sedemmo al tavolino di un bar e, mentre gustavamo un cornetto, iniziammo a fantasticare su quale sarebbe stato il Paese d'origine del nostro bambino.

Dopo la domanda, trascorsero mesi di colloqui con lo psicologo e l'assistente sociale incaricati di capire se eravamo una coppia abbastanza unita da affrontare un passo così impegnativo e, soprattutto, se davvero avessimo abbandonato l'idea di un figlio «biologico» per diventare genitori di un bambino nato da altri genitori, che con ogni probabilità non sarebbe somigliato a noi in nulla e che si portava già addosso la sua storia di rifiuto e di abbandono.

Impiegammo un anno per ottenere il tanto agognato decreto di idoneità all'adozione, con il quale finalmente potevamo incaricare un ente autorizzato ad avviare la pratica di adozione nel Paese estero.

Andammo di nuovo a festeggiare e di lì a poco scegliemmo un ente dal nome suggestivo: La gru. L'incarico ci costò tremilacinquecento euro, dopodiché ripartirono i colloqui, stavolta con l'équipe dell'ente. La psicologa, tuttavia, si disse non convinta della nostra capacità genitoriale e ci propose ulteriori incontri e ogni sorta di test psicologico, dalle macchie di Rorschach alle quasi seicento domande del Minnesota Multiphasic Personality Inventory.

Una sera, il dubbio che avessimo sbagliato ente e buttato via soldi, sogni ed energie mi fece dire basta. Un no senza se e senza ma.

Matilde mi fissava senza capire, forse non credeva alle sue orecchie, l'uomo che le stava opponendo un rifiuto così inflessibile non poteva essere il suo Erri, il placido e tranquillo Erri.

Non avrei sostenuto più nessun colloquio, non mi sarei più ubriacato prima di fare l'amore, non avrei più ascoltato un ginecologo darmi consigli sul modo migliore di raggiungere l'orgasmo e avrei smesso di spargere il mio seme per i laboratori clinici della città. Basta.

Matilde all'inizio reagì con irruenza, dicendo che non potevo tirarmi indietro, che la decisione non spettava solo a me, che ero un codardo, quindi iniziò a piangere e mi pregò di ripensarci, di provare ancora una volta, di non arrendermi.

« Non posso continuare a rovinarmi la vita nell'attesa. Andrà a finire che l'odierò questo bambino! » urlai poi, e lei mi tirò uno schiaffo e se ne andò a letto.

La mattina dopo mi diede ragione. « Non possiamo continuare così. »

Oh! Una volta tanto ero stato io a prendere una decisione e a indirizzare la vita di entrambi, ad assumermi la responsabilità di porre fine a un circolo vizioso. Mi sentivo perciò orgoglioso e stranamente libero, come se mi fossi tolto un peso dalla bocca dello stomaco. Finalmente saremmo tornati a pensare di più a noi, a fare l'amore quando ci andava, a riprendere le briglie della vita che a quarant'anni ci stava sfuggendo di mano.

Credevo che le mie parole avessero convinto Matilde, che la sua resa fosse stata dettata dalla consapevolezza che avevo ragione io. Credevo che saremmo tornati quelli di un tempo, una coppia. Mi sbagliavo. Nell'anno che seguì io feci di tutto per costruire, lei, invece, di tutto per distruggere.

E alla fine ci riuscì.

Il passo indietro

Tornai così nella mia vecchia casa, nella stanza di un tempo. Solo che di mio lì non era rimasto niente (a parte il barattolo con gli scheletri di riccio), e niente giustificava il mio passo indietro, il ritorno da mia madre.

E siccome per Renata i passi indietro non sono ammissibili per nessuna ragione, una sera si presentò in camera, si sedette sul bordo del letto ed esordì: «Tesoro, la situazione, per quel che mi riguarda, è insostenibile. Non mi vuoi dire cos'è successo con Matilde, e va bene, ma così non puoi continuare!»

In effetti, da quando il mio gentilissimo suocero mi aveva sbattuto fuori dall'azienda con una serie di scuse più o meno garbate, mi ero limitato a ciabattare dalla cucina alla mia ex stanza da letto col telefonino in mano, nella speranza che Matilde rinsavisse e mi pregasse di tornare a casa.

«Devi reagire, te l'ho sempre detto!» continuò lei. «Non puoi e non devi farti vincere dalle difficoltà e dagli insuccessi, anche se ti sembrano molto dolorosi. E poi io non ti ho insegnato ad aver bisogno degli altri, la forza ce l'hai dentro di te...»

«Perché, che male c'è ad aver bisogno degli altri? Tutti abbiamo bisogno di qualcuno. Non esistono i superuomini. Nietzsche diceva una cazzata. Può accadere anche ai grandi.» Così avrei dovuto risponderle, ma mi paralizzai davanti alla sua bocca al botulino, chiedendomi dove trovasse l'energia per sostenere ogni giorno la convinzione che nulla potesse abbatterci, se la sua continua ed esasperata ricerca della forza interiore non avesse finito per consumarla e non fosse stata, in parte, la causa della sua malattia (della quale devo ancora parlare). Qui, però, mi interessa analizzare il perché Renata Ferrara senta ancora oggi il bisogno di ribadire il suo culto della prestazione e del «guardare sempre avanti».

Ed è proprio questa la frase che scandì subito dopo: «Qualunque cosa ti sia accaduta, devi sempre guardare avanti!»

Perciò, mentre lei parlava, io riflettevo su quante possibilità concrete esistessero che mia madre da un giorno all'altro cadesse in una voragine, preda di una depressione delirante al termine della quale avrebbe deciso di spogliarsi di tutti i suoi beni e chiudersi in un convento. E mentre lei proseguiva con la sua collezione di frasi fatte – «puoi dare molto di più di quello che hai fatto fino adesso», oppure «io credo in te, dimostrami che non mi sono sbagliata» –, io giungevo alla conclusione che, in realtà, mia madre depressa già lo era e che la sua disperata ricerca della forza interiore serviva solo a spingere un po' più giù il magma interiore che le ribolliva dentro.

Così, andò a finire che mentre parlava le posai una mano sulla guancia e le sorrisi. Lei si bloccò di colpo, spiazzata dall'intimità del gesto, e restò a guardarmi senza sapere più che dire. Alla fine si alzò e scappò via.

Era bastata una carezza a far vacillare anni e anni di culto della prestazione.

Piccola riflessione sulla perfezione

Renata Ferrara ha lottato una vita intera per raggiungere la perfezione. Visti i suoi risultati, a me non restava che intraprendere il percorso inverso, puntare tutto sull'imperfezione. Credo di aver raggiunto l'obiettivo molto prima di lei.

Due giorni dopo ero sul lettino di Iazeolla. Mentre gli spiegavo brevemente la mia situazione, lui mi interruppe (ha questa brutta abitudine) per commentare: «Con questa aria corrucciata che si porta appresso lei può convincere sua moglie, non certo me».

Lo guardai senza capire.

«Io credo che, sotto sotto, lei sia una persona spiritosa e allegra, e che a fare un po' la vittima ci guadagni qualcosa.»

Strabuzzai gli occhi e stavo per mandarlo a quel paese, lui e la sua aria saccente, solo che, ancora una volta, mi anticipò: «Ha mai cercato di capire cosa ci guadagna nel giocare al ruolo dello sfigato?»

Fissai il suo sorrisetto soddisfatto e per un istante mi venne voglia di alzare il sedere dalla sedia e acciuffargli il pizzetto fra indice e pollice per poi tirare con quanta forza avevo nelle dita. Invece mi uscì questa frase dalla bocca: «Distolgo la mia attenzione».

Lui si protese in avanti, curvo sulla poltrona, gli occhi attenti e le orecchie tese, come una lince che ha appena avvistato una carcassa da spolpare. «Perfetto, bravo. Da cosa?»

«Da cosa, cosa?»

«Da cosa distoglie la sua attenzione?»

Balbettai, come inebetito.

«Qual è la verità, Gargiulo? Su, che lo sa.»

Mi stava trattando come un bimbo di dieci anni; poco ci

mancava che prendesse un cucchiaio e m'imboccasse facendo l'aeroplanino.

« Ho paura di tornare a vivere. »

Un sorriso spuntò sopra il suo pizzetto.

« Bravo, Erri. Deve tornare a vivere... prima di dimenticare come si fa. »

Dovevo tornare a vivere. Matilde non mi aveva chiamato e davanti ai miei occhi scorreva di continuo una sola immagine: lei e Ghezzi che facevano l'amore su quello che era stato il nostro letto.

Per questo, e anche per scacciare dalla testa la frase che avevo trovato sul computer di lei, stabilii che dovevo voltare pagina, altrimenti sarei impazzito.

Dovevo ricominciare. Il problema è che non mi è mai riuscito. Già iniziare mi comporta un notevole dispendio di energie, rifare da capo qualcosa non rientra nelle mie attitudini. Con Giulia avevo impiegato mesi per tornare a una pseudo normalità, e a ogni passo avanti seguiva un passo indietro.

Con Matilde non sarebbe accaduto, ero un adulto e gli adulti sanno rialzarsi dopo le cadute. Così mi dicevo.

Solo che avevo bisogno di un nuovo lavoro e di un'altra casa.

Trascorsi una nottata intera a spulciare fra amicizie e conoscenze per capire chi mi avrebbe potuto aiutare, e alla fine non rimase che un solo nome in lizza: Raffaele Gargiulo.

Mio padre.

Mi presentai al ristorante a metà pomeriggio. Papà era con un fornitore che stava scaricando casse di vino e appena mi vide esordì: «Ué, Erri, che ci fai qui?»

In effetti, ero andato a trovarlo poche volte e mai a quell'ora insolita.

«Ti devo parlare» risposi.

Lui si mise subito sulla difensiva e ribatté: «Problemi?»

«Be', qualche problemuccio, in effetti, ce l'ho.»

«Aspettami di là» aggiunse senza guardarmi.

Era la prima volta che andavo da lui per una difficoltà e la cosa mi innervosiva oltremodo. Dovevo spiegargli quello che era accaduto e pregarlo di darmi una mano. E non sapevo come avrebbe reagito. La mia idea, infatti, era di aiutarlo col ristorante per un po', il tempo necessario a trovare una strada alternativa. In realtà, durante le ultime nottate passate a guardare il soffitto, mi era già balenata l'idea di approfittare del cataclisma che si era abbattuto sulla mia esile esistenza per cambiare un po' di cose e fare finalmente quello che da sempre sognavo di fare. D'altronde, se nemmeno dopo un terremoto ti dai una mossa e inizi a costruire fondamenta più solide, vuol dire che alla scossa successiva meriti di restare sotto i calcinacci. Io una scossa alla mia vita l'avrei data, a costo di fare il cameriere da mio padre per mesi. E il sogno della fumetteria mi avrebbe permesso di resistere alle intemperie e ricominciare dal nulla.

Mi intrufolai in cucina da Rosalinda, che appena mi vide sgranò gli occhi e corse ad abbracciarmi. Ma avendo io ereditato, come unica caratteristica comune ai miei genitori, lo scarso approccio emotivo nei confronti dell'esistenza e degli altri, ricambiai senza troppa enfasi il suo slancio. Tuttavia, a lei, credo per la scarsa abitudine a ricevere gesti d'affetto, quel mio allargare le braccia per accogliere il suo corpo apparve come la più alta dimostrazione possibile di amore.

La Sonrisa è il nome di una grande struttura alberghiera della provincia di Napoli, famosa per essere stata, negli anni, teatro di numerose trasmissioni Rai e di frequenti matrimoni con il più alto tasso di «tamarragine» d'Europa.

Solo che nel '91, quando mio padre decise di chiamare così il suo ristorantino di cucina spagnola, l'albergo non esisteva. Qualche anno dopo gli chiesi perché non modificasse il nome, ma lui non volle sentire ragioni: lo aveva scelto come omaggio al sorriso spagnoleggiante di Rosalinda e di Flor, e alla terra dalla quale proveniva sua moglie. I giorni trascorsi a staccare biglietti e a stringere la cinghia gli erano serviti per mettere da parte una discreta somma che, unita alla piccola eredità ricevuta alla morte dei genitori, gli aveva permesso di tramutare in realtà il sogno. Mi piace pensare che anche io abbia contribuito in parte alla nascita dell'idea e al successo del ristorante, grazie al mio amore mai sfumato per le tortillas di Rosalinda.

Un giorno, ero a pranzo da loro, papà me ne mise davanti tre diverse: oltre alla classica con patate, ce n'era una con chorizo, pepe rosso e piselli, e un'altra ripiena di ogni ben di dio, verdure, insalata russa, prosciutto, pancetta, formaggio.

«Provale tutte» disse con un mezzo sorriso.

«Tutte?»

«Tutte. E poi mi dici il tuo parere.»

In famiglia ero l'assaggiatore ufficiale di tortillas, perciò mi diedi da fare e spazzolai i tre piatti. Erano tutte buonissime, dissi, ma la mia preferita restava quella classica.

Solo dopo mi spiegò l'idea che gli brillava da tempo nella

testa: smettere di strappare biglietti e aprire una trattoria di cucina spagnola. Avevo sedici anni e il Castello di Lord Shcidon non mi dava più i brividi da tempo, perciò fui entusiasta della notizia e proposi di partecipare al progetto, lavorando con loro. Papà, però, fu categorico. « No, tu studierai. »

« Vabbè, vi potrei aiutare la sera... » accennai.

« No » ripeté, « tu studierai. »

Ingollai la delusione e non dissi nulla, ma dentro di me iniziava a crescere la voglia di ribellione verso un futuro che non sentivo mio. L'istinto mi diceva di rincorrere le mie passioni, per i miei genitori, invece, non esisteva altro che lo studio.

Ora so che mio padre desiderava solo un futuro diverso per me: lui che sarebbe potuto diventare un insegnante, un letterato, un politico, un intellettuale, era finito a strappare biglietti e coltivare l'ambizione di vendere frittate di patate.

Ora so che è toccato a me scontare il fallimento della sua vita.

Perciò mi misi a studiare nonostante sapessi che non era il mio futuro e dentro di me accarezzassi il sogno segreto di diventare, un giorno, un fumettista.

Il problema, ho poi capito, è che i desideri più segreti col passare del tempo diventano segreti anche a noi stessi.

Crediti da riscuotere

«Allora, che è successo?» chiese mio padre appena mi fu davanti.

Avevo deciso che sarei andato dritto al punto.

«Mia moglie mi ha lasciato e ho perso il lavoro.»

Lui restò a fissarmi per un lungo istante, quindi tirò fuori la confezione di sigari dal taschino della camicia e disse: «Bene, è giunto il momento di scontare i miei debiti con te. Vieni».

Lo seguii a bocca aperta. Avevo appena scoperto di vantare dei crediti con mio padre.

Ci sedemmo a un tavolo in fondo al locale e mi chiese se avessi fame. Erano le sei del pomeriggio, ma l'odore della cucina mi aveva aperto lo stomaco, perciò risposi di sì. Papà sparì e riapparve dopo cinque minuti con due tortillas fumanti, un cestino di pane e una brocca di vino rosso, quindi si sedette e si dedicò alla frittata, mentre la voce di Rosalinda che conversava con un inserviente arrivava soffusa alle nostre orecchie. Ancora oggi, Raffaele Gargiulo cena alle diciotto perché poi inizia ad arrivare gente. Se tenti di fargli capire che la sua presenza ventiquattr'ore su ventiquattro non è più necessaria, borbotta qualcosa e continua a fare di testa sua. Ma mi sa che ha ragione: la gente dopo tanti anni continua ad andare alla Sonrisa perché c'è lui, che non è mai stato simpatico, ma sa come intrattenere le persone, parla di libri, di viaggi, film, incontri. Da questo punto di vista, gli anni non lo hanno cambiato, lo spirito è lo stesso del ragazzo che rubò il cuore di Renata Ferrara.

Donna Rosalinda, come la chiamano i suoi clienti, oggi ha cinquantasette anni, i fianchi larghi, il seno un po' cadente, i capelli cotonati e le mani grassottelle, eppure continua a emanare il fascino di un tempo. Ha lo stesso sorriso della fotografia sul comodino accanto al letto e gli occhi verdi non hanno perso l'intensità di quando la conobbi.

La prima volta che la vidi, un paio di mesi dopo il rientro in Italia di papà, rimasi di stucco. Quella ragazza con la pelle più scura della mia e gli occhi chiari mi piaceva, anche se mi domandavo se ci fosse qualcosa di anormale in questo, se stessi in qualche modo disonorando mia madre. Nonostante i miei dubbi, il nostro rapporto si consolidò e l'empatia scattata fra noi diventò ben presto inconciliabile con il mio ruolo di figlio abbandonato dal padre e con il suo di donna che me lo aveva portato via. Rosalinda era divertente, le piaceva ridere, ascoltare la musica a tutto volume, ballare, disegnare e colorare. In poco tempo mi innamorai di lei e se mamma al mio ritorno iniziava i suoi sproloqui sull'inettitudine di papà e sulla scarsa morale della compagna, alzavo il volume della tv e cercavo di distrarmi. Lo facevo anche a ogni battutina che Raffaele lanciava sulle numerose ossessioni di Renata. L'unico che è sempre rimasto fuori dallo scambio di rancori è stato Mario; papà non ha mai detto una parola su di lui e lui mai nulla su mio padre.

Il problema di nascondere a mamma il bel rapporto che si era creato con Rosalinda, evitando così accessi d'ira e di gelosia, si risolse da solo con la nascita di Flor. Da quel momento Rosalinda cambiò e tutte le energie che aveva profuso per conquistarsi il mio amore furono dirottate verso la figlia, così da farne, come diceva spesso, una *niña* felice.

Se anche mia madre avesse dirottato su di me metà delle energie che usava per demolire ai miei occhi la figura paterna e le avesse usate per rendermi un *niño* felice, ora non starei qui a scrivere dello stomaco che reclama qualcosa di buono con cui nutrirsi.

I sogni costano

Finimmo di mangiare le tortillas in silenzio, poi papà mi riempì il bicchiere e mi offrì un sigaro. Infine, attaccò: «Erri, ora finalmente posso dirti quello che penso: tu e Matilde non formavate una bella coppia!»

Rimase a fissarmi, forse aspettandosi una reazione scomposta. E per la verità le sue parole mi avevano fatto innervosire non poco. Come si permetteva di mettere bocca sulle mie scelte? Chi era per giudicare la mia vita, lui che aveva sperperato la propria senza neanche rendersene conto?

Poi, però, lo guardai meglio e vidi qualcosa che non avevo mai notato nel suo sguardo: la fragilità. Stava cercando di dirmi la sua, nonostante gli costasse enorme fatica.

Papà si portò il sigaro alla bocca e sbuffò nell'aria una nuvola di fumo. Quello che avevo davanti non era più lo stesso uomo che mi aveva ordinato di studiare, quello che mi rimproverava di gettare al vento le possibilità che la vita mi concedeva. Ora avevo davanti un vecchio che aveva vissuto una vita diversa da quella che si era immaginato. Ecco perché restai in silenzio. E lui riattaccò: «Non te la prendere, è che mi sono sempre chiesto perché tu abbia sentito il bisogno di una donna dal carattere così forte, hai già avuto tua madre...»

A quel punto sbottai: «Pa', non iniziare con mamma!»

«No, non voglio parlare di tua madre, non ti preoccupare. Voglio parlare di te.»

Fece l'ennesimo tiro e continuò: «Avresti avuto bisogno

di una persona più malleabile, meno disciplinata. Matilde è una brava ragazza, non mi fraintendere, ma è troppo instradata. E poi ha una famiglia pesante alle spalle e un lavoro che aveva finito per risucchiare anche te. Eri troppo dipendente da lei».

Ero stanco e tentai di interromperlo. «Okay, ho capito il messaggio e sono qui per chiederti un aiuto, nient'altro.»

Buttò giù un sorso di vino. «Mi dispiace averti lasciato solo a combattere contro tua madre» disse quindi, sfoderando una delle solite battutine di cui ancora non si era stancato.

«Con tutti i suoi limiti, è stata una buona madre» mi vidi costretto a rispondere.

«Già» replicò, «una buona madre, nonostante i suoi numerosi limiti. Migliore di me certamente.»

Non dissi nulla e lui proseguì. «Sai, quando eri molto piccolo le cose fra noi andavano già male, e iniziai a pensare di lasciarla. Solo che la gente continuava a ripetermi di non gettare tutto al vento, che avevamo un figlio cui badare, che doveva venire prima la tua felicità e non potevamo più permetterci di fare idiozie. Così, passavo le giornate a convincermi che le parole di amici, familiari e conoscenti fossero giuste, che dopotutto si trattava di persone più grandi, più navigate, e andavo avanti. Ma le cose non funzionavano, c'era poco da fare, trascorrevamo le serate a rinfacciarci le cose e a sovrastarci con le cattiverie. Alla fine ci lasciammo. Se non l'avessimo fatto, se fossimo rimasti insieme, avremmo continuato a litigare per il resto della vita e tu, se possibile, avresti trascorso un'infanzia peggiore di quella che ti è toccata. Non potevo tutelare la tua felicità se ero il primo a essere infelice.»

Stavo lì ad ascoltarlo strofinandomi le mani sudate. Alla

fine lo interruppi: «Pa', non sono venuto per parlare della mia infanzia. Quel che è stato è stato».

«Una volta tanto che riesco a dirti delle cose» replicò, «fammi terminare. Non voglio parlare del tuo passato, ma del tuo futuro. Ti sto dicendo che, fra due scelte, devi prendere sempre quella che all'inizio ti appare più difficile.»

«Quali sarebbero le alternative tra cui scegliere?»

«Se tentare di riconquistare Matilde o lasciarla andare. E, cosa più importante ancora, se finire a gestire il ristorante insieme con tuo padre o seguire, finalmente, i tuoi desideri.»

Rimasi a fissarlo. Non capivo e lui riprese a girare al largo. «Non so perché tua moglie si sia stufata di te, ma sono contento che ti abbiano licenziato. Quando anni fa mi parlasti del sogno di fare il fumettista, sapevo che era un'idea quasi irrealizzabile, eppure accolsi con un po' di delusione la notizia del tuo impiego nell'azienda di Matilde. Pensavo che stessi seguendo una strada che non era la tua.»

«Perché non mi hai detto nulla?»

«Perché mi sarei tirato addosso una valanga di problemi con tua madre» rispose con un mezzo sorriso.

Avrei potuto mandarlo a quel paese, invece rimasi lì, quasi ammirato di fronte alla sua schiettezza.

«Quell'idea che avevi un po' di tempo fa...» esclamò poi.

«Quale?»

«La fumetteria...»

«Che ne sai tu della fumetteria?»

Lui sorrise, sollevò una natica dalla sedia e tirò fuori il portafogli. Mentre ci rovistava dentro, fissavo le sue mani tremolanti e macchiate chiedendomi come sarebbe stata la mia infanzia se qualcuno fosse venuto a dirmi che l'uomo verso il quale provavo tanto timore non era altro che un adulto disilluso dalla vita. Alla fine sfilò un foglietto consumato e stinto, lo aprì con cautela e lo dispose sul tavolo. Per un istante mi si bloccò il respiro: era la lista dei possibili lavori che avevo compilato quindici anni prima.

«Mi sono permesso di cancellare il primo punto» disse, sempre sorridendo. «L'età e la mancanza di pratica non giocano più a tuo favore per diventare un fumettista.»

«Dove lo hai trovato?» chiesi mentre scrutavo strabiliato la mia scrittura di allora su quel piccolo contenitore pieno di sogni che avevo perso per strada.

«Lo lasciasti sul tavolo, quella sera. Per fortuna Rosalinda mentre sparecchiava ebbe la premura di salvarlo.»

«E lo hai conservato per tutto questo tempo?»

«Be', in attesa che venissi a chiedermi un aiuto. E al secondo posto, se non leggo male, c'è scritto 'fumetteria'. Per aprire un negozio di fumetti l'età non conta.»

«In realtà ero venuto a chiederti di assumermi come cameriere.»

Papà sospirò. «Erri, hai quarant'anni, è ora di smetterla di fare per sempre il figlio di genitori separati che non ha avuto un'infanzia felice. Basta con il ruolo della vittima.»

Sollevai gli occhi ancora impantanati nel foglietto e risposi di getto: «Chi ti dice che faccio la vittima? Non mi sembra proprio di essermi mai lamentato con te».

«Credimi, so di cosa parlo, io per primo mi sono rovinato l'esistenza pur di non dare una soddisfazione ai miei. Tu ora hai la possibilità di modificare il copione.»

Ero così sbalordito dalle sue parole, dal fatto che avesse conservato il biglietto, che mi parlasse col cuore, che avesse, soprattutto, così tante cose da dirmi in una sola volta, che quasi mi mancava il fiato. Perciò, impiegai qualche secondo per ribattere: «I sogni costano, e io non ho tutti quei soldi».

Lui sbuffò ancora una volta il fumo sul mio volto e rispose: «Ti ho detto che vanti dei crediti. Bene, è venuto il momento di riscuoterli».

Un primo bilancio

E così, d'un tratto, a quarant'anni mi ritrovo con due grosse novità: un lavoro che mi piace e un nuovo rapporto con mio padre.

Se dovessi fare un bilancio di quanto sono stati importanti i miei genitori per la mia crescita, ricordo che è stata mamma a tendermi la mano quel giorno lontano di trentasette anni fa, che è stata lei a prendersi cura di me tutti i santi giorni, quando papà era in Spagna e anche dopo. C'era lei fuori dalla scuola al suono della campanella e lei il giorno della maturità, alla famosa domanda su Kant.

Nonostante i suoi innumerevoli difetti, Renata Ferrara mi ha donato due cose fondamentali: presenza e attenzione.

Mio padre, però, mi ha salvato il culo.

Eh sì, perché oltre a permettermi di aprire l'agognata fumetteria, mi concesse le chiavi del suo micro monolocale ai Quartieri Spagnoli, un investimento fatto da giovane, subito dopo la separazione, prima di fuggire in Spagna.

« Di solito lo usa Flor, ma in questo periodo è a Parigi e di tornare non sembra averne voglia. »

Di punto in bianco la mia vita sembrò prendere una giusta piega, avevo una casa tutta mia e un progetto da tramutare in realtà. Una buona base per iniziare a dimenticare Matilde.

La sera dopo misi al corrente della notizia mia madre e Mario. Quest'ultimo fu contento e disse che era una bella cosa, che la vita è in continua evoluzione e bisogna seguirne il flusso, che facevo bene a inseguire i miei sogni e bisogni. E disse pure che il caro amico Crispino si era rivelato uno stronzo.

Mamma, invece, attese che il marito finisse per dire la sua.

« Non voglio entrare nel merito della decisione, sei grande e se è questo che vuoi per la tua vita, è giusto che lo insegua. Per anni ho sperato in un futuro migliore per te, ma adesso ho capito che sei diverso, hai un modo tutto tuo di vedere le cose. Non so se ho delle colpe anch'io, di certo tuo padre ne ha più di me, in ogni caso non voglio mettere bocca sulle tue scelte future, l'importante è che tu riparta, con o senza Matilde.»

«Bene» commentai conciso, suscitando un risolino di Mario che guardava la tv.

«Però...» aggiunse subito lei.

«Però?»

«Però non capisco perché tu abbia sentito il bisogno di chiedere aiuto a tuo padre. Per carità, una volta tanto che si prende cura di te non facciamo gli schizzinosi, ma che bisogno c'è di vivere in quella stanzetta ammuffita? In quel caos, e voglio essere gentile, che sono i Quartieri? Non potevi restare qui e cercarti con calma una sistemazione più dignitosa?»

«Chi te lo dice che è ammuffita?» chiesi d'istinto.

«Immagino. Una cosa di proprietà di tuo padre di certo non sarà linda e profumata.»

«Non sarà pulita, ma almeno è gratis.»

«Come desideri, qui, comunque, c'è sempre la tua camera. Quando vuoi...»

Ecco il contributo di Renata Ferrara alla mia causa.

Dopo due giorni mi trasferii nella stanza al terzo piano senza ascensore di un palazzo antico, in uno dei tanti vicoli alle spalle di via Toledo. Mi aspettavo una specie di sgabuzzino pieno di vecchie cose, invece quando aprii la porta rimasi sorpreso. L'arredo era spartano, però di gusto. I mobili vecchi e un po' malconci erano tutti dipinti con colori sgargianti, così come gli stipiti delle porte, le maniglie e la cucina: un'esplosione di azzurro, giallo, viola e verde. Alle pareti c'erano locandine di film, copertine di fumetti e di album musicali, e per terra un grande tappeto con dei pouf su cui sedersi. In un angolo c'erano un piccolo divano e la postazione da disegno di Flor: una scrivania con una vignetta lasciata a metà e la matita sul foglio. I portacenere erano stracolmi di sigarette e spinelli, nel lavabo c'erano due tazzine sporche di caffè e due calici di vino. Sulla televisione, un pacchetto di preservativi.

Aprii le imposte e l'aria invase la stanza. Nonostante il piano alto, la luce era poca, eppure mi trattenni sul minuscolo balcone per circa un'ora, a godermi il vocio del vicolo che dieci metri più giù si tagliava a fatica la strada come un ruscello tra le pietre.

Il passaggio dalla vecchia casa del Vomero, silenziosa e padronale, alla stanzetta che affacciava su un altro palazzo a cinque metri dal mio non sarebbe certo stato facile, eppure mi sentivo euforico. Il piccolo mondo che mi stava accogliendo mi parve a suo modo bellissimo.

Era una sensazione diversa rispetto a quando, con Matilde, ci eravamo sistemati nella nuova casa. Lì era felicità allo stato puro, il primo mattone di un edificio tutto da costruire. Qui, invece, l'edificio era venuto giù e la ricostruzione avrebbe riguardato solo me. Tuttavia, l'emozione si faceva sentire. Non era felicità, ma eccitazione.

Poi suonarono alla porta. Andai ad aprire e mi trovai davanti una ragazza di colore con le treccine e un bel sorriso. Dietro di lei, la porta del suo appartamento era spalancata.

« Ciao » dissi.

« Flor non ce sta? »

« No, mi dispiace » risposi, « io sono il fratello, Erri. Piacere. »

« Che nome è Erri? » domandò lei.

« Tu, invece, come ti chiami? » replicai, lasciando cadere la solita domanda.

« Malaika » disse e restò lì a fissarmi. Dopo un attimo domandò: « Non è che hai un po' de pomodori? »

« Sono appena arrivato, non ho fatto ancora la spesa. »

Lei chinò il capo da un lato e aggiunse: « Flor quando torna? »

« Non lo so. Per adesso ci sono io. Resterò qui per un po'. »

« Bene » fece, « allora benvenuto. Se hai bisogno de qualcosa famme sapere. »

Quindi strizzò l'occhio e tornò in casa. Dopo pochi minuti suonarono di nuovo alla porta. Stavolta era un ragazzo di colore dalla faccia simpatica, e l'uscio aperto era quello di fronte.

« Ciao, fratello, Flor non vive più qui? » chiese.

« Sì, ma adesso non c'è. Io sono Erri. Piacere. »

« Che nome è Erri? »

« Tu come ti chiami? »

« Obi. »

« Posso esserti utile, Obi? »

« Ti serve erba, fratello? Flor è da un po' che non si vede. »

« No, grazie, sto bene così, devo mettere a posto la casa. »

« Okay » fece lui un po' dispiaciuto. Poi sembrò riflettere e aggiunse: « Se ti serve una mano... »

Fu così che conobbi Obi, che mi aiutò a pulire la casa mentre mi raccontava la sua vita. Veniva dal Senegal e aveva svolto diversi lavori prima di trovare quello che gli aveva permesso di mettere un po' di soldi da parte: con le giuste amicizie, aveva iniziato a smerciare l'erba.

« La fanno vendere a noi qui » disse, « così loro non hanno problemi. E noi finiamo in galera. Nelle vostre carceri, amico » disse con enfasi, « ci sono solo fratelli neri. »

« E Malaika, invece, che fa? Ha un marito? »

« Malaika? Marito? Noo » disse ridendo, « lei puttana. Molto simpatica. »

Subito dopo bussarono alla porta per la terza volta. Ero lì solo da qualche ora e il caos si era già impossessato di casa mia sotto le vesti proprio di Malaika, con una busta di pomodorini in mano.

«La pasta la tieni?» domandò.

«Credo di sì» risposi titubante.

«Allora famme entrare» aggiunse, e si intrufolò in cucina, nonostante l'ora tarda.

Sembra incredibile, ma trascorsi la prima sera nella mia nuova casa, la prima sera della mia nuova vita, a tavola con due simpatici africani alquanto illegali, a mangiare una pasta al pomodorino fresco.

Mentre gustavo il cibo e discutevo con i nuovi vicini, pensavo a Matilde e al fatto che se lei non si fosse lasciata corteggiare da Ghezzi la mia vita non sarebbe cambiata: sarei stato per sempre un impiegato annoiato e un marito addormentato, non avrei mai riscosso il credito con mio padre, non avrei aperto una fumetteria e di certo non mi sarei trovato a dividere la tavola con uno spacciatore e una prostituta. Ancora una volta, era stata Matilde a decidere per me, il suo colpo di testa aveva sconvolto la mia vita e dato il via a un cambiamento epocale.

Nonostante la paura per le tante novità, quella sera, per la prima volta, mi trovai a pensare che le ferite, forse, servono a testare la nostra capacità di guarire. E che se vogliamo vederle rimarginarsi in fretta non dobbiamo *sfrocoliarle*, ma distogliere lo sguardo e continuare a vivere.

Dall'agenda di Matilde lasciata a metà

Oggi mi sono accorta di aver detto una frase che ripeteva sempre mia madre. Più passa il tempo e più le assomiglio. È così strano pensare che dentro di te ci sarà una parte di me. È una cosa che fa paura, perché vorrei trasmetterti solo cose buone. Invece potresti diventare debole di pancia, avere un'allergia alla muffa, o essere intollerante al latte. Cose così, piccoli inconvenienti da sopportare, di sicuro nulla in confronto alle paure che ti passerò con i miei comportamenti quotidiani.

L'esempio che diamo a un figlio è ben più potente della genetica. Mi consola che, almeno, i cattivi esempi possono essere combattuti. Lì non siamo impotenti. Se dopo qualche anno inizierai a mostrare le mie stesse insicurezze, le fobie, le inutili paranoie, saprai da dove arrivano e, con tanta buona volontà e forza, potrai affrontarle e sconfiggerle. Ti accorgerai che è solo una parte imperfetta di me, qualcosa di cui puoi fare a meno. All'inizio non la vedrai, poi d'improvviso inizierai a incolparmi di avertela trasmessa, mi giudicherai, mi odierai e, infine, dopo un lungo percorso, forse mi perdonerai.

Qualcuno ci riesce.

Una nuova donna dalla quale dipendere

Due giorni dopo arrivò, improvvisa, mia madre, come quei nuvoloni neri estivi che sembrano ingoiare solo l'orizzonte e invece, quando ti volti a cercare il sole, ti sono già addosso.

Ero preso dalla ricerca del locale da affittare per la fumetteria e dalla conoscenza dei miei nuovi compagni di vita, Malaika e Obi. Mai avrei pensato che Renata Ferrara venisse a trovarmi nel centro di Napoli, portando con sé la domestica di quel periodo (una cingalese durata pochissimo) per pulire quella che, nella sua immaginazione, era una lurida, squallida stanzetta piena di polvere e blatte. Così, mentre mia madre passava in rassegna l'appartamento, la domestica obbediva a ogni suo ordine, e fu durante la pulizia dei vetri (della quale io e i miei amici africani non avevamo visto la necessità) che iniziò l'interrogatorio.

« Come ti trovi qui? »

« Bene. »

« Riesci a dormire? »

« Sì. »

« I vicini come sono, rumorosi? »

« Non più di tanto. »

« La spesa l'hai fatta? »

Fui costretto a interromperla. « Mamma, non vivo più a casa tua da anni e poche notti da te non mi fanno tornare sotto la tua giurisdizione. »

«Stupido, è che prima c'era Matilde a preoccuparsi di te, ora sei solo.»

«Me la caverò.»

Lei annuì e cambiò argomento. Fissò il mobile azzurro che aveva di fronte ed esclamò: «Certo che tua sorella Flor è proprio pazza. Ma non la biasimo, con un padre del genere!»

Avrei voluto precisare che il padre di Flor era anche il mio e che se fosse bastato avere un genitore manchevole per uscire di senno, io fuori di testa lo sarei stato del tutto. Ma preferii lasciar cadere l'argomento e offrirle un caffè, che lei pretese di bere in un bicchierino di plastica.

Quando infine mi salutò e si portò via la sua donna (che, in realtà, mi avrebbe fatto molto comodo), capii che non era servito a nulla allontanarmi, mia madre avrebbe continuato a trattarmi come il povero figlio incapace di badare a se stesso.

Non mi erano bastati quarant'anni per emanciparmi. Dovevo quanto prima trovarmi una nuova donna dalla quale dipendere che non fosse, però, né mia madre né Matilde.

Un problema di non facile risoluzione.

Qualche sera dopo, mentre ero a letto a leggere *Le correzioni*, di un certo Franzen, che mia sorella aveva lasciato aperto sul comodino (ottenuto da una di quelle vecchie sedie di scuola plastificate ridipinta di rosa), sentii infilare le chiavi nella toppa. Allarmato, mi misi a sedere sul letto e fissai la porta che si apriva piano. Riconobbi il tono allegro di Flor prima ancora di incontrare il suo volto e mi rasserenai. Conversava e rideva con qualcuno dalla voce familiare che si nascondeva dietro le sue spalle.

Flor entrò in casa e urlò di spavento prima di rendersi conto che ero io.

«Ciao, sorellina!» esclamai per rassicurarla, e sorrisi.

Subito dopo sbucò da dietro la porta anche la persona con la voce familiare.

E il sorriso mi sparì dalla faccia.

Almeno una volta nella vita

Dell'incontro casuale e della scoperta di una relazione clandestina di cui mai avrei dovuto sapere finii immancabilmente col parlarne al dottor Iazeolla, il quale tentò di convincermi che avrei potuto trarre un insegnamento dalla vicenda e trovarne il lato positivo. Vedere il bicchiere mezzo pieno, insomma.

Col senno di poi non sono sicuro di essere riuscito a mettere in pratica i suoi consigli e se una lezione ho tratto dall'evento è che anche i piccoli traumi, i colpi che sembrano solo sfiorarti, ti lasciano a lungo un bel livido.

Per farlo sparire, quel livido, mi sono servite otto sedute di terapia da ottanta euro l'una. Mi sa che quando il dottor Iazeolla parlava del bicchiere mezzo pieno, intendesse il suo.

L'individuo di sesso maschile che la mia dolce sorellina si portava appresso era Valerio. Sì, proprio lui, il mio fratellino mezzo matto, senza un lavoro e una donna fissa. Appena mi vide sbiancò e ammutolì, lui che ha sempre una battuta stupida per ogni occasione. Rimanemmo tutti e tre a guardarci per alcuni interminabili secondi prima che Flor domandasse: «Che ci fai qui?»

«Ci vivo. Le chiavi me le ha date papà.»

Lui deglutì. «Ehi, Erri, questa cosa deve restare fra noi, eh, mi raccomando.»

« Questa cosa, *cosa*? »

Ero abituato alle performance sessuali di Flor e non mi sarei sorpreso neanche se si fosse presentata con un nano travestito da Führer, ma una storia di sesso fra i miei due fratelli era troppo. Mai come in quel momento sentii la mancanza del mio vecchio compagno d'armi, il buon Orlando. Mi salvò il ricordo di Obi.

« Flor, ho bisogno di una canna, va' da Obi a prendere un po' d'erba. »

« Grande idea! » ribatté lei entusiasta e scomparve nel pianerottolo.

« Che cazzo c'hai in quella testa bacata? » esclamai poi guardando Valerio con la peggiore espressione possibile, quella che mi ero conservata inutilmente per Ghezzi.

« Non volevo... » accennò lui.

« Non volevi una sega » lo interruppi.

« No, davvero, è che lo sai come vanno queste cose, una birra, una chiacchiera, una canna, cose così... »

« È mia sorella. »

« Lo so. »

« E tu sei mio fratello. »

« Già. »

« C'è qualcosa di perverso in tutto questo. »

Valerio si avvicinò di un passo e replicò: « Be', se guardi bene la cosa, però, fra me e Flor non c'è nessuna parentela ».

« Lo so. »

« Come fra te e Arianna. »

« Solo che io non mi scopo Arianna. »

« Ma ti piacerebbe tanto farlo, vero, fratellone? » affermò Flor, appena rientrata con una bustina di erba.

Mi alzai di scatto e commentai: « Sei disgustosa ».

« Perché dico la verità? »

«Prepara quella benedetta canna e chiudi la bocca.»

Lei si sedette e arrotolò la cartina, poi si guardò in giro e dichiarò: «Però, la casa non è mai stata così pulita!»

Subito dopo chiese di Matilde.

«Ci siamo lasciati.»

«Finalmente» commentò, mentre mi passava lo spinello. «E ora vivi qui?»

«Sì, almeno per un po', se non ti dispiace.»

«Figurati, tanto io vado e vengo. Stasera semmai dormo da Valerio.»

«Da me?» domandò lui preoccupato.

«Che c'è, non lo sapevi che Flor è così?» dissi, rivolto a mio fratello.

«Così come?» intervenne lei. «Pazza, intendi?»

«Diciamo.»

Flor rise, io, invece, non mi capacitavo ancora della situazione, nonostante gli effetti della cannabis cominciassero a rendere il tutto un po' più leggero.

«Vi conoscete da una vita, come vi viene in mente di finire a letto?»

«Mamma mia, Erri, come sei pesante. Una scopata ci siamo fatti, mica ci dobbiamo sposare...» rispose Flor, mentre si sfilava gli stivaletti e si lanciava sul letto.

«E sentiamo, perché vi siete lasciati tu e Matilde?»

«Non mi va di parlarne. Piuttosto... sto per aprire una fumetteria.»

«Una fumetteria?» proruppe lei e puntò i gomiti sul materasso.

«Già.»

«Ma che dici? È una notizia incredibile! Dobbiamo festeggiare!»

«Mi pare che lo stiamo già facendo» commentò Valerio.

« Che bello, una fumetteria... » continuava a ripetere Flor incredula. Poi a un certo punto si alzò e andò in bagno.

« Questa storia deve finire adesso » sussurrai a Valerio.

« Per me è finita quando ha detto che dormiva da me. »

« Ecco, appunto. Fate come se questa cosa non fosse mai successa. Anzi, fammi la cortesia, vattene mentre lei è in bagno, le spiegherò io. »

« Davvero? » fece lui visibilmente sollevato. « Mi faresti un grande favore. » Quindi mi strinse il viso fra le mani e mi baciò in fronte. Un attimo prima di andarsene esclamò: « Comunque, se ora sei single, chiamami, così ci andiamo a fare una birra! »

Al suo ritorno, Flor neanche si accorse dell'assenza di Valerio. Si distese sul letto, al mio fianco, e mi abbracciò. Le dissi che mio fratello era andato via e che il loro flirt finiva lì, lei fece spallucce e poggiò la testa sulla mia pancia. « Sono proprio felice che tu sia qui. Sentivo la tua mancanza, sai? » sussurrò poi.

« Davvero? »

« Sì, e sono pure contenta che hai rotto con Matilde. La vita dura troppo poco per innamorarsi una volta sola. »

Restammo per un po' in silenzio, le voci della strada che si arrampicavano lungo i muri del palazzo e si intrufolavano sotto il legno marcio delle finestre.

« Ti ricordi quella volta, parecchi anni fa, quando mi hai promesso che avremmo vissuto insieme? »

« Non ti ho promesso che avremmo vissuto insieme. »

« Ah, no? E cosa allora? Sentiamo. »

« Che avresti dormito da me il sabato. »

« E non hai mai mantenuto la promessa. »

« Non sono più andato a vivere da solo. »

« Eh già, un'altra trovata alla Erri, non provare nemmeno

a farcela da solo. Mamma mia, fratellone, quanti giorni della tua vita hai buttato nel cesso!»

«Flor, e dammi tregua!»

Tornò il silenzio, e dopo un po' lei riprese a parlare. «Pensavo di ripartire subito, mi ha scritto un amico di Barcellona. Però adesso voglio rimanere con te, magari aiutarti ad aprire il negozio di fumetti. A proposito, potrai vendere i miei romanzi?»

Annuii e lei mi strinse ancora di più.

«E come lo chiamerai? Il negozio, intendo.»

«Non ci ho ancora pensato. Comics qualcosa.»

«Originale» commentò ironica.

«Perché, hai in mente di meglio?»

«Perché non chiamarlo proprio Fumetteria?»

«In effetti, non è male...»

Un attimo dopo Flor puntò gli occhi sui miei boxer e commentò: «Ehi, mi sa che c'hai un'erezione!»

«Ma che dici?»

«Allora hai un bel giocattolo lì sotto!»

«Flor, e smettila, mi imbarazzi.»

«Erri, non ti puoi imbarazzare con tua sorella.»

Non risposi.

«A proposito di sorelle. A me puoi dire la verità, sai? Che da trent'anni muori dalla voglia di stare con Arianna.»

«Flor, ora basta!»

«Sei troppo perbenista, Erri. Tua madre ti ha rovinato.»

«A te, invece, è stato nostro padre a rovinarti.»

«Ma se tu sei single, e Arianna pure, non è il momento giusto per chiudere un discorso aperto da trent'anni?»

«Arianna è single?»

«Perché, non lo sapevi?»

«No.»

« L'ho incontrata un paio di settimane fa, dice che è stufa di compromessi e bugie. Che il tipo con cui stava non era la persona giusta. »

« Arianna non troverà mai la persona giusta » commentai.

« Sì, probabile, però, almeno, mentre la cerca vive. »

Il fumo dello spinello ancora roteava come una piccola galassia attorno all'unico lumino acceso. Per il resto l'aria sembrava immobile e i nostri respiri si intrecciavano regolari. Di lì a poco il sonno avrebbe avuto la meglio.

« Mi fai una promessa? » farfugliò dopo un po' Flor con la voce impastata.

« Cosa? »

« Che se mai ti scoperai Arianna me lo verrai a dire. »

« Tu sei pazza. Dormi. »

« Sono pazza perché non lo farai o perché non me lo dirai? »

« Dormi. »

Silenzio.

« Erri? »

« Che c'è? »

« Fai una cazzata, almeno una, nella vita. »

Non sono tipo da cazzate

E la cazzata la feci. No, non andai a letto con Arianna, ma con tale Rebecca, un'amica di mia sorella che disegnava fumetti splatter.

Benché sotto lo strato di follia – aveva i capelli rasati su un lato e lunghi sull'altro, due piercing al naso, uno alla lingua e parecchi ai lobi, oltre a una specie di drago tatuato in petto – si nascondesse una ragazza dai lineamenti puliti, non era stata la sua bellezza a colpirmi. È che fui io a colpire lei, e non certo per l'aspetto estetico, ma perché Flor passò tutta la serata a tesserle le mie lodi di grande disegnatore e, soprattutto, di prossimo titolare di un negozio di fumetti.

A quella notizia, lei decise che in nottata sarei stato suo e cominciò a guardarmi con occhi diversi, cosa che mi imbarazzò alquanto, soprattutto perché la mia palpebra, subodorando una notte di sesso, iniziò il solito balletto.

Quel pomeriggio avevo appuntamento con Flor in un bar. Si era detta entusiasta di aiutarmi ad abbellire le pareti del locale appena affittato. Il mio sogno, infatti, era trasformare quelle mura bianche e fredde in un luogo di culto per gli appassionati di fumetti. E mia sorella si presentò con Rebecca al seguito, dicendo che l'amica disegnava da sempre e aveva ottenuto non so quali prestigiosi riconoscimenti.

Il mio discutibile aspetto fisico mi ha insegnato a non giudicare gli altri dalla prima impressione, perciò non mi sconvolse più di tanto che Rebecca se ne andasse in giro per i settanta metri quadrati del mio nuovo locale strisciando gli anfibi sul parquet da lucidare dopo aver gettato a terra la giacca di pelle borchiata. A sconvolgermi furono i suoi disegni, che Flor ebbe premura di spiegarmi nel dettaglio. Donne nude massacrate, corpi martoriati e mangiati dai vermi, scene di sesso sadomaso, sangue e schizzi ovunque, cadaveri e ossa a ogni vignetta. Quanto bastava per capire che Rebecca era una tipa da tenere alla larga. Però, c'è un però. È che io non stavo con una donna da non so quanto e Rebecca, nonostante il look, donna lo era, perché sotto la canotta spuntavano due bei seni, e quella specie di drago tatuato che sputava fuoco sembrava puntare proprio ai capezzoli.

Rebecca mi si attaccò come un polpo e, quando Flor ci salutò, rimase al mio fianco. La guardai un po' imbarazzato. «Be', tu che fai?» le chiesi. «Io dovrei andare...»

«Vengo con te» rispose senza indugio.

«Con me? Okay» balbettai.

Si erano fatte le otto di sera e sarebbe stato normale invitarla a cena. Solo che non mi sembrava la tipa da portare al ristorante, di certo non nei posti che avevo frequentato negli ultimi quindici anni con Matilde. Perciò le proposi l'unica alternativa possibile, una cena da me, e lei ne fu entusiasta. Tanto Flor non tornava mai prima dell'alba.

Arrivati a casa, non feci neanche in tempo ad aprire il frigo che lei mi era già addosso. Mi strinse da dietro e mi morse il collo, quindi mi gettò sul divano con una mossa di judo, mi strappò la camicia e i bottoni schizzarono come schegge per la stanza, infine si attaccò ai miei capezzoli e iniziò a titillarli col suo piercing sublinguale. Essere nelle mani di un'assatanata avrebbe dovuto farmi felice, eppure mentre lei mi leccava dappertutto non riuscivo a togliermi dalla testa le immagini dei disegni. Fissavo inebetito il drago che avvolgeva con le sue fiamme ardenti i capezzoli rosa completi di piercing e continuavo a rivedermi davanti la scena dell'uomo impalato dalla sua donna con una specie di mazza, come uno spiedino.

Solo che ormai ero lì e se mi fossi ritirato, avrei rischiato una punizione ancora peggiore. La nota positiva fu che vissi l'intero amplesso sulle spine, attento a ogni sua minima mossa, come se Rebecca fosse una vedova nera che alla fine del rapporto stacca la testa al compagno, e la cosa contribuì a dilatare di molto i miei normali tempi.

Il mio record con un corpo nuovo, difatti, era ormai imbattuto dalla fine degli anni Novanta, quando, con una tipa di cui non ricordo il nome, riuscii a resistere oltre i quattro minuti, per l'esattezza quattro e quarantadue. Appena ruppi il muro dei duecentoquaranta secondi con Rebecca, perciò, mi suggestionai e pensai che non ce l'avrei fatta, non avrei resistito altri quaranta secondi. Allora chiusi gli occhi e pensai alle sue vignette, e così superai il limite, mentre nella mia testa risuonavano campane a festa, grida di gioia e una miriade di applausi finti come quelli delle sitcom.

In sostanza, con Rebecca feci la mia porca figura. Peccato che dopo la prima lei non volle fermarsi. Per placarla mi ci vollero due ore e mezzo, durante le quali Rebecca mi graffiò la schiena e il petto, mi morse i capezzoli, mi schiaffeggiò il volto e mi strappò i pochi capelli sulle tempie.

Alla fine, la folle infilò gli anfibi, si accese una sigaretta e disse: «Stavo pensando al disegno sulla parete di fronte all'entrata. Semmai domani vengo a vedere. Potrei darti una mano».

Sull'uscio mi sfiorò le labbra e mi tirò il lobo con la cattiveria residua. Poi sorrise e aggiunse: «Non ti credevo così malvagio. Hai la faccina del buono». Quindi si lanciò per le scale. Chiusi a doppia mandata la porta e mi precipitai al telefono.

«Che c'è?» rispose Flor.

«La tua amica è pazza!»

«Chi?»

«Chi?! Rebecca.»

«Sì, è un po' pazza, in effetti. Che ti ha fatto?»

«Mi ha torturato fino a poco fa.»

«Non ti lamentare, ti è andata bene. Il suo ex è finito all'ospedale con non so cosa ficcato su per il sedere.»

«E tu mi hai lasciato nelle mani di quella psicopatica?»

«Erri, sei grande, puoi cavartela da solo. E poi dovresti essere contento, hai fatto anche tu una follia. Benvenuto fra la gente che vive!»

La notte con Rebecca mi ha fatto capire che non sono tipo da follie. E che la gente che vive non si preoccupa poi tanto di conservarla, la vita.

Tuo fratello non può stare senza di te

Sembrerà incredibile, ma ricordo di aver visto Flor piangere una sola volta. Aveva tredici anni e all'epoca se ne andava in giro truccata da dark, con shorts e Dr. Martens ai piedi, smalto nero alle mani, una maglietta a rete e i capelli a spazzola. Aveva bussato alla porta di casa di primo pomeriggio e aveva chiesto di me.

Fu mia madre ad aprirle, la squadrò da capo a piedi e non poté fare a meno di commentare: «Figlia mia, come ti manda in giro tuo padre? E tua madre? Nemmeno lei dice nulla?»

Flor rispose con un secco no, poi mi vide e corse ad abbracciarmi. «Ho bisogno di parlarti» disse e mi guardò fisso negli occhi.

Le offrii un succo di frutta e la portai nella mia stanza.

«Mi devi aiutare a scappare!» esclamò, una volta stesa sul letto.

«Ma che dici?»

«Hai sentito bene.»

«Flor hai... quanti anni hai?»

«Tredici.»

«Ecco, appunto, dove vuoi andare? Sei piccola.»

Lei sbuffò. «Sembri nostro padre.»

«Ma che è successo?»

«Mi sono innamorata.»

«Davvero?»

« Già. »

« E chi è? »

« Si chiama Valdemar. »

« Valdemar? E che è, un vichingo? »

« Quasi, è finlandese. »

« Ah. »

« È bellissimo, Erri, ha i capelli lunghi e biondi, assomiglia ad Axl Rose. »

« Sì, okay, ma che c'entra con il fatto che vuoi scappare da casa? »

« C'entra, voglio andare da lui. »

« In Finlandia? »

« Sì » rispose, mettendosi a sedere sul letto.

« Tu sei pazza! »

« Perché, che male c'è? Qui che ci sto a fare? Ho pochi amici e a casa sono sempre sola. »

« Perché hai pochi amici? »

Lei chinò il capo e rispose: « Quelli della mia scuola sono tutti fighetti figli di papà, non mi piace nessuno, e le ragazze sono tutte oche ».

« E non puoi cambiare scuola anziché Paese? »

« Io amo Valdemar. »

« Sembra il nome di un traghetto. »

« Stupido » rispose con un mezzo sorriso, dandomi una pacca sul braccio.

Mi stesi al suo fianco. « Perché non fai venire lui qui? »

« Non può. »

« Ma dove l'hai conosciuto? »

« Quest'estate in campeggio. È stato amore a prima vista. »

« Addirittura? »

« Già. Allora, mi aiuti? »

Se avessi avuto qualche anno in più, l'avrei abbracciata e le avrei spiegato che, molto probabilmente, il suo non era amore, ma solo necessità di amare. Una bella rottura, la voglia di sentirsi innamorati, che se ne sta lì a *tocoliarti* la spalla finché non le dai retta. Così capita che, a volte, per non sentirla più al tuo fianco, fai il suo gioco e ti accontenti di amare chi non ami.

Oppure le avrei potuto dire che il suo Valdemar era frutto della lontananza, perché è vero che l'amore ha bisogno di continui raffronti, cura reciproca e presenza, ma spesso è l'assenza a sortire effetti inaspettati.

Invece risi e lei si arrabbiò. «Erri, non fare lo stronzo. Ti sto dicendo una cosa seria e tu ridi!»

«Scusami, è che...»

In quel momento aprì la porta Valerio. I suoi occhi si posarono sulla mezza natica che il pantaloncino di mia sorella lasciava scoperta.

«Che c'è?» dissi.

«Eh?» fece lui ancora rimbambito.

«Ho detto 'che c'è?'» ripetei, mettendomi davanti a Flor. Si scambiarono un saluto.

«Allora?» insistetti.

«Mamma vuol sapere se dopo puoi accompagnarmi a judo in motorino.»

«A che ora?»

«Alle sei.»

«Okay, ora smamma.» Lui fece due passi indietro e chiuse la porta. «E non ti fare troppe seghe!» urlai subito dopo.

Flor rise. «Certo che i tuoi fratelli sembrano proprio dei nerd.»

«Sono dei nerd.»

«Peccato che non sia un po' più sveglio, è molto carino!»

« Ma chi, Valerio? »

« E chi se no? »

« Ti piace? »

« Di viso sì, ma è troppo nerd. »

« Soprattutto, è mio fratello. »

« Vabbè, allora, che cosa hai deciso, mi dai una mano? »

« A fare che? »

« A comprare un biglietto aereo per Helsinki. »

« Flò, non ho una lira. Anche se volessi, non saprei come aiutarti. E, comunque, non voglio essere responsabile della morte di crepacuore di tua madre. »

« Lo sapevo, nemmeno a te importa della mia vita! » gridò lei. Sprofondò il viso nel cuscino e sussultò col torace, come se piangesse. La tirai per il braccio e dissi: « Flò, e dai, smettila di fare la stupida! »

Solo che piangeva davvero. Mi fissava mentre le lacrime le scendevano veloci sulle guance. Non l'avevo mai vista piangere e rimasi intontito. « Ehi » esclamai, « addirittura? Per un finlandese col nome da vichingo? »

« Non piango per lui. »

« E perché? »

« Perché io non ho nessuno. »

« Ma che dici? »

« Sì, c'è mia madre, ma con lei non mi posso confidare, non posso dirle tutto quello che mi passa per la testa. Con papà, poi, neanche a parlarne. »

« Amiche? »

« Ti ho detto di no. »

La abbracciai, e non fece resistenza. « Ho solo te con cui parlare, Erri. E tu nemmeno mi ascolti. Anzi, sembra quasi che a volte ti dimentichi di avere una sorella. O che per te l'unica sorella sia Arianna. »

« Flò, senti... »

« Io sono tua sorella, non lei! Io ho lo stesso sangue tuo. »

« Lo so » risposi e le accarezzai i capelli.

« Tu hai Arianna, hai la tua famiglia, i tuoi fratelli, io non ho nessuno, se non te. »

« Vieni qua » replicai e la strinsi più forte. « Guarda che tu sei la mia sola sorellina. Arianna è grande e comunque con lei ho un rapporto diverso. A quei due nerd di là voglio bene, ovvio, ma tu sei speciale. Lo capisci? »

Flor si staccò e mi fissò, poi si passò il dorso della mano sul viso. « E allora perché non vieni a vivere da noi? »

La guardai titubante. « Da voi? »

« È pure tuo padre, no? »

« Certo. »

« E allora? »

« E allora, allora. Sono cresciuto qui, con mia madre, ormai è tardi. Fra un paio di anni vorrei andare a vivere da solo. Mica posso tornare indietro. »

« Andrai a vivere da solo? »

« Vorrei. »

« E io potrò venire a trovarti? »

« Certo. »

« E non ci sarà quella strega di tua madre? »

Sorrisi. « No, non ci sarà. Ma perché dici che è una strega? »

« Perché, non lo è? »

Ridemmo e ci abbracciammo di nuovo.

« Promettimi che mi farai dormire da te tutti i sabati » mi chiese.

« Tutti i sabati? »

« Prometti. »

« Promesso. » E incrociai gli indici a suggellare la parola data.

Flor si tranquillizzò e si addormentò. La svegliai poco prima di uscire per accompagnare Valerio a judo.

«A Valdemar che dico?» mi chiese una volta fuori.

«Che tuo fratello non può stare senza di te.»

I suoi occhi verdi si fecero ancora più grandi, poi mi saltò al collo e mi baciò più volte sulla guancia.

Eravamo già sul motorino quando Valerio se ne uscì dicendo: «Certo che tua sorella è proprio una gran gnocca!»

«Ripetilo e ti spezzo gli incisivi!»

«Ho detto solo che è una bella ragazza.»

«No, hai detto che è una gnocca. E comunque sappi che ti reputa troppo nerd per darti qualche possibilità.»

«Così ha detto?»

«Già.»

Valerio ammutolì.

Non potevo sapere, quel giorno, che la mia frase avrebbe cambiato mio fratello e il corso degli eventi.

Una cosa alla Erri

« Non per fare polemiche, ma sembra che papà non ci stia più con la testa. Che bisogno c'era di questa scenetta? Non poteva fare un testamento come tutti? » esclama Giovanni appena entrato in cucina.

« Forse non si fida di noi. Ha paura che finiremmo per azzuffarci. »

« Allora non ha capito nulla dei figli. »

« Io non sono suo figlio. »

« È come se lo fossi. »

Finisco di sorseggiare l'acqua e poggio il bicchiere nel lavandino prima di voltarmi. Pari, che fino a quel momento stava riempiendo la lavastoviglie con aria indifferente, si dilegua in silenzio.

« Di' la verità, tu e Matilde non siete tornati insieme, vero? » fa poi Giovanni.

« No, non siamo tornati insieme. »

Mio fratello mi guarda con un mezzo sorriso, come a dire che a lui non posso nascondere nulla, ed esclama: « Lo immaginavo! »

« In realtà non so neanche se il bambino è mio » aggiungo, puntellandomi con le mani al banco della cucina.

Giovanni apre il frigo e tira fuori una pera, che addenta senza nemmeno sciacquarla. Solo dopo il primo morso, dice: « Avevo immaginato anche questo. Non capisco, però, che bisogno c'era di fare un annuncio del genere se non hai neanche la certezza che il figlio sia tuo».

«In effetti, non è stata un'idea geniale, ma sentivo anch'io la necessità di condividere qualcosa di bello con voi.»

Lui sorride solo un istante e dà un altro morso al frutto, poi domanda: «E Matilde che dice?»

«Non ci ho ancora parlato.»

«In che senso?»

Le voci degli altri familiari seduti in salotto sembrano provenire da un mondo lontano.

«Che dovrei chiamarla e non ho il coraggio.»

«Ah, una cosa alla Erri.»

«Già, una cosa alla Erri.»

La risata di mia madre mi ricorda che di là mi attende una vagonata di domande su Matilde e suo figlio. Mi stropiccio gli occhi e sbuffo.

«Che c'è, non sai come spiegare la situazione?»

«Mmm...»

«E non la spiegare. Mica sei costretto.»

«Vorrei poter tornare indietro e tenere la bocca chiusa.»

«Tutti vorrebbero tornare indietro. Anche io, e non sai quanto.»

Lo guardo incuriosito, lui getta il torsolo della pera nella spazzatura e propone: «Andiamo di là?»

Gli afferro il braccio. «È vero quello che ha detto Valerio?»

«Cosa?»

«Che non volevi fare l'ingegnere.»

Giovanni abbassa gli occhi. «Sì, è vero.»

«E perché non lo hai detto a nessuno, perché non l'hai confessato almeno a me?»

«Tu non c'eri mai» replica di getto, e mi fissa con i suoi occhi neri. Sono imbarazzato, se potessi distoglierei lo sguardo.

«Come sarebbe, che non c'ero?»

«Vivevi con Matilde.»

«Embè, non potevi venire lo stesso da me?»

Giovanni sospira e si volta un istante a guardare il vuoto. «Senti, Erri, ormai è inutile parlarne. Ho fatto un errore, e non è l'unico, purtroppo, però indietro non si torna, lo hai detto anche tu.»

«Ehi, guarda che hai trent'anni, mi sembra di sentir parlare mio nonno!»

«Anche tu dicevi lo stesso alla mia età.»

«Be', però qualche cosa sono riuscito a cambiarla. Se non sei soddisfatto della tua vita sei ancora in tempo per cambiarla anche tu.»

È vero, il passato non si può aggiustare a proprio piacimento. Però, almeno, possiamo imparare dai nostri errori, così da non ripeterli, per non chiamare ogni volta in causa il destino che, in realtà, ci segue sempre un passo indietro e si ciba degli sbagli che lasciamo lungo la strada.

«Ricordi la sera che restammo a parlare fino alle tre di notte?»

Annuisco.

«Ti dissi che ero convinto di aver preso la decisione giusta per me e per chi mi era accanto.»

«Già, ricordo.»

«Be', ecco, come dire... l'ho sparata grossa, quella volta. A te, ma soprattutto a me stesso.» Poi aggiunge: «E ora torniamo di là, altrimenti ci vengono a cercare».

Prima di uscire dalla cucina gli poggio una mano sulla spalla. «Giovanni, non puoi vivere la vita che mamma ha immaginato per te!» esclamo.

«Perché, tu vivi la vita che ti eri immaginato?»

Desideri senza foglietto illustrativo

La sera di cui parla Giovannino la ricordo bene. E come potrei dimenticarla? Quella sera Matilde mi rivelò la sua relazione clandestina con Ghezzi e la mia prima vita smise di esistere.

Fra le tante persone dalle quali potevo rifugiarmi alla ricerca di un po' di conforto scelsi proprio mio fratello minore. Più che altro, avevo bisogno di annusare la sua vita apparentemente normale, una bella casa, una moglie tranquilla che non alzava mai la voce, una figlia che riempiva le stanze. Forse anche di credere che esistesse un posto nel mondo dove tutto sembrava avere un senso. Così, quando mi presentai a casa di Giovanni e Clara, mi accolsero un po' stupiti (non era da me citofonare alle dieci di sera), ma felici della sorpresa.

Trascorremmo la serata a parlare di Matilde, di Ghezzi, della vita che mi si era sciolta fra le mani senza che nemmeno me ne accorgessi e del dolore di non riuscire ad avere un figlio che, con ogni probabilità, aveva fatto impazzire mia moglie.

« È stata quella la causa » affermò Clara senza incertezze, dopo aver messo a dormire Renata, « la stragrande maggioranza delle coppie resta insieme per i figli. Sono un collante naturale. Senza di loro è difficile continuare a mettere anno dopo anno la stessa intensità e passione nel rapporto. »

Già allora, dai discorsi di mia cognata, avrei potuto capire che il nido d'amore nel quale avevo cercato un approdo non era poi così sereno. Mentre Clara parlava, Giovanni guardava il tappeto.

«Comunque, vedrai che non tarderà a pentirsi della sua scelta, e allora starà a te decidere se perdonarla» proseguì Clara. «Ora vado a dormire, ché fra un paio d'ore Renata si sveglia. Lì ci sono la coperta e il cuscino» disse, indicando la poltrona alla mia destra. «Fatti una bella dormita e domani avrai le idee più chiare.»

La guardai sfilare via e pensai che non era rimasto nulla della bella Clara di un tempo. Il sorriso era svanito per far posto a un'espressione accigliata e il suo sguardo sembrava sempre vagare ansioso alla ricerca di qualcosa.

Giovanni si accorse che la osservavo e commentò: «Ti stai chiedendo che fine ha fatto il suo sorriso, vero?»

Si avvicinò e mi sussurrò: «La natura è strana, scegli una donna e dopo un po' te ne ritrovi accanto un'altra. E tu parli di figli? I figli possono aiutare una coppia a stare insieme, è vero, ma quando arrivano è finita, kaputt! Dimenticati il sesso di una volta, le risate, le uscite, la spensieratezza, un film la sera. Tutto finito».

Lo guardai di sottecchi mentre accarezzavo il bicchiere di birra che avevo in mano. «Forse dovevate aspettare un altro po'. Siete giovani.»

«Già, dovevamo.»

Giovanni sembrò riflettere a lungo prima di tornare a parlare. «Erri, ma tu Matilde la ami ancora?»

«Sì.»

«Cioè, ne sei follemente innamorato? La desideri in ogni momento? Non puoi fare a meno di lei?»

«Be', in ogni momento, no...»

«Non c'è una parte di te che, in fondo, stasera quasi si sente sollevata, intrigata all'idea di essere finalmente libera? Non senti un formicolio nella pancia?»

Meditai sulle sue parole e risposi: «Sì, può essere...»

Giovanni bevve un sorso di birra, si avvicinò e bisbigliò: «Mi sono innamorato di un'altra».

Rimasi a guardarlo sbalordito. Mai mi sarei aspettato una notizia del genere, credevo che amasse Clara e fosse felice del matrimonio, della sua vita. Indugiai con gli occhi sul suo viso regolare, sulla pelle liscia, le pupille nere e profonde, i capelli che quasi gli ricadevano sulle palpebre e pensai che era proprio bello.

Era ed è questa la differenza fra me e lui, fra me e i tanti uomini che tradiscono le mogli e tornano a casa sorridenti. Io non l'ho mai fatto, non ho mai tradito Matilde, e non perché sono migliore di altri. Semplicemente perché, l'ho già detto più volte, il mio aspetto mi regala poche occasioni. No, sto scherzando, in realtà sono solo un vigliacco: la mia infedeltà si è sempre limitata a uno sguardo poco pronunciato e a un sorriso. Mi bastava questo per sentirmi ancora appagato, per spostare sempre un po' più in là l'incontro con la mia coscienza, la quale cercava inutilmente di ricordarmi che i giorni a disposizione andavano assottigliandosi, perciò avrei fatto meglio a trovare il modo per non gettarli più al vento. Avrei potuto trovare un'altra donna o, meglio, tentare di amare di più Matilde, capire cosa non andava più fra noi. Non ho fatto nessuna delle due cose, se non trascinarmi stancamente fino al giorno della resa. La verità è che non ho mai tradito nessuno, se non me stesso.

«Chi è quest'altra?» chiesi.

«Importa?»

«No, in effetti.»

«Ho persino pensato di lasciare Clara.»

«Davvero?»

Lui annuì.

«E poi?»

« Poi ho cambiato idea. Ho capito che le cose importanti sono altre: la famiglia, i figli, una casa dove tornare. »

« E quindi? »

« E quindi l'ho lasciata. »

« L'amante? »

« E certo! »

Bevvi un sorso di birra e rimasi in silenzio.

« Non dici niente? »

« Che cosa devo dire? »

« Per esempio che ho fatto bene. »

« Hai fatto bene. »

« Sì, lo credo anch'io » ribatté lui e aggiunse: « Usa questo periodo per capire davvero ciò che provi per Matilde. Tu hai la possibilità di farlo ».

« Già. »

Infine si alzò, fece un rutto e concluse: « E mentre pensi vedi di farti una scopata ».

Rimasi solo nel salotto di quella casa a me estranea, dopo che la mia vita si era disintegrata nel giro di poche ore. Mi sdraiai sul divano e rimasi a guardare il soffitto, incapace di cancellare dalla mente la confessione di Giovanni e le sue parole sulla famiglia e la libertà, e provai a chiedermi se davvero dentro di me ci fosse una vocina che se la rideva pensando: Da oggi ti tocca fare i conti con i tuoi desideri inconfessabili, gli stessi che finora hai ingoiato ogni sera con un po' d'acqua, come se fossero medicinali.

Se quella sera non fossi stato concentrato sulle mie vicissitudini, mi sarei accorto dell'enorme bugia che Giovanni stava raccontando a me e soprattutto a se stesso. Se fossi stato uno che dice le cose come stanno, un fratello maggiore nel vero senso del termine, gli avrei detto: « Giovanni, c'è una cosa senza la quale famiglia, figli e casa diventano solo un guscio vuoto. La più importante di tutte, quella cui devi il massimo rispetto: la tua felicità ».

Piccola riflessione sulla felicità

A parte Flor, nessuno nella vita si è mai preoccupato di ricordarmi di pensare alla mia felicità. Se il monito tipico di mia madre è sempre stato quello di «guardare avanti», Mario una volta mi disse: «Scegli sempre con la tua testa». A ben vedere, è il suggerimento che più si avvicina al concetto di ricerca della felicità. Anche ultimamente, quando gli ho comunicato di voler aprire una fumetteria, mi ha consigliato di seguire i miei sogni. Di Giovanni ho appena detto, mentre con Valerio, invece, posso aver discusso della vita solo in riferimento a quelle perse in qualche videogame.

Un giorno che era particolarmente loquace, papà mi fece sedere sulle sue ginocchia e sentenziò: «Erri, devi imparare a essere un po' meno sensibile». La mattina avevamo visto un gattino finire sotto un'auto e non riuscivo a smettere di piangere. A pensarci, credo siano pochi i genitori che spingono un figlio a coltivare l'insensibilità.

Arianna da piccola ripeteva sempre che dovevo «imparare a odiare, altrimenti non avrai mai il coraggio di prendertela con nessuno». Aveva dieci anni quando diceva queste cose; io la guardavo a bocca aperta e lei mi dava dello stupido.

Ho poi avuto modo di capire che, in realtà, il suo non era odio, solo delusione. Non esiste l'odio fine a se stesso; si può odiare solo se prima si è amato.

Di Rosalinda ricordo che un pomeriggio, in Andalusia, vedendomi ruzzolare nella terra arida, corse in mio soccorso, mi sollevò per le ascelle, mi ripulì la maglietta piena di polvere e disse: «Erri, devi emparare a guardare dove mette i piedi. Sei sempre con la testa fra le nuvole!»

Matilde, infine, una volta mi disse: «Erri, vorrei poterti prestare i miei occhi per farti vedere quanta felicità sei in grado di donare agli altri».

A ogni modo, devo anche riconoscere che se una sola fra le persone importanti della mia vita un giorno mi fosse venuta vicino e mi avesse detto: «Erri, sai che c'è, penso che dovresti fare qualcosa per essere più felice», io le avrei risposto seccato: «Chi ti ha detto che non sono felice?» e sarei scappato.

Diciamocelo: se c'è una cosa che fa proprio paura è la felicità. Non sai mai quando arriva.

E, soprattutto, quando se ne va.

Mario si stanca per primo

In salotto ci sono solo Valerio e nostra madre che ancora discutono, foglio alla mano, sulla divisione dei beni di casa Ferrara. Giovanni si tuffa sul divano e chiede di Clara.

«È di là con la piccola» risponde mamma, e torna a dibattere con Valerio. Non ci sono nemmeno Tomoko e Arianna.

«Dov'è Arianna?» chiedo.

«Con il padre, nello studio. Sono chiusi là dentro da un po'...»

«Che fanno?»

«Boh» ribatte nostra madre, «credo che Arianna, al solito, stia accusando il padre di essere stato ingiusto. C'era da aspettarselo.»

Potrei polemizzare, chiederle per quale motivo non abbia speso un pizzico di energia per donare amore a una figlia non sua. Ma siccome non credo mi risponderebbe, e siccome sono certo che si tratti di una questione narcisistica (Renata Ferrara riesce ad amare solo il frutto del suo grembo perché, in realtà, ama solo se stessa), mi avvio verso lo studio di Mario a recuperare mia sorella prima che combini qualche guaio di cui pentirsi.

Una domenica, qualche settimana dopo la nascita di Valerio, sulla città impazzava una terribile cappa di calore. Mia madre era indaffarata con il nuovo arrivato e io giocavo con Arianna, che ogni quindici giorni trascorreva un fine settimana con noi. Mario, vedendoci giocare nella stanzetta in una bella domenica di fine giugno, pensò bene di portarci ai Damiani, una piscina nei pressi di Arco Felice dove andavo spesso con Renata. Per Arianna, invece, era la prima volta e credo che sua mamma non la portasse mai da nessuna parte. Così, quando entrammo, spalancò la bocca e sgranò gli occhi, quindi corse in bagno per l'emozione. Mario si distese su un lettino all'ombra e sfogliò tutta la mattina il giornale mentre noi giocavamo a rincorrerci e a chi resisteva più tempo sott'acqua. Quando fu ora di pranzo Mario ci disse di salire e di asciugarci. Arianna all'epoca portava l'apparecchio, e il padre insistette affinché se lo togliesse per mangiare. Lei obbedì e lo avvolse in un tovagliolo di carta. Il problema è che al termine del pasto né lei, né lui, né tantomeno io, ci ricordammo di recuperare il tovagliolo, che fu gettato dal cameriere di turno. Trascorremmo così il restante pomeriggio a frugare nei bidoni dell'immondizia del complesso, aprendo tutti i tovagliolini che trovavamo, mentre Arianna piangeva a dirotto e ripeteva senza sosta: «Non dovevo starti a sentire, ora chi glielo dice a mamma. Ti odio, non ti occupi di me, mi hai lasciato da sola con lei. Ti odio, non ti perdonerò mai, ti odio!» Scommetto che il povero cameriere che ci aiutò e trascorse il pomeriggio con le mani nella spazzatura racconta ancora oggi la storia di quella ragazzina che diceva terribili cattiverie al padre, e di quest'ultimo che, invece di zittirla, scartocciava i tovaglioli unti della gente. Se una simile esperienza non l'ha potuta dimenticare il cameriere, come possono averlo fatto quel padre e quella figlia che a distanza di tempo continuano a ricoprire gli stessi ruoli: lei a colpire e lui a incassare senza ribattere. Chissà chi dei due si stancherà per primo.

Nel corridoio mi imbatto in Tomoko. È appoggiata allo stipite della finestra che dà sul cortile interno e parla al telefono. Vado per la mia strada con la massima discrezione ma lei si volta, allontana il cellulare dall'orecchio, e fa: «Scusami, Erri, ti posso parlare?»

La sua voce è come il canto di una sirena appena sbucata dalle onde. Torno indietro.

«Scusa, ti richiamo» dice lei e riaggancia. «Volevo chiederti una cosa, solo che non riuscivo a trovare il momento giusto» ammette con un sorriso.

«Be', ora a quanto pare l'hai trovato.» Ricambio il sorriso e mi sistemo il colletto della camicia, come se così facendo potessi rendermi più attraente.

«Mercoledì prossimo è il nostro mesiversario, mio e di Valerio.»

«Mesiversario?»

«Già, è un mese che stiamo insieme. Siccome lui è fissato con la cucina spagnola e con il ristorante di tuo padre...»

«Valerio?»

«Sì, perché non lo sapevi?»

«No, vado poco al locale di mio padre.»

«Infatti non ti ho mai visto, però ho pensato che potresti chiedere se è disponibile per una festa la prossima settimana. Vorrei fare una sorpresa a Valerio.»

«Certo, nessun problema.»

Lei sorride e le mie guance si colorano di rosso. È così bella che mi risulta difficile abbassare lo sguardo.

«Allora mi fai sapere tu?» domanda.

Ma io sono ancora immerso nei suoi occhi e non sento quel che dice.

« Erri? »

« Sì? »

« Dicevo, mi fai sapere tu qualcosa? »

« Di che? »

« Della festa, se il ristorante è disponibile. »

« Ah, come no, certo, il mesiversario. » E con una risata copro il mio imbarazzo.

« Okay, allora ti do il mio numero. Segna. »

Mentre digito il nuovo contatto sul cellulare mi chiedo se sia normale che un uomo di quarant'anni provi imbarazzo di fronte a una ragazza di ventotto. Devo iscrivermi a un corso per aumentare l'autostima.

« Tuo fratello ti vuole molto bene! » esclama lei mentre armeggio con la rubrica del telefonino.

« Sì? » rispondo distratto. Sto pensando che quello più adatto, in realtà, sarebbe un corso sulla simpatia. Un uomo brutto che ha una grande stima di sé può anche incuriosire una donna, ma la differenza la fa chi riesce a farla ridere. Almeno così dicono.

« Sì, mi ha parlato così tanto di te che mi era venuta voglia di conoscerti. »

« Spero di non averti deluso » rispondo e salvo il nuovo contatto.

« No, per nulla » ribatte lei e sorride.

Se non fossi arrugginito da anni di vita matrimoniale e sesso di routine, non farei cadere il piccolo amo lanciato dalla sirena che ho di fronte. Ma un po' perché mi manca il coraggio di flirtare con una donna così attraente, un po' perché non posso fare il cretino con la ragazza di mio fratello, un altro po', infine, perché ho appena riflettuto sul fatto che

Ghezzi non brilla per autostima né per simpatia, e perciò non capisco come sia riuscito nell'intento di fregarmi la moglie, non rispondo e ricambio con un candido sorriso.

Busso alla porta dello studio ed è proprio Arianna ad aprirmi. Ha il volto ancora più rabbuiato e scavato del solito, l'espressione assente e gli occhi lucidi.

«Che c'è?» chiedo.

Lei mi fissa e non risponde, allora mi volto verso Mario, seduto dietro la scrivania, e riformulo la domanda.

«Chiudi la porta» fa lui serio.

«Che cosa è successo?» domando di nuovo.

«È successo che avevo ragione a non fidarmi, a sentire puzza di bruciato» commenta Arianna.

«In che senso?»

«Chiudi la porta, Erri» ripete lui.

«Nel senso che con la storiella della famiglia felice poteva ingannare i nostri fratelli, non me. Io non credo alle famiglie felici.»

Guardo Mario, ma lui non parla.

«Oh, insomma, mi fate capire qualcosa, per favore?»

«Altro che donazione per evitare litigi o risparmiare sulle tasse» prosegue Arianna impassibile, mentre una lacrima inizia a scenderle lungo la guancia, «la verità è un'altra.»

«Qual è la verità?» chiedo.

Lei guarda prima il padre, poi me. «Te la deve dire lui.» Chiudo la porta e mi avvicino con due passi alla scrivania. Mario quasi indietreggia e le sue spalle possenti sfiorano il modellino in scala dell'*Amerigo Vespucci* che occupa tutta la parete. Una volta mamma, con le sue solite maniere, provò a dire al marito di togliere quell'inutile ingombro e appendere, semmai, la sua laurea, ma lui rispose che i titoli servono a chi non ha altro di sé da mostrare. Renata fece uno sbuffo risentito e andò a sfogare la sua rabbia con la malcapitata domestica di turno.

«Qual è la verità?» ripeto e resto lì a fissare il mio patrigno, con le gambe che mi sembrano improvvisamente dei trampoli instabili. Chissà perché il corpo sembra accorgersi sempre prima di noi quando è in arrivo una brutta notizia.

Lui sospira e parla con difficoltà: «No, è che non volevo allarmarvi, di là non sanno nulla, solo che Arianna, la conosci, mi ha costretto a parlare con i suoi soliti modi, ma se fosse stato per me... E poi non è vero, io credo che, nonostante tutto, la nostra sia una famiglia felice e...»

«Mario, che cosa è successo? Di quale verità state parlando?»

«Oh, insomma, non tiriamola troppo per le lunghe» interviene Arianna alle mie spalle, «tanto hai capito, no?»

«No, non ho capito un cazzo!» urlo.

Lei guarda lui mentre parla con me.

«Papà sta morendo» dice, infine, con un filo di voce.

Un terribile fardello

Dopo la domenica trascorsa sul lago d'Averno, rividi Mario il venerdì successivo. Era sera e si presentò a casa nostra dopo cena, mentre me ne stavo a gambe incrociate sul tappeto a guardare un cartone animato. Quando lo vidi entrare con il suo faccione paffuto e sorridente, strabuzzai gli occhi e sbirciai dietro le sue spalle alla ricerca di Arianna, che non c'era. Con un'espressione delusa, accennai un « ciao » e tornai alla tv. Lui salutò mamma e venne a sedersi sul divano, dietro di me, e lì rimase in silenzio per un bel po', in attesa che lei finisse di prepararsi per uscire.

Sentivo il suo respiro pesante alle mie spalle, ma non mi girai. Non perché mi fosse antipatico, solo che senza Arianna lui mi era indifferente.

E poi non era la prima volta che mia madre portava a casa un uomo, anzi. Era successo con Bruno, un architetto che indossava sempre degli occhiali da vista a goccia con le lenti blu e le polo della Lacoste, anche d'inverno. O con Lucio, un avvocato che cenò da noi un paio di volte e che, senza degnarmi di uno sguardo, parlava tutto il tempo di cose che non capivo. In realtà, tutti gli amici di Renata sembravano così poco interessati a me che spesso mi rifugiavo in camera mia e mi addormentavo, mentre loro conversavano per ore.

All'epoca non mi facevo troppe domande sulla presenza di quelle persone, mamma sembrava serena e allegra in loro compagnia, e questo assicurava un po' di serenità anche a me.

Poi, una notte mi svegliai di soprassalto per le urla che provenivano dal soggiorno. Mi alzai e, a piedi scalzi, corsi a vedere cosa fosse successo. Nell'ingresso, mamma se ne stava con la schiena appoggiata alla porta di casa. Appena mi vide mi corse incontro e mi prese in braccio. «Sai che c'è, Erri?» disse. «Che tu e io non abbiamo bisogno proprio di nessuno. Vero?»

Io non sapevo come rispondere e rimasi a fissarla da vicino, cosa che non capitava spesso. Aveva gli occhi lucidi e mi stringeva con forza.

«Ci bastiamo noi due» proseguì e mi diede un bacio sul collo. Poi mi portò nella sua camera e mi adagiò sul letto. «Ti piacerebbe dormire con mamma stanotte?»

Strabuzzai gli occhi. Renata Ferrara e Raffaele Gargiulo non mi avevano mai permesso di dormire con loro, e quando papà se n'era andato lei mi aveva messo sulle sue ginocchia e aveva detto: «Erri, ora che tuo padre non c'è più, mi devi promettere una cosa». L'avevo guardata incuriosito e lei aveva proseguito: «Che non mi chiederai mai di dormire insieme e non ti presenterai mai di notte nella mia camera».

«Perché?»

«Perché sarebbe facile dormire con me, ma io non voglio.» Io chinai il capo, ma lei andò avanti con la sua spiegazione. «Non voglio crescerti come una femminuccia che dorme con la mamma. Sei un maschietto, devi venir su forte e robusto, non hai bisogno di me, hai la tua cameretta.» Dopo una breve pausa, incalzò: «Allora, me lo prometti?»

Avevo fatto di sì con la testa e mi ero lasciato portare a letto, dove mi ero girato verso il muro per nascondere le lacrime. Un maschio forte e robusto non piange. Questo mi avrebbe detto se mi avesse visto.

Invece, la sera che litigò con Lucio mi portò sul lettone

matrimoniale e mi riempì di baci dappertutto e mentre lo faceva un po' rideva e un po' piangeva. Non avevo mai provato l'ebbrezza dei suoi abbracci prolungati, di quei baci che sembravano trarre nutrimento dalla mia pelle, delle sue carezze mentre fingevo di dormire. Sarebbe stata la notte più bella della mia infanzia, se non fosse stato per quelle parole più volte sussurrate al mio orecchio: «Sei l'unico motivo per il quale continuo a svegliarmi la mattina».

Avevo sei anni quando mia madre mi consegnò questo fardello.

Sei mesi per prendere il largo

L'arrivo di Mario avrebbe dovuto rendermi felice, in fin dei conti con la sua presenza il mio ruolo sarebbe stato meno gravoso, e l'amore di mia madre meno soffocante. Solo che a quell'età tutto questo ancora non mi era chiaro e mi beavo del mio fardello. Ai miei occhi Mario era colui che mi avrebbe sottratto le attenzioni di mamma, un nemico grande e grosso da combattere con l'unica arma a mia disposizione, l'indifferenza.

E con indifferenza lo accolsi quella sera, con indifferenza continuai a guardare la tv, con indifferenza mi voltai quando mamma disse che mi stavo comportando da maleducato.

Lui, però, non sembrava per niente offeso dal mio atteggiamento e continuava a guardarmi con aria bonaria. Alla fine mi allungò un pacco e disse: «Ho pensato che potesse piacerti».

All'epoca c'era una sola cosa capace di rubarmi un sorriso, a parte l'abbraccio di mia madre: la visione della carta da zucchero che il mio negozio di giocattoli preferito usava per confezionare i pacchi. Afferrai il regalo e proprio quello feci: un bel sorriso.

Mamma si sedette sul bracciolo del divano, di fianco a Mario, e disse: «È il suo negozio preferito!»

Scartocciai il pacco con un entusiasmo che scemò non appena mi trovai di fronte il modello in scala dell'*Amerigo Vespucci*, il primo grande veliero della marina militare italiana. La scatola era piena di minuscoli pezzetti di legno che in nessun modo sarei riuscito a tramutare nel veliero dell'immagine sulla confezione. La mia delusione doveva essere evidente, perché Mario si affrettò ad aggiungere: « Ho pensato che costruire insieme una grande nave potrebbe essere un ottimo modo per conoscerci ».

Mi sfilò la scatola dalle mani e prese il manuale di istruzioni. Io, a bocca aperta, guardavo un po' lui e un po' mamma, che a sua volta guardava un po' Mario e un po' me.

Alla fine Mario si alzò di scatto, nonostante la mole, ed esclamò: « Be', allora? Ci mettiamo al lavoro? »

« Sìì! » urlai e mi lanciai sul divano.

« Adesso? » si intromise Renata, annientando in un baleno la mia euforia. « Non dovevamo uscire? » proseguì, rivolta a Mario.

« È vero, Erri, ho promesso a tua madre che l'avrei portata in un bel ristorante, e le promesse vanno mantenute. Sai, le donne si offendono, se no » disse lui.

Chinai il capo e quasi scoppiai a piangere. Il piano di costruire la nave era già andato in fumo prima ancora di iniziare e mi aspettava una serata in compagnia della tata Luisa, che si presentava ogni volta con un fotoromanzo sotto il braccio e dopo cena lo leggeva ad alta voce sul divano alle mie spalle.

« Attenzione, però, le promesse fatte ai bambini non sono meno importanti » aggiunse Mario subito dopo. « Sai che facciamo? »

Feci di no con la testa e rimasi a fissarlo con il regalo fra le mani.

« Domani è sabato. Mi faccio invitare a pranzo da tua mamma » disse guardando lei con un sorriso, « così subito dopo ci mettiamo al lavoro. Ci prendiamo tutto il pomeriggio e iniziamo a progettare il nostro vascello. Anche se ci vorrà molto tempo per finirlo, e molta pazienza. Ma quella non ci manca, vero?»

Annuii.

«Nel frattempo, sai che cosa potresti fare? Liberi il tavolo e inizi a dividere tutti i pezzi uguali in mucchietti. Un lavoro impegnativo che ci farà risparmiare un sacco di tempo. Ci stai?»

Annuii di nuovo.

«E allora che ci fai ancora qui? Su, al lavoro!» esclamò e si chinò a pizzicarmi sotto il mento.

Guardai mamma, che sorrideva e aveva gli occhi lucidi. Quando si chiusero la porta alle spalle neanche ci feci caso, avevo un compito importante da portare a termine per l'indomani. Per il resto della serata, mentre dividevo i pezzettini di legno, non mi chiesi perché mamma avesse gli occhi lucidi, né se con l'arrivo in famiglia di quell'uomo non avrei più dormito con lei. Sperai solo che quei due non litigassero prima che il vascello fosse finito.

L'impresa si rivelò più ardua di quanto credessi e ben presto il sabato pomeriggio fu dedicato alla costruzione dell'*Amerigo Vespucci*, al punto che mamma dopo un po' cominciò ad andare per negozi mentre io assemblavo vele e incollavo scafi con l'aiuto del mio nuovo amico.

Impiegammo otto mesi per portare a termine il nostro faraonico progetto. Sei furono, invece, i mesi trascorsi prima che mamma e Mario decidessero di vivere insieme. Solo due, infine, bastarono a me per capire che anche i padri degli altri, se vogliono, possono farti da padre.

Homo sapiens

Quando è nato Valerio mi trovavo da mio padre. Era maggio, faceva già caldo e Rosalinda se ne stava tutto il giorno sul divano, col pancione che di lì a due mesi avrebbe partorito Flor, a guardare telenovele e mangiare «schifezze», come le chiamava papà. Per quel che mi riguardava ero contento che Rosalinda passasse la vita sul divano con delle sottovesti che lasciavano scoperte le cosce e il seno, visto che in quel periodo, dopo la scuola, trascorrevo il pomeriggio a casa loro, fra un capitolo sull'*Homo sapiens* e una nuova puntata di *Sentieri*.

Di quei giorni ricordo la luce al neon della cucina fredda in cui mi rifugiavo a studiare, il ronzio del frigo che mi conciliava il sonno e il richiamo di Rosalinda quando stava per iniziare la soap opera. Allora correvo e mi sdraiavo al suo fianco, con la testa sulle sue cosce o sul seno, che sembrava crescerle ogni giorno di più, proprio come la pancia.

Spesso restavo a fissarle il petto anche dopo che la telenovela era iniziata. Non so bene che cosa provassi, so solo che lo spettacolo di quelle due grosse sfere e del capezzolo nero che si intravedeva sotto il tessuto semitrasparente della sottoveste mi rendeva nervoso e insieme elettrizzato.

A una certa ora Rosalinda andava a preparare la cena, così, al suo arrivo, papà doveva solo lavarsi le mani e sedersi a tavola. Mangiavamo in silenzio, al più con il telegiornale in sottofondo, e mentre lui masticava fissando lo schermo io mi chiedevo quando sarei tornato a casa.

Quei pochi pomeriggi trascorsi a casa Gargiulo mi sembrarono mesi; d'altronde papà era da poco tornato dalla Spagna e il nostro rapporto era quasi inesistente. I primi giorni furono traumatici, mi sembrava di vivere con degli estranei. Per fortuna Rosalinda ci mise poco a conquistarsi la mia fiducia. Un giorno che eravamo distesi sul tappeto a guardare la televisione, mi prese la mano e se la posò sulla pancia.

«Qui c'è tua sorella. Me prometti che le vorrai siempre bene e la proteggerai da tutto e tutti?» Poi mi scompigliò i capelli, mi schioccò un bacio sulla fronte e si dileguò in cucina per preparare una delle sue famose frittate.

Quando arrivò il giorno tanto atteso, papà mi venne vicino e disse: «È nato tuo fratello. Vuoi andare a casa a conoscerlo?»

Annuii senza aprire bocca, preparai la borsa in silenzio e salutai Rosalinda con rammarico. La sera conobbi Valerio. Quando entrai in casa mamma lo stava allattando e appena mi vide, sorrise e mi invitò ad avvicinarmi. Al suo fianco c'erano Mario che sorrideva beato e Arianna che guardava la scena inebetita. Esitante, fissai l'esserino che sembrava sparire nell'incavo del braccio di mia madre e mi avvicinai un passo alla volta. Arianna, però, forse per un attacco di gelosia nei miei confronti, decise che sarebbe stata lei la prima ad accarezzare nostro fratello e cominciò a strofinargli intensamente la testa, sebbene mamma continuasse a ripeterle «stai attenta».

Mi tornò in mente il piano diabolico di qualche mese prima, quando Arianna aveva suggerito di allearci per contrastare la presenza ingombrante di Valerio, e, per un attimo, temetti che volesse fare del male al bambino.

Invece lei continuò ad accarezzargli la testa mentre lui ciucciava tranquillo e quando, qualche giorno dopo, le chiesi spiegazioni, mi rispose con una delle sue tante frasi che nel corso degli anni mi hanno lasciato senza parole: «Erri, un conto è odiare una pancia, un conto è odiare un esserino indifeso. Lo sai, tu e io siamo una cosa sola, ma su questo non posso essere con te: se odi quel bimbo, hai qualche problema nella testa e te lo devi risolvere da solo». Quindi se ne andò e non tornò più sull'argomento.

Non ho mai odiato mio fratello, né quando era in pancia, né dopo, anche se Arianna ha creduto il contrario, e quella sera, mentre accarezzavo anch'io la testolina piena di capelli di Valerio, appagando così il desiderio di apparente unità familiare di mia madre, non provavo, come loro si sarebbero attesi, una delirante gelosia. Mi ponevo invece una domanda molto diversa: perché mamma non avesse le mammelle grosse e nere come Rosalinda.

Ottantuno anni è un'età di tutto rispetto per morire

In salotto l'atmosfera è la stessa di qualche minuto fa: mamma parlotta con Giovanni e Clara del loro futuro secondogenito, Tomoko è al telefono vicino alla finestra e Valerio è stravaccato sulla poltrona che di solito usa il padre, con il portatile sulle gambe e lo sguardo perso nello schermo.

Se non avessi appena saputo che Mario ha una grave disfunzione cardiaca e che, nella migliore delle ipotesi, può vivere ancora cinque anni, mi siederei come sempre sul tappeto e cercherei di convivere con l'allegra combriccola sperando che il tempo passi in fretta. Invece, resto in piedi a scrutarli e loro nemmeno si accorgono della mia presenza. Sembra tutto così assurdo che avrei voglia di urlare per dare un senso a questa scena irreale.

« Vi prego, non dite nulla » ci ha implorato Mario, « parlerò io con loro, un poco alla volta. »

Arianna ha incrociato le braccia ed è uscita dalla stanza. Lui mi ha sorriso e ha detto: « Be', Erri, nessuno è eterno, ho settantasei anni, se riesco davvero a viverne altri cinque, posso ritenermi fortunato. Ottantuno anni è un'età di tutto rispetto per morire. Non mi va di lamentarmi; in fondo non viviamo poco, semmai viviamo male ».

« Perché non dirlo? » ho sussurrato.

« Mi premeva prima sistemare le cose, perché in futuro non ci siano litigi fra voi. »

« Lo sai che non avremmo litigato. »

« Può darsi, ma ora sono più tranquillo. »

« E mamma? Perché a lei non lo hai detto? »

« Lei lo sa. »

« Lo sa? »

« Sì. »

Allora finge proprio bene, avrei voluto aggiungere, ma lui mi ha poggiato una mano sulla spalla e ha detto: « Ora andiamo di là e concludiamo la serata in allegria ».

Di felicità me ne intendo poco

È il momento giusto per parlare della malattia di mia madre. Sono trascorsi dieci anni, eppure ricordo ancora il giorno in cui mi chiamò per dirmi che non stava bene. Era una sera di luglio e, insieme a Matilde e a una coppia di amici, ero in fila per il cinema all'aperto sui Colli Aminei.

« Erri, ti devo dire una cosa » esordì mia madre, « dove sei? »

« Sto entrando al cinema, è urgente? »

Lei esitò prima di rispondere: « No, vabbè, semmai chiamami dopo ».

« Che è successo? »

A quel punto mamma pronunciò una delle sue frasi memorabili. « No, nulla, è che martedì scorso mi hanno trovato un cancro al seno e volevo dirti che lunedì mi devo operare. »

Rimasi paralizzato e muto mentre la gente in fila mi passava davanti e Matilde, immaginando che qualcosa non andasse, mi fissava interrogativa.

« Erri, ci sei? »

« Sto qui. Solo... non capisco... mi dai una notizia del genere come se mi stessi dicendo che devi partire per una crociera. »

« E che devo fare? » replicò prontamente. « Disperarmi? Non ne ho né il tempo, né la voglia, preferisco fare ciò che va fatto e proseguire la mia vita. »

« E quando pensavi di dirmelo? Direttamente lunedì mattina? »

« Senti, Erri, ecco perché non ti volevo chiamare, sapevo

che mi sarei dovuta sorbire la ramanzina del figlio escluso. Solo che Mario ha insistito, dice che sei grande, hai diritto di saperlo, e insomma... eccoci qua. Non voglio che sia tu a prenderti cura di me, sono ancora abbastanza giovane da non dover affidare la mia esistenza ai figli. Sono in pieno possesso delle mie capacità psichiche e fisiche e so provvedere a me stessa, come ho sempre fatto. E poi c'è Mario con me.»

«Aspettami, arrivo» risposi sbuffando.

«No, sto uscendo» replicò lei, «vado a cena fuori.»

Matilde continuava a scrutarmi, e i nostri amici erano ormai entrati.

«Mamma, cazzo, mi dai una notizia del genere al telefono mentre ti prepari per uscire?»

«Be', prima o poi te lo dovevo dire, così ho preso il cellulare e mi sono tolta il pensiero.»

«E i miei fratelli?»

«Non lo sanno ancora.»

«E figurati...»

«Sono ragazzi, lasciali vivere la loro spensieratezza.»

«Ma non dovrai fare una terapia?»

«Sì.»

«E non pensi che se ne accorgeranno?»

«Uffa, Erri, non ti ci mettere pure tu a rendermi la vita più complicata di quel che è. Un problema alla volta: prima pensiamo a togliere questo brutto coso, poi penserò a come dirlo ai tuoi fratelli.»

«Non sono più bambini» ribattei, «a me neanche a cinque anni mi hai protetto dalla verità. Non capisco perché quei due debbano crescere nella bambagia.»

«Vabbè, Erri, ora devo andare. Ci sentiamo domani.»

«Passo domattina.»

« Va bene, ma non ti azzardare ad abbracciarmi o a guardarmi con compassione. »

« Non ti preoccupare, ti conosco da quando sono nato. »

« Bravo. »

Chiusi la comunicazione con Matilde che mi supplicava con gli occhi di metterla al corrente. Infilai il cellulare in tasca e, con dolcezza, la spinsi di nuovo in fila.

« Era tua madre? »

« Sì. »

« Cosa è successo di tanto grave, stavolta? »

« Niente » risposi mentre porgevo i tagliandi al bigliettaio, « mamma ha il cancro. »

Matilde si bloccò, nonostante la gente spingesse per entrare, e sgranò gli occhi. « Ma che stai dicendo? »

« Si deve operare lunedì. Ora vieni, altrimenti il film inizia. »

Lei mi seguì in silenzio, con gli occhi fissi sul mio volto impassibile. Poco prima che iniziasse la proiezione, mi chiese: « Ma non dovremmo passare da lei? »

« È a cena da amici. »

« Siete una famiglia di pazzi. »

« Già, può darsi. »

Quattro anni dopo, nel giorno del nostro matrimonio, eravamo distesi sul letto del Grand Hotel Santa Lucia, sul lungomare di Napoli. Avevamo appena fatto l'amore, stremati per una cerimonia durata più di quanto desiderassimo, e lei se ne uscì con questa frase: « Solo una volta ho pensato di lasciarti negli ultimi anni, ma non ho avuto il coraggio ».

« Davvero? » chiesi incuriosito voltandomi a guardarla.

« Quando tua madre si è ammalata. La sera che ti ha chiamato. »

« Embè? »

« Eravamo al cinema. »

« Sì, mi sembra di sì. »

« Me l'avevi detto come se fosse una cosa normale e ti eri messo tranquillo a guardare il film. »

« E che cosa avrei dovuto fare? »

Matilde sorrise e mi abbracciò. « Forse piangere? Disperarti? O anche solo chiedere il mio supporto? Sfogarti con me? »

« Dici? »

« Lì mi sono detta che non potevo trascorrere la vita al tuo fianco, che eri sì amorevole, gentile e premuroso, ma che di fronte alle emozioni, quelle forti, ti chiudevi in te stesso, come se le ingurgitassi per farle sparire. »

« Ma che vai pensando? »

« Poi ci ho riflettuto e ho pensato che mi piacevi lo stesso! » E mi baciò.

Facemmo di nuovo l'amore (all'epoca avevamo la strana usanza di ripeterci) e solo alla fine, poco prima di addormentarci per la prima volta da marito e moglie, bisbigliai nella stanza ormai buia: « Non è vero che non provo emozioni. L'emozione umana più potente e antica è la paura, e a me capita spesso di cagarmi sotto ».

Mi aspettavo una risata, ma lei già dormiva. Allora allungai il collo per accertarmene e solo dopo aggiunsi: « Per esempio, il fatto che tu adesso sia mia moglie mi terrorizza. Mi fa sentire responsabile della tua felicità. E io di felicità mi intendo poco ».

Dall'agenda di Matilde lasciata a metà

Lo sapevi che io e tuo padre giurammo davanti a una stella di amarci per sempre? Eravamo giovani, un po' stupidi forse, di sicuro immaturi, ed era una bella serata di inizio estate. C'è una fase dell'innamoramento nella quale tutto ciò che riguarda chi ami ti è ancora sconosciuto. È un tempo breve, un periodo destinato a morire, a spegnersi come le stesse stelle, eppure è un momento bellissimo.

Così è nato l'amore fra noi, grazie a una sera trascorsa a guardare una stella. Mi piace pensare che l'azoto, l'ossigeno, il carbonio e il ferro che circoleranno nel tuo piccolo corpo provengano da quell'astro lontano nell'universo e nel tempo.

Quel pomeriggio

Tornando alla rivelazione di Mario, stavo uscendo dal suo studio quando mi ha afferrato il braccio e mi ha detto: «Erri, mi raccomando, pensa tu ad Arianna, sei l'unico in grado di farla ragionare. Proprio a lei avrei preferito non dirlo, ho paura che faccia una delle sue scene, che dica a tutti la verità. Falla ragionare, tu che puoi».

«Ci provo» ho risposto.

L'arrivo in salotto di Mario, che si lascia sprofondare sul divano allungando le braccia dietro le spalle della moglie e della nuora, mi riporta al presente, così mi accorgo che Arianna non è con noi. Vado in cucina, ma c'è solo Pari che mordicchia una banana e guarda la tv. Sbircio l'orologio a muro, sono le dieci e mezzo di sera.

«Ma quando smetti di lavorare tu?» dico rivolto a Pari, che mi dà le spalle.

Lei si gira di soprassalto, spaventata, e afferra il banco della cucina con le unghie. Poi si porta la mano al petto, sorride e sospira. Probabilmente aveva temuto di incontrare lo sguardo del capo miliziano ed è felice dello scampato pericolo. Sorride, però non apre bocca.

«Capisci l'italiano?»

«Poco» risponde e spegne la televisione.

«No, non devi spegnere, puoi fare quello che vuoi.»

Pari mi guarda senza capire, allora faccio due passi e accendo di nuovo la tv, poi sfilo una sedia dal tavolo e le faccio segno di sedersi. Infine dico: «Vado di là, finisci di mangiare con calma» indico la banana ancora sul ripiano della cucina, «e... scusami».

Lei sorride ancora, io esco dalla stanza e vado verso la mia ex camera. L'imbarazzo dipinto negli occhi della donna mi ha reso ancora più difficile la digestione e se non avessi da pensare a cose più importanti forse mi fermerei a scambiare quattro chiacchiere con mia madre sul trattamento che riserva alla povera indiana. Ma quando apro la porta e mi accorgo di Arianna stesa su quello che è stato il mio letto, mi dimentico subito di Pari e dell'apartheid di casa Ferrara.

Mi siedo sul bordo e poso una mano sulla sua spalla. Poco più in là c'è mia nipote Renata, che dorme nel passeggino. Arianna si volta e resta a fissarmi con quei suoi occhi che ti mettono a nudo.

«Non è giusto che nessuno sappia nulla» dice poi.

«Lo sapranno, non cambia molto se stasera o fra qualche giorno.»

Lei socchiude le palpebre e si strofina i palmi sulle guance. «Credevo che questo giorno non sarebbe arrivato mai...» prosegue.

«Be', in fondo Mario non è più un ragazzino. Speriamo comunque che gli rimanga ancora molto tempo.»

«Hai una sigaretta?» chiede, e si mette a sedere sul letto.

«No, mi dispiace. E poi c'è Renata» replico.

«Mia madre ha fumato per tutta la gravidanza e oltre. Basta aprire la finestra.»

Vorrei ribattere che sua madre non è l'esempio del perfetto genitore, poi decido di lasciar perdere e mi viene in mente che mamma ha sempre un pacchetto sulla credenza del corridoio. Esco a prenderlo, insieme a un portacenere che poggio sul marmo del davanzale. Arianna adesso si sta guardando allo specchio attaccato dietro l'anta dell'armadio da più di trent'anni.

« Ti ricordi quando ci nascondevamo qui dentro? Era il nostro castello » dice.

« E come no. Solo che poi ci mancava l'aria. »

« A me mai, forse a te » ribatte e afferra la sigaretta. « E ti ricordi di quel pomeriggio? »

Eccoci. Sapevo che prima o poi saremmo arrivati a *quel pomeriggio*.

« Sì » sussurro, e distolgo lo sguardo.

« Guarda che non hai nulla di cui vergognarti. »

« Perché non torniamo di là e aiutiamo tuo padre a concludere la serata? »

« Perché non so fingere. »

Semplice, fin troppo.

« Credo che a Mario farebbe piacere averti vicina. »

« Anche per me fu imbarazzante, anche se non lo diedi a vedere. »

« Arianna... »

Lei si avvicina, la sigaretta ancora spenta fra le dita. « E poi avevo paura che entrasse qualcuno, che ci scoprissero e mi separassero da te e da questa casa, da questa famiglia. »

Non so che dire, perciò la fisso e non ribatto. Lei invece mi mette le braccia intorno al collo e avvicina la bocca a pochi centimetri dalla mia.

« Che fai? » mi sento dire.

Ma lei è come assente, il suo corpo sembra quello di una marionetta gracile dallo sguardo spento che si aggrappa ai suoi stessi fili. Un attimo dopo le sue labbra si poggiano sulle mie. Tento di indietreggiare, ma lei mi trattiene. A quel punto mi sembra di soffocare e nel suo gesto violento non sento amore, ma indifferenza. Non sono più il bambino che ascoltava ammaliato la sua sirena senza cuore e senza emozioni; mi scosto bruscamente e lei mi fissa con gli occhi sbarrati, come se mai si sarebbe aspettata una reazione simile.

« Non siamo più quei due bambini » tento di dire.

Arianna ha uno sguardo glaciale quando ribatte: « Ma chi ti credi di essere, Erri? Pensi davvero che volessi baciarti? »

« Lo stavi facendo. »

« Mi fai pena » conclude, e si getta di nuovo sul letto.

Dovrei andarmene, lasciare che sfoghi su qualcun altro la sua rabbia, invece mi sdraio al suo fianco e la abbraccio. Lei non si volta, allora le afferro il mento e la attiro a me. Non reagisce, perciò inizio a baciarle la guancia con dolcezza, mentre le accarezzo i capelli, e il pensiero torna di nuovo a *quel pomeriggio* di quasi trent'anni fa, all'armadio che è ancora lì, a mostrarci che non basta tenere chiusi i ricordi per sperare che evaporino. Che quando torni ad aprire l'anta sono sempre lì, e puoi solo arrenderti alla loro forza e chiudere gli occhi. La verità è che la vita è un insieme di piccoli episodi che poi si tramutano in ricordi, e se non siamo in grado di dare loro la giusta valenza vuol dire che non meritiamo di conservarne memoria. E senza memoria, che abbiamo vissuto a fare?

Pochi secondi e le mie labbra incontrano le sue lacrime, eppure, per un tempo che mi sembra infinito, continuo a sfiorarle la pelle come se fosse mia figlia, o forse la mia donna, e mentre la coccolo penso che sarebbe naturale, ora, baciarla davvero.

Di colpo, mi tornano alla mente le parole di Flor, « fai una cazzata, almeno una, nella vita », e ripenso alle tante volte che ho immaginato il momento, al palcoscenico che ho costruito intorno al sogno, e mi rendo conto che la realtà non include sceneggiature e fotografie mozzafiato. Arianna e io ci stiamo amando nell'unico modo possibile, nell'unico posto che ha sempre protetto i nostri sentimenti. Siamo di nuovo insieme, abbracciati, i nostri respiri che si infrangono sulla pelle dell'altro, le ciglia che quasi si toccano. Di nuovo qui, non più per manifestarci il nostro amore, ma per scambiarci il dolore, per sostenerci l'uno con l'altra, per giurarci ancora e sempre che noi due ci saremo.

La mia vita non la rischio più

Solo due persone al mondo, Flor e Rosalinda, sanno dell'amore che provo per Arianna. Tutti gli altri, mamma, Mario, i miei fratelli, pensano si tratti di amore fraterno.

Avevo vent'anni e Giulia mi aveva da poco lasciato per il ragazzo rasta con la maglietta verde. Passavo le mie giornate con Orlando a farmi le canne e a giocare ai videogiochi, e Arianna nella mia vita non esisteva più. Ci vedevamo pochissimo, giusto a qualche festa in famiglia, a Natale o a Pasqua, entrambi troppo impegnati a restare a galla nella melma per preoccuparci di mantenere rapporti che ci legavano all'infanzia, una fase della nostra vita che non volevamo ricordare. Parlo al plurale, ma in realtà il discorsetto me lo fece lei una sera che la incontrai fuori da un bar, in compagnia di un uomo barbuto con un cane maculato.

Arianna mi baciò sulla guancia e mi strinse, ma solo con le braccia, perché le mani erano impegnate a mantenere uno spinello e una birra, poi esclamò: «Come sei bello!»

Nessuno mi aveva mai detto una frase del genere, e anche Orlando, al mio fianco, strabuzzò gli occhi.

«Come va?» chiese poi.

«Bene, bene» mentii.

Aveva le occhiaie, i capelli arruffati trattenuti da una fascia, orecchini di diverse lunghezze che le pendevano dai lobi, parecchi anelli strani alle dita e una maglietta che le cadeva addosso, con un teschio disegnato sopra.

« Carina la maglietta » dissi per rompere l'imbarazzo.

« È una *calaca* » rispose lei chinando il mento. « Sai cos'è una *calaca*? »

Annuii per non fare la figura dell'imbecille, ma solo dopo scoprii che è uno scheletro coloratissimo che i messicani preparano per il giorno dei morti.

« Il mese prossimo vado con papà in Sicilia. Tu vieni? Facciamo un giro dell'isola di quattro giorni. Non sto mai con lui, ho pensato di farlo contento. »

« E come no, ci vengo, ci vengo. »

« Bene, allora ci vediamo là. » E mi abbracciò di nuovo, solo un po' più a lungo, approfittandone per bisbigliarmi all'orecchio: « Non pensare che non ti voglia più bene, è solo che fai parte di un periodo della mia vita che voglio dimenticare ».

Il suo alito caldo mi rubò un brivido, però sorrisi lo stesso e le diedi un bacio sulla guancia. Poi rimasi a fissarla mentre si allontanava con il tipo un po' barbone e un po' intellettuale e il cane che saltellava attorno come un canguro, e li invidiai entrambi, lui e il cane, perché potevano passare del tempo con Arianna, fare parte del suo mondo, anche solo per una notte, quello che a me non era più concesso. Visti da lontano, sembravano personaggi di una fiaba, in cui l'uomo barbuto recitava il ruolo del principe azzurro.

Orlando, che intanto si era infilato nel bar, era tornato al mio fianco. Noi due, al contrario del compagno di Arianna, non avevamo nulla di attraente, eravamo i classici ragazzotti che non hanno ancora capito cosa farsene della vita e vanno in giro a sciupare la giornata in attesa che la successiva porti qualcosa di nuovo.

Ogni tanto mi saliva in gola una specie di reflusso, e anche se Orlando diceva che mangiavo troppe pizze fritte, io

sapevo che, tra le altre cose, era la nostalgia di Arianna a rifarsi viva. Perché l'amavo da sempre, da una domenica di
tanti anni prima, e mi mancava. Non era colpa delle pizze,
era la mia insulsa vita che lo stomaco cercava di vomitare.

Trascorsi il mese successivo nell'attesa di rivederla. Mi è successo spessissimo durante l'adolescenza di passare il tempo
ad aspettare che i giorni scorressero, così da poterla incontrare. Prima o poi le dovrò chiedere un risarcimento di tempo.
Ma quando, finalmente, arrivò il giorno della partenza,
Arianna non c'era. Nelle settimane precedenti non avevo
chiesto di lei, un po' perché ero certo che ci fosse, un po' perché temevo che Mario potesse intuire i miei sentimenti se
facevo domande. Perciò, non appena mi resi conto che
non sarebbe venuta, sprofondai in una depressione senza ritorno che mi accompagnò per l'intera vacanza, a cui, peral-
tro, non avrei mai partecipato senza Arianna.

Furono quattro giorni di buio assoluto. Mamma e Mario
erano eccitati e scattavano foto a ogni cosa, i miei due fratelli
approfittavano delle soste per rincorrersi, strattonarsi, prendersi a pugni o mangiare gelati che, puntualmente, si scio-
glievano sulle loro magliettine alla moda sempre uguali ma
di diverso colore, scelte da Renata. Io, invece, me ne restavo
in silenzio, sopra un muretto o su una panchina, il più delle
volte con le cuffie nelle orecchie, a odiare il mondo e la gente attorno a me, proprio come Vasco quando cantava:
«... adesso invece non ci credo più, non credo più a niente,
e la mia vita non la rischio più, per nessuno e per niente!»

Avessi fatto come lui, avrei smesso di rischiare, ma era così poco divertente la mia vita che non avevo nulla da perdere. Ecco perché ho continuato ad amare Arianna.

Lo sguardo ammirato di una madre

Durante il viaggio trovai il coraggio di chiedere di Arianna. Mario mi spiegò che era partita per Barcellona con il fidanzato.

« A Barcellona? E che cosa ci è andata a fare? »

« Mah, la conosci » rispose, « si è messa in testa di trasferirsi in Spagna. »

« Vuole vivere lì? »

« Sì, dice che lui ha molti amici e alcuni clienti a Barcellona. »

« Ma perché, che fa? » si intromise mamma.

Eravamo a Catania, seduti a un bar in piazza del Duomo, a pochi passi da noi c'era la fontana dell'Elefante e di fronte la storica via Etnea. Mamma infilava il cucchiaino di plastica arancione nella sua granita di limone, Mario faceva scrocchiare sotto i denti quel che rimaneva di un cannolo alla ricotta, e Valerio e Giovanni erano alle prese con l'ennesimo cono al cioccolato. Io, invece, succhiavo una Coca calda da una cannuccia troppo piccola e avevo le mani sudate per il nervosismo.

« È un artista, fa delle opere strane, Arianna me ne ha mostrata qualcuna, tipo installazioni con materiali riciclabili. »

« E vive di questo? » domandò subito lei.

« Credo di sì. »

« Ma vuole smettere di studiare? » chiesi.

« Dice che proseguirà in Spagna. Ma figurati se per l'anno

prossimo tua sorella non avrà cambiato idea, magari si sarà anche lasciata con l'artista. Evito di farle domande, tanto so che si inventa qualcosa di nuovo ogni due giorni, così almeno non sono costretto a litigare. »

Mi colpì come non mai che Mario avesse definito la donna che amavo come mia sorella, ma non ebbi tempo di pensarci perché mamma replicò: « Sei troppo permissivo con lei ».

Mario addentò il secondo cannolo e ribatté: « Provaci tu allora ad averci a che fare ».

« Non ci penso proprio, è figlia tua, non mia! »

« E quando torna? » chiesi, interrompendo il battibecco.

« Martedì è a Napoli. »

« Ma il fidanzato, almeno, lo conosci? » domandò Renata.

« Me lo ha fatto vedere in foto. Sembra un tipo a posto, è più grande, ha la barba e un bel cane. »

« Ha la barba? » intervenni.

« Sì. »

« E un cane maculato... »

« Un cane macu... Sì, come fai a saperlo? »

« L'ho incontrata con lui il mese scorso. »

« E come ti è sembrato? »

« Brutto. »

Mario rise, mamma, però, non sembrava divertirsi. « Non capisco come fai a essere così tranquillo con tua figlia che sta in un altro Paese con uno sconosciuto. Ma la madre non dice niente? Non si preoccupa? »

« Lascia perdere la madre » rispose Mario, di colpo serio.

« Meno male che non è mia figlia, mi farebbe morire di dolore » commentò lei, in preda a una delle sue crisi d'ansia.

« Smettila di preoccuparti! Arianna, con tutti i suoi limiti, è una ragazza in gamba e di sani principi. È in grado di vedersela da sola.» Poi si alzò e aggiunse: «E adesso riprendiamo il nostro giro turistico». Per il resto del pomeriggio mi restò in testa un'immagine fissa: l'uomo barbuto che infilava i suoi lunghi peli fra le cosce della mia amata.

Al ritorno a Napoli ero sfatto. Senza più Giulia, e con Arianna che preparava una vita lontana da me e dall'Italia, non riuscivo a trovare soddisfazione nemmeno con le elargizioni di Orlando. Fu allora che entrò in gioco Rosalinda. Arianna la incontrò per caso un pomeriggio e cominciò a decantarle la bellezza della Spagna e a dirle quanto erano fortunate, lei a essere spagnola e Flor ad avere una madre di quella terra. Dopo un po' la conversazione approdò al sottoscritto.

«Di tutte le persone che perderei andandomene, mi interessa solo di Erri» confidò a Rosalinda. «Se dovessi decidere di non seguire il mio ragazzo, sarebbe per lui.»

«Gli vuoi così bene?»

«Di più» rispose Arianna con gli occhi lucidi.

E in quel «di più» Rosalinda scorse la verità. Perciò, una domenica a pranzo, eravamo soli in cucina, mi disse queste parole: «Credo che Arianna te ami».

Indossava una gonna di jeans corta e una maglietta fucsia scollata, nonostante fosse inverno, e mi dava le spalle seminude mentre metteva la caffettiera sul fuoco.

«E tu che ne sai?» chiesi, sbalordito e paonazzo.

Mi raccontò l'incontro e alla fine disse: «In fondo non te è niente, no?»

«Già, non mi è niente» ripetei con un sussurro. Una frase che mi ha accompagnato per una vita.

«Potreste metterve insieme!» proseguì Rosalinda raggiante, come se stesse recitando in una telenovela.

« Figurati, mia madre e Mario impazzirebbero. No, è impossibile. »

« Allora potreste almeno fare l'amore de nascosto » aggiunse.

Sorrisi e mi trovai a fissare incantato quella donna che sembrava una mia coetanea.

« Così dimenticheresti anche quella lì, come se chiama, Giulia. »

« Arianna è fidanzata. »

« Ma non lo ama. »

« E che ne sai tu? »

« Lo so, fidati. Le donne queste cose le sanno. »

« Siamo troppo diversi, abbiamo vite troppo diverse. »

In quell'istante entrò mio padre, per controllare se il caffè era pronto. Rosalinda cambiò subito argomento e solo quando lui fu uscito mi si avvicinò con la tazzina in mano e sussurrò: « Chiamala e stai con lei. Non te preoccupare, sarà il nostro segreto! » Poi mi diede un bacio sulla guancia e, uscendo dalla stanza, concluse: « Comunque, se Arianna te dice de no è proprio *loca*! »

Chissà perché, agli occhi di Rosalinda sono sempre stato un bel ragazzo. Non so se è una questione di affetto materno, o perché assomiglio al marito. Alla fine credo sia un insieme di queste due cose. A un certo punto, però, non mi è interessato più sapere il perché e mi sono goduto i suoi occhi che mi vedevano bello e affascinante, un po' come il figlio si bea dello sguardo ammirato della madre. Con la sottile differenza che io una madre già l'avevo. La verità è che la vita di un uomo è fatta di troppe madri e sempre pochi padri.

Una visione disincantata

Siamo ancora distesi sul letto, quando Arianna sorride un istante e si fa seria. «Ma dove sei stato negli ultimi vent'anni?»

Vorrei rispondere con una battuta, ma lei prosegue: «Dov'eri mentre avevo bisogno di te e neanche lo sapevo?»

«C'ero, ci sono sempre stato.»

«Non mi ricordo di te in tutto questo tempo, se non a qualche festa inutile, a Capodanno, a un battesimo. Sei l'unica persona che davvero conta per me, e invece eri diventato un viso familiare che rivedevo alle cerimonie.»

«Ci stavamo dando da fare per costruirci una vita, una famiglia.»

«Tu, forse, io non ho fatto niente di costruttivo. Non mi riesce di costruire, so solo distruggere» ribatte e si alza dal letto per aprire la finestra e accendere, infine, la sigaretta.

«Be', per la verità anch'io ho dimostrato di non essere poi così bravo a costruire.»

«Be', intanto, per adesso, hai un figlio. È molto più di quello che ha tanta gente.»

«Sempre che sia mio...»

«Che te ne frega di chi è? È davvero tanto importante? Se Matilde ti ha voluto comunicare la notizia, è perché ha deciso di volerlo con te, il figlio.»

«Tu pensi?»

«Penso di sì.»

« Sono giorni che tento di chiamarla, poi all'ultimo butto giù, non saprei che dirle. Forse ho paura di sentire la verità, di sapere che non è mio. »

Arianna fa solo tre boccate, poi spegne la sigaretta con gesti nervosi e si rimette sul letto, al mio fianco, le gambe incrociate e la schiena alla parete. I miei occhi indugiano sui suoi piedi uniti e sui calzini bianchi, e mi viene da pensare che non ho più visto le sue magnifiche gambe. Arianna non indossa una gonna, un abitino, qualcosa che esalti la sua femminilità, da non so quanto tempo. Forse dovrei chiederle il perché.

« Dovresti saperlo che non tutte le esistenze sono uguali, che per alcuni le cose belle semplicemente non succedono, o lo fanno di rado. Dovresti capire che *quelli come noi* devono essere bravi ad acchiappare il bello che arriva, di qualunque cosa si tratti. Perché difficilmente ti accadrà di meglio. »

« Non è proprio una visione ottimistica della vita, la tua... »

« La definirei disincantata. Nessuna vita è facile, questo è vero, però in alcune i giorni di festa sono una rarità. E nessuno sa perché. Nessuno può farci niente. Se ti lasci sfuggire questo figlio, non ne avrai altri e passerai la vecchiaia a giocare con cinque o sei nipotini messi al mondo dai nostri fratelli. Non dico che non potrai costruirti anche tu una nuova vita. Lo farai, ne sono certa. Ma dovrai prima lottare contro te stesso, contro i demoni del tuo passato. E mentre tu starai lì a combattere, gli altri avranno già percorso buona parte della strada. Tutti possono tagliare il traguardo. Ma vince solo chi lo fa per primo. »

Detta così, non mi rimane che chiamare quanto prima Matilde.

« Te lo dice una che l'opportunità l'ha avuta e non l'ha colta. »

Silenzio.

«Ari, non eri nemmeno maggiorenne, non sentirti in colpa» tento di dire.

«No, non ero piccola, a sedici anni non si è piccoli.»

«Sì, invece.»

«No, io piccola non lo ero nemmeno a sette. E tu lo sai.»

Resto in silenzio perché altrimenti dovrei darle ragione.

«È che, come te, non sapevo di chi fosse davvero quel figlio.»

«In che senso?» chiedo e aggrotto le sopracciglia.

«Poteva essere di Luca, certo, il mio ragazzo di allora. Ma sarebbe potuto essere anche il figlio del compagno di mia madre.»

Il mio collo rimbalza all'indietro, e sbatto le palpebre come intontito. Alla fine riesco a sillabare: «Che cosa stai dicendo?»

Lei china il capo e inizia a strofinare il polpastrello fra le cuciture della trapunta. «Perché, davvero non avevi capito?»

«Cosa?»

«Che ero l'amante del mio patrigno.»

«Smettila» rispondo turbato, mentre mi tornano alla mente le parole di lei da piccola, il famoso piano per liberarsi dell'americano, incolpandolo di pedofilia.

«Non mi credi o non hai la forza di sentire la storia?»

Resto a fissarla e non dico una parola, i peli ritti sulle braccia e il cuore che mi chiude la gola.

«Quando ti parlai del piano, non era ancora successo nulla. È stato molto dopo, avevo circa tredici anni il giorno che mi ritrovai a letto con lui.»

«Cristo, Arianna, perché me lo dici solo adesso?» strozzo un grido e mi sollevo anche io a sedere sul letto.

«Non fu colpa sua» chiarisce subito, «ero stata io a provocarlo. Mi piaceva vedere i suoi occhi famelici su di me, lo facevano anche i ragazzetti ai quali mostravo le tette. Però con lui era diverso, lui era adulto, eppure non poteva fare a meno di fissarmi il culo, di sbavarmi dietro. Così me la ridevo e gli passavo davanti sempre mezza nuda. »

La guardo e mi sembra di vederla per la prima volta; l'Arianna che sta sviscerando il suo più grande segreto non è quella che ho conosciuto fino a oggi.

« Poi, un pomeriggio in cui eravamo soli in casa, non si accontentò più di guardarmi e mi seguì nella mia stanza. Avrei potuto cacciarlo, è vero, avrei potuto dargli uno schiaffo, minacciarlo di urlare, di chiamare mio padre, di raccontare tutto a mamma. Invece sorrisi e mi sfilai la maglietta. Lui stropicciò gli occhi, sudava freddo e apriva e chiudeva le mani. Allora mi girai e gli mostrai il sedere, mentre infilavo le mutandine fra le natiche. Poi scoppiai a ridere, mi stavo divertendo, solo che lui non ci trovò nulla da ridere, in un attimo mi fu addosso, mi sbatté contro l'armadio e cominciò a toccarmi ovunque. Anche lì avrei potuto urlare, qualche vicino forse sarebbe arrivato, invece me ne restai in silenzio e lo lasciai fare. Mentre lui passava la lingua sul mio corpo, io mi guardavo allo specchio e non riuscivo nemmeno a piangere. Eppure ero già consapevole che niente sarebbe stato più come prima. »

« Perché non me lo hai mai detto? Perché non ne hai parlato con nessuno? »

« Quel giorno mi sverginò e poi si mise a piangere, disse che aveva perso la testa, che aveva fatto una cosa orribile, mi pregò di non denunciarlo, di non dire niente a nessuno. E io ubbidii. Mi sentivo fuori dal mio corpo, che cominciò a farmi ribrezzo, la sera nel letto mi pizzicavo quasi a sangue i capezzoli e nel bagno della scuola mi spegnevo le sigarette sulla pancia...»

Mi passo una mano sul viso, come se volessi scacciare il senso di colpa per non aver visto, non essermi accorto di nulla.

L'Arianna adolescente che veniva da noi non giocava più con me, se ne restava tutto il giorno sul divano a guardare la tv. Parlava poco, aveva sempre lo sguardo assente, non guardava mai nessuno in faccia, mangiava pochissimo. Avrei dovuto e potuto capire. Gli adulti avrebbero dovuto e potuto capire. Avrebbero dovuto farsi e farle qualche domanda.

Invece, nessuno disse nulla. Solo mia madre si lamentò con Mario per la sciatteria della figlia che, tra le altre cose, rendeva il salotto impresentabile.

La più bella fantasia di sempre

« Mi sono fidanzata » esordì un giorno Arianna senza grande enfasi.

« Davvero? » Fu come un pugno che mi perforò lo stomaco.

Lei annuì e rimase in silenzio, in attesa forse di un'altra domanda, che arrivò puntuale.

« E con chi? »

« Con uno più grande di me e di te. »

« Davvero? » domandai di nuovo a bocca aperta.

Lei mi prese per il braccio e mi trascinò fuori sul balcone, il posto dove potevamo sviscerare segreti di ogni tipo.

« Voglio fare l'amore con lui. Voglio regalargli il mio corpo. »

« L'amore? » chiesi inebetito. Anni di desideri inconfessati andavano in fumo davanti ai miei occhi. Se lei avesse fatto l'amore, non sarebbe più stata mia. Se si fosse concessa a un ragazzo grande, non mi avrebbe più degnato di uno sguardo.

« Eh, l'amore! Perché, che c'è di tanto strano? »

« Non sei troppo piccola? » ribattei.

« Erri, io non sono piccola, non lo sono mai stata » disse, anche quel giorno. « E poi i ragazzi a tredici anni sono piccoli, le donne no. Le mestruazioni mi sono venute da un bel po'. »

« Davvero? » chiesi e rimasi di nuovo a bocca aperta.

Lei sbuffò e ribatté: « Sai dire solo questo? »

In effetti la conversazione non fu brillantissima. Ma avevo tredici anni, i baffetti neri, i brufoli sulla fronte, ero troppo magro (come mio padre) e con i piedi piatti, portavo l'apparecchio e gli occhiali, avevo le orecchie a sventola. Di brillante, insomma, c'era poco. E poi, la sua rivelazione mi aveva riportato alla realtà: a quel punto sapevo che mai avrei conquistato il cuore di Arianna, che mai lei sarebbe stata mia, che le fantasie che animavano le mie masturbazioni tali sarebbero rimaste, fantasie.

« Ho bisogno di sapere una cosa, ma non so a chi chiedere. »

« Cosa? »

« Quando fai l'amore, l'uomo si accorge se per la donna è la prima volta? »

Strabuzzai gli occhi. Quella domanda mi coglieva del tutto impreparato. Balbettai qualcosa di incomprensibile e lei capì che non ne avevo idea.

« Vabbè, come non detto. Facciamo così, tu domani a scuola chiedi a qualche tuo amico un po' più sveglio e poi mi fai sapere. »

« Che devo chiedere? »

« Erri, cazzo, devi domandare se un ragazzino di quindici anni può accorgersi che una donna non è vergine! »

A quel punto la domanda mi uscì spontanea: « Perché, non sei vergine? »

« Domattina » ribatté lei, « vai a scuola, domandi e mi fai sapere. Capito tutto? »

Annuii.

« Te lo devo ripetere? »

Feci di no con la testa.

Lei mi guardò quasi con compassione e aggiunse: « Erri, però, dovresti svegliarti un po', sai? Così non scoperai mai! »

Non dissi nulla e lei proseguì: « Hai mai toccato una donna? »

« Una volta, a una festa. Però non ci ho capito molto. »

« E una donna ha mai toccato te? »

« No. »

Arianna allungò la mano verso i miei genitali. Io chinai la testa per seguire la traiettoria del suo braccio e quando rialzai lo sguardo lei sorrideva.

« Se mi fai sapere quella cosa, ti faccio un regalo. »

« Che regalo? »

« Ti tocco io. »

La sera, nel letto, quella promessa fu la base della più bella fantasia di sempre.

Non mi fidavo di Pasquale e degli altri amici; sapevo che per farsi grandi erano capaci di raccontare le migliori balle, perciò puntai Ciro, il figlio del bidello, che era il ragazzo più furbo dell'istituto. Forse perché era abituato a passare i pomeriggi per strada, forse perché, da quel che si diceva in giro, suo padre, con i figli, non era cordiale come lo era con la professoressa di italiano, davanti alla quale scattava alla minima richiesta.

Al di là di questo, Ciro fu un grande amico e mi spiegò che una donna quando perde la verginità sanguina. Perciò, in caso contrario, « è 'na zoccola! »

Il giorno dopo esposi con parole più eleganti il risultato della mia ricerca ad Arianna e il sorriso le sparì dalla faccia.

« Sei sicuro? » chiese.

« Ciro così ha detto » mi limitai a ribattere. Poi, davanti al suo silenzio, aggiunsi: « Ma perché, chi è che non sanguina? »

Lei mi dedicò la solita smorfia inespressiva di quando era delusa e disse: «Vuoi che mantenga la promessa?»

Mi feci rosso in viso e balbettai di sì. Eravamo nella mia stanza, la tata Luisa giocava con i miei fratelli in cucina e mamma parlava al telefono in salotto. Arianna si guardò in giro, mi afferrò per il braccio e mi condusse dentro l'armadio. Non vedevo nulla, mi mancava l'aria e avevo paura che arrivasse Renata. Perciò stavo per aprire l'anta quando sentii la sua mano. Mi slacciò i pantaloni e mi abbassò gli slip, poi iniziò a toccarmi. Solo che non era brava come me, andava troppo veloce e continuava a chiedermi se mi piaceva. Così, dopo un po' la bloccai. «Va bene, basta.»

Lei rimase in silenzio, le sue dita ancora su di me, infine commentò: «Lo immaginavo, sei solo un ragazzino imbranato».

Ritirò il braccio, aprì l'anta e sgattaiolò fuori. Mi abbottonai veloce i pantaloni e la seguii. «Mi è piaciuto» dissi.

Arianna si guardò allo specchio dell'armadio mentre rispondeva: «Gli uomini veri, gli adulti, sanno mostrare a una donna il loro piacere».

«Che ne sai tu?» chiesi d'istinto.

«Io ci scopo con un uomo adulto.»

«Ma che dici?»

«Ma che dici?» ripeté con voce buffa per sbeffeggiarmi. Poi si passò il rossetto sulle labbra e tornò davanti alla tv. E io rimasi sul letto con la bocca aperta e una delle tante domande senza risposta sulla punta della lingua.

Chi è questo adulto?, avrei dovuto chiederle, se solo ne fossi stato capace.

La parola giusta è «annientamento»

«Non fare quella faccia» esclama Arianna, «dopotutto sono ancora qui» e ridacchia.

Già, ma a quale prezzo?

«Non mi sembra vero...» ripeto invece.

«È tutto vero. E non so perché te lo sono venuta a dire. Ah, sì, perché stavamo parlando di tuo figlio. Vuoi sapere come andò a finire?»

Annuisco.

«Che invece di denunciarlo diventai la sua amante e quel corpo di cui non sapevo più che farmene diventò il suo. Appena mia madre non c'era facevamo l'amore, oppure lo toccavo, qualche volta anche quando lei era in un'altra stanza.»

«Gesù, Arianna, perché?»

«Perché? È la domanda che mi sono posta per tanti, troppi anni, anche insieme al dottor Iazeolla.»

«Lui sapeva?»

«Certo.»

«E non ha detto nulla?»

«Quando sono andata in terapia, Barry era già tornato in America da un pezzo» risponde, e spegne un'altra sigaretta nel portacenere.

«Eri innamorata di lui?»

«No, l'ho creduto per un po', mi serviva crederlo. In realtà era lui a essere pazzo di me, mi chiedeva di fuggire insieme in Texas, che lì avremmo iniziato una nuova vita e atteso che io diventassi maggiorenne. Era un pazzo, ma i suoi piani senza senso mi divertivano. Poi mi fidanzai e lui perse la testa. Cominciò a minacciarmi, addirittura disse che avrebbe rivelato tutto a mia madre. Io lo sfidai, che lo facesse pure, tanto non me ne fregava nulla, e lui sarebbe finito in galera. Allora scoppiò a piangere e mi pregò di lasciare Luca, solo che più lui piangeva, più io mi infuriavo. Gli tirai un calcio nelle palle, iniziai a graffiarlo e gli sputai in faccia, e lui niente, mi pregava di tornare in me, diceva che mi amava e più me lo ripeteva, più lo picchiavo, lo graffiavo, gli tiravo i capelli, urlavo. A un certo punto bussarono i vicini e mi inventai che stavo litigando al telefono col mio fidanzato. Da allora iniziai davvero a odiarlo, mi faceva schifo, ai miei occhi ormai era un ragazzino senza palle.»

Mi alzo dal letto e mi accosto alla finestra, di fianco a me c'è Renata, che dorme ancora, beata e inconsapevole di quanto possa ferire la vita. Inizio a massaggiarmi le tempie. Mi sembra di ascoltare la sceneggiatura di un film e non mi pare vero che il racconto provenga dalle labbra di Arianna. Credevo che la sua infanzia, come la mia, fosse stata difficile, che fosse una donna problematica perché infelice. Ma questo va ben oltre l'infelicità con cui spesso mi riempio la bocca. Questo è annientamento. Quello che Arianna si porta sul viso da sempre.

«Poi arrivò il giorno in cui mi accorsi della gravidanza. Glielo confidai in lacrime. Lui disse che poteva anche essere figlio del mio ragazzo, e che comunque dovevo abortire.»

«Bastardo...»

«Due giorni dopo era sparito per sempre. Tornato in America. La cosa buffa è che mia madre ancora si rammarica di non essersi resa conto del cambiamento, di non essersi accorta che lui non l'amava più. Se solo sapesse la verità, altro che rammarico... »

Si ferma a fissarmi un istante e aggiunge: « Volevi sapere perché. Be' adesso lo so il perché, ce l'ho chiaro davanti agli occhi. Ho fatto tutto questo per distruggere la vita di mia madre, per punirla di aver lasciato papà e avermi portato in casa un uomo che non conoscevo. E così le ho tolto l'amore, volevo dimostrarle che ero meglio di lei, più bella e irresistibile di lei. E per riuscirci ho buttato nel cesso la mia vita ».

Restiamo in silenzio per qualche secondo e le voci provenienti dal salotto si infilano sotto la porta. Dopo un po' mi giro a guardarla e non riesco a trattenermi: « Forse sarebbe stato più facile perdonarla ».

Piccola riflessione sul perdono

Nella vita ce la menano così tanto con la storia del perdono – perdona di qua, perdona di là – che ho cominciato a farlo anch'io. Tanto tutti, chi più chi meno, abbiamo qualcuno da perdonare e qualcosa da farci perdonare.

Giulia, per esempio. L'ho perdonata subito, il tempo di un orgasmo. Matilde la perdonerò di sicuro, il giorno in cui mi farà meno male. Un pomeriggio mi trovai a parlare di perdono con Mario perché un amichetto di scuola non mi aveva invitato alla sua festa di compleanno. « Il perdono fa parte della vita di ognuno di noi » disse lui, « se non ci fosse, non esisterebbero gli errori. Tutti sbagliano, tutti perdonano. Il ciclo inizia presto. Già con i genitori. Un domani ti troverai a dover assolvere anche loro, anche tua madre. »

« Lei non mi ha ferito » risposi fiero.

« Lo ha fatto, Erri. Solo che non lo sai ancora. »

Mio padre l'ho già perdonato. Non è stato poi così difficile, ho deciso di metterci una pietra sopra perché mi annoierebbe a morte avercela ancora con lui e tenere il muso ogni volta che lo vedo.

Mia madre, invece, ancora mi crea qualche problema. Iazeolla sostiene che se non la perdono non sarò mai davvero felice con me stesso e con il tutto che mi circonda, e mi toccherà continuare a fare terapia. E nella sua tesi c'è un fondo di verità, perché è difficile sentirsi in pace con il tutto se ogni settimana il tuo analista s'intasca ottanta euro.

A ogni modo, a perdonare mia madre proprio non ci riesco. Mi ha ferito molto meno di mio padre, solo che con lei il conto è ancora aperto. Almeno finché la vita non mi costringerà a rivedere le priorità e mi obbligherà a impegnarmi più per essere perdonato che per perdonare.

Ma per questo dovrei diventare padre.

Il Ki

«Comunque, nella vita non si deve per forza avere un figlio!» esclama Arianna, rompendo il silenzio.

«Infatti» commento, ma il pensiero è ancora al racconto di qualche minuto prima.

«Invece, se ti guardi in giro, sembra proprio che l'umanità non abbia altro scopo che riprodursi. Cavolo, ne abbiamo fatta di strada negli ultimi millenni» e sfila l'ennesima sigaretta dal pacchetto, «eppure la gente ancora non pensa ad altro che ad avere figli.»

«Be', è l'istinto di conservazione della specie» abbozzo, «in questo siamo come le scimmie.»

«No, la scimmia è libera dai preconcetti che rendono l'uomo schiavo. È l'essere sessualmente repressi che ci rende la specie più aggressiva del pianeta.»

«Non male la teoria.»

«È la verità. Tu, per esempio, secondo me lo sei parecchio.»

«Cosa?»

«Sessualmente represso.»

«Mi sembra di sentire mia sorella Flor.»

«Anche lei ti dà del represso?»

«Sì, in linea di massima sì, anche se non fa tutti questi preamboli. Diciamo che Flor è abituata ad andare dritta al punto.»

«Fa bene. E, comunque, per tornare ai figli, credo che la

vita sia qualcosa di così grande da non potersi ridurre a questo, al riprodursi. »

« Per molti diventa un modo per dare un senso al tutto. Alla nostra età è naturale sentire l'esigenza del cambiamento, di qualcosa di nuovo che ci dia uno scopo. Ma non dev'essere per forza un figlio. O, almeno, non deve e non può essere solo quello. Prendi Clara, prima era una ragazza allegra e piena di interessi, adesso è *solo* una madre. »

« Ecco » ribatte Arianna, « prenditi questo figlio, ti spetta di diritto ed è una cosa bella che non puoi rifiutare, però non farlo diventare la sola ragione di vita. Non sai quante mie amiche se ne vanno in giro con i pancioni, fiere e orgogliose di aver dato, finalmente, un senso al tutto. »

I suoi discorsi mi fanno sorridere e per un po' riesco persino a dimenticare il racconto orrendo che ho appena ascoltato.

« E smettetela di portarvi i figli ovunque! Ma, scusa, quando noi eravamo piccoli, mica uscivamo con i nostri genitori! Quante sere abbiamo trascorso con le baby sitter e i nonni? Adesso è diventato impossibile, se voglio vedere un'amica sono costretta a sorbirmi anche il moccioso di turno. »

Arianna è inarrestabile, come se parlare la aiutasse a spingere di nuovo giù tutto lo schifo venuto a galla.

« Starai pensando che sono una strega invidiosa perché non ho figli » e muove le pupille in cerca del mio sguardo.

« Non lo penso affatto. »

« Che poi, secondo me, la ricerca ossessiva di una gravidanza a tutti i costi denota altri problemi. Va bene desiderarlo, provarci, ma incaponirsi contro la natura non lo accetto. Non si mettono al mondo i figli per dare un senso alla propria esistenza; non si può pretendere che con la loro vita salvino la nostra. »

«Matilde e io ci siamo incaponiti per tanto tempo.»

«E avete sbagliato. Come vedi, non abbiamo poteri sulla vita. Decide lei. E ha stabilito che è questo il momento giusto.»

«O, come direbbe Flor, più semplicemente il liquido seminale dell'amante è più potente del mio.»

«No, non credo, penso si tratti di energia vitale. Di Ki. Sai cos'è il Ki?»

«No, per niente.»

«È la forza vitale, appunto, l'energia ancestrale presente in ogni essere vivente. La vita che si rigenera da millenni.»

La guardo senza capire.

«Il Ki circola nel tuo corpo e genera il respiro, la digestione, la circolazione, la secrezione. Ogni cellula del tuo corpo è attraversata da questa forza, un'energia primordiale che conserva la memoria di un passato antichissimo. Il Ki è l'essenza del significato della vita e cercarla significa cercare lo scopo, raggiungere l'equilibrio con se stessi e con il mondo che ci circonda.»

«Ma che ne sai tu di queste cose?»

«Non ho mica passato tutta la vita a piangermi addosso, sai? Faccio yoga e seguo un corso di arti marziali.»

«Davvero?»

«Già. Karate.»

«Bello, ti insegnano a difenderti.»

«Già, a difendermi da me stessa, però. Tento come posso di contrastare la mia stessa forza negativa. A volte, quando la sento risalire lungo l'esofago, penso che potrei fare qualsiasi cosa, qualunque cattiveria. In realtà tutti siamo capaci di tutto. Dipende solo dal grado di dolore col quale conviviamo.»

Mi arriva un messaggio sul telefono. È di nuovo Flor.

Se non mi richiami nel giro di un quarto d'ora, scordati di avere una sorella!

« Chi è? »

« Parli del diavolo... È Flor. »

« Lei lo sa di questo figlio? »

« Non ho ancora avuto modo di dirglielo. Aspetto di vederla. »

« Come sta? »

« Bene, lei sta sempre bene. »

« Come fa? »

« Credo sia un dono della genetica. Sua madre è una donna solare e in pace con gli altri e con se stessa. »

« Ha trovato il suo Ki. »

« Sì, credo di sì. »

« E tu lo hai trovato? »

Faccio una smorfia. « Tu cosa ne dici? No che non l'ho trovato, ma nemmeno l'ho cercato. In realtà mi sembra di non seguire una corrente, una direzione, ma di ondeggiare, sbattendo di qua e di là come un ubriaco. Però alla fine resto sempre in piedi. »

« Be', è già qualcosa. Almeno avanzi a tentoni e non ti fermi, non cadi. Vedrai che il bambino ti aiuterà a non oscillare più. O a farlo solo ogni tanto. Non c'è nulla di esterno, nemmeno un figlio, nemmeno il più potente degli amori, che possa guarirti da te stesso. Solo tu puoi farlo, solo il tuo Io profondo. »

« Non ho un grande rapporto con l'Io. In famiglia tendiamo a considerarlo qualcosa di fantastico, alla stregua, che ne so... degli ufo, o di Zio Paperone. »

Arianna ride e anch'io mi sento bene.

« E tu, non pensi proprio ad averne uno? Di figlio, intendo » mi decido a chiederle.

« Sei scemo? Ti ho appena detto che odio le donne con il pancione e lo sguardo borioso! »

« Tu non saresti boriosa. E non ti verrebbe nemmeno una pancia troppo grande. »

Lei sorride ancora un attimo prima di farsi seria. « La verità è che non posso occuparmi di qualcun altro. Sono troppo impegnata a sopravvivere per pensare di vivere. E poi, ogni giorno dovrei proteggere quella povera creatura da me stessa. No, meglio di no. Comunque, un figlio non si fa da soli... »

« Io credo che saresti una buona madre. »

Arianna volta la testa per incontrare i miei occhi. « Davvero lo pensi? »

« Certo. Non credo affatto che la sofferenza fortifichi, come molti dicono, però almeno apre gli occhi, permette di vedere cose che ai più restano nascoste. Tu sapresti come proteggere tua figlia dal dolore molto meglio di quanto abbiano fatto i tuoi genitori con te. »

Arianna sembra sul punto di commuoversi. Si stende di nuovo sul letto, con la testa appoggiata al palmo della mano, e ribatte: « Chi ti ha detto che sarebbe una femmina? »

« Non lo so, mi piacerebbe, ecco. »

« Ti piacerebbe? »

Annuisco. Lei sospira e commenta: « Forse dovremmo farlo tu e io un figlio. Sarebbe la cosa più giusta. In un altro mondo, però ».

Mi avvicino e le stringo la mano. Lei ci si avvinghia prima di riprendere. « Sai cosa? Mi piacerebbe avere una figlia, però già grande, di cinque o sei anni. Comprerei una casa in campagna e affitterei le camere ai turisti di passaggio. Preparerei loro la marmellata con la frutta dei miei alberi, insegnerei a suonare la chitarra a mia figlia, sul terrazzo, la sera dopocena, e poi ce ne staremmo a parlare del mondo con gente che viene da lontano. Avremmo tanti cani, e anche un cavallo, se possibile. E poi mi piacerebbe imparare a pescare, avere la pazienza di starmene lì a scrutare l'acqua senza tormenti nella testa, oppure cucinare pietanze prelibate e strane. Vorrei solo dimenticarmi di me, semmai anche del mio nome. Mi piacerebbe fare un po' di buona vita, Erri, solo un po' di buona vita. »

Sto per abbracciarla con la forza che mi rimane, ma in quel momento Clara bussa alla porta e apre. « Scusatemi » dice e si infila piano nella stanza, « volevo controllare se Renata dormiva. »

« Come un ghiro » risponde Arianna.

Clara sorride, poi nota il portacenere con le cicche spente e inorridisce. Subito dopo guarda la finestra aperta e inspira piano. È Arianna a interrompere il teatrino. « Ho fumato io, ma fuori dalla finestra » dice, anche se non è vero, « non ti preoccupare. »

Clara non dice nulla, ma in realtà sta pensando a un modo per fuggire da questa casa di matti, a un luogo asettico in cui portare la figlia per proteggerla dal mondo e dalla vita.

« Ora veniamo » le dico mentre richiude la porta con una lentezza esasperante.

« No, non possiamo! » esclama subito Arianna.

« Perché? »

« Ti devo confessare ancora una cosa. La più importante. »

« Più importante di quello che mi hai detto finora? »

« Sì » sussurra, ma non mi guarda.

Sospiro rassegnato. « Avanti, cos'altro hai nascosto all'unica persona che conta per te? »

La sua voce è roca mentre sillaba la frase che mi fa venire i brividi. «L'incidente di tanti anni fa...»

Resto a fissarla in silenzio, in attesa che le sue parole confermino quello che ho già capito.

«Non fu un incidente. Volevo ammazzarmi.»

Preparati al peggio

«Preparati al peggio...»

Sono queste le parole che ancora oggi conservo nel mio cervello. Le pronunciò mia madre subito dopo avermi raccontato dell'incidente di Arianna. Era l'agosto del 1996 e mi trovavo in Grecia con amici quando arrivò la sua telefonata. Era mattina presto, il presto di una vacanza al mare, e le grida della vecchia signora che ci aveva affittato l'appartamento mi rimbombavano nel cervello mentre barcollavo in direzione della sua casa (proprio di fronte alla nostra) per rispondere al telefono.

«Che è successo?» chiesi con la voce impastata.

«Amore, ti devo dire una cosa...» esordì mia madre.

«Cosa?»

«Arianna...» ribatté, e prima ancora che avesse finito di pronunciare il nome, mi ero del tutto svegliato ed ero presente a me stesso.

«Che ha fatto?»

«Ha avuto un incidente...»

Silenzio.

«E allora?»

«È molto grave.»

Sentivo il cuore battere sempre più forte e mi mancava l'ossigeno.

«Morirà?»

«Può darsi.»

Un'ora dopo ero sul molo e tre ore dopo in viaggio verso casa. Ari era andata a finire in un burrone lungo la strada che porta da Acciaroli a Palinuro. Era sola in macchina e probabilmente aveva bevuto.

Ancora ricordo il ponte della nave che mi stava riportando in Italia, le sigarette accese e spente, i cazzotti allo zaino, la disperazione di non poter telefonare per avere altre notizie.

«La stanno operando» aveva detto mia madre. E poco prima che chiudessimo la conversazione aveva aggiunto quelle famose parole: «Erri, non so quando riuscirai a tornare. Però, ecco... preparati al peggio».

E durante il viaggio di ritorno questo feci, mi preparai al peggio.

L'ho già detto, nessuno mi ha mai protetto dalla verità. Neanche mia madre.

Invece Arianna era viva, anche se per tre giorni dovettero tenerla in coma farmacologico. Si venne poi a sapere che era imbottita di alcol e antidepressivi e che davanti a quella curva a gomito non aveva neanche accennato la frenata.

Per anni abbiamo creduto che la colpa fosse delle sostanze che le scorrevano nelle vene. Per anni ci siamo preoccupati che non ricominciasse a bere e a drogarsi di psicofarmaci. Per anni abbiamo tentato di proteggerla dai mali esterni senza preoccuparci del fatto che Arianna il male l'aveva dentro.

Io, il buio e i Pearl Jam

Nel silenzio che segue, riesco addirittura a sentire il lieve respiro di Renata. Ed è proprio lei che guardo d'istinto, forse per accertarmi che dorma davvero, che non ascolti l'ennesima storia dolorosa della serata.

«Sì, avevo bevuto, fumato, ero piena di psicofarmaci, ma non sarei andata dritta in quella curva se non lo avessi voluto. Io la morte l'ho puntata, la cercavo e non mi faceva paura. Capisci? Puoi capirmi?»

«No» bisbiglio, «non è facile.»

«Già, non è facile. È che quella sera non riuscii a trattenere l'energia di cui ti ho parlato. Avevo voglia di rimettere, ma non era colpa dell'alcol, lo sapevo. C'era qualcosa che non andava più in me, come se la bolla fosse scoppiata e non potessi più tornare indietro. Mi misi in macchina e iniziai a correre lungo le curve fuori Palinuro, sul pendio della montagna, con lo stereo a tutto volume. C'eravamo solo io, il buio e i Pearl Jam. Ricordo la canzone, era *Black*, e anche il rumore delle gomme sull'asfalto, il bagliore dei fari contro la montagna, il suono metallico del guardrail che si spezza come un grissino. Poi non ricordo più nulla.»

Chiudo gli occhi e cerco di recuperare un respiro regolare. Vorrei fermarla, spiegarle che ho bisogno di tempo per smaltire tutto il marcio che mi ha riversato addosso stasera. Vorrei avere la forza per dirle che è vero, le cose brutte ti marchiano a vita, però un attimo dopo che ti sono piombate addosso ti accorgi di vedere quello che prima non vedevi. Perciò, Ari, d'ora in avanti tieni gli occhi ben aperti, che la felicità è come il pulviscolo, si nasconde nell'aria e viene fuori al primo raggio di sole.

«Sono stati i tre giorni più brutti della mia vita» dico invece.

Lei sembra colpita dalle mie parole e si blocca. «Davvero?»

«Davvero.»

«Non dovrei, ma sono contenta.»

«Di che cosa?»

«Di averti fatto vivere i tre giorni peggiori della tua vita. Vuol dire che mi ami.»

«Lo sai che ti amo.»

Arianna mi accarezza il viso e riprende a parlare. «È che quella maledetta sera ero con un ragazzo, uno del posto che mi piaceva. Passammo tutta la notte a bere e fumare nella mia auto, poi lui cominciò a toccarmi, e a me non andava. Gli dissi di tenere le mani a posto, ma lui era troppo eccitato e non mi ascoltò. Mi spinse contro lo sportello e cominciò a baciarmi ovunque. Non ci vidi più e cominciai a colpirlo con pugni e calci, a graffiarlo e a tirargli i capelli proprio come avevo fatto con Barry. Poi lo spinsi fuori dall'auto e lo abbandonai in quel posto sperduto. Quello che è successo dopo lo sai.»

«Giurami che non accadrà più» dico dopo un po'.

Lei mi fissa a lungo mentre le lacrime si accumulano ai bordi degli occhi. Alla fine risponde: «Non accadrà più».

«Sono stati i tre giorni peggiori che ricordi» ribadisco.

«L'ho capito.»

«Bene.»

«Sto tentando di riprendermi la vita, ce la sto mettendo

tutta, anche se a volte non è semplice. C'è qualcosa dentro ognuno di noi che ci spinge a non guarire, a non smuovere l'energia dormiente, a non ritrovare il Ki. È un miscuglio di paura, frustrazione e rabbia, che ci tira giù non appena si accorge che scalciamo per tornare in superficie. »

« Se vuoi, ti aiuto io a risalire in superficie. »

« No, tu non puoi farci niente, Erri. Ciascuno deve vincere da solo i propri demoni. Tu hai i tuoi e io i miei. Si tratta solo di avere pazienza e forse, alla fine, potrò dire di averla davvero scampata. Nel dolore, lo capisci subito, non puoi avere tutto e subito, devi imparare a essere paziente e a convivere con la sofferenza, sperando che il tempo curi tutte le ferite, anche se ne deve passare tanto, troppo, e intanto con lui passa anche la tua vita. »

« Fa' un passo alla volta. È già qualcosa che tu ora stia meglio. »

« Io non voglio stare meglio. Io voglio stare bene. »

Ci abbracciamo e i suoi capelli quasi mi finiscono in bocca. Hanno lo stesso profumo di un tempo, un aroma che mi è rimasto dentro e che ancora oggi mi riporta a noi due rinchiusi nell'armadio, alla mia guancia sulla sua guancia, a quel nascondiglio segreto che nessuno è mai riuscito a trovare.

Un bravo nonno

« Finalmente ti sei deciso. Ancora un po' e perdevi tua sorel-la. Perché ti ricordo che la tua 'unica' sorella sono io. »

« Ho avuto una serata niente male, Flor, scusami. »

« Problemi? »

« Quanti ne vuoi. Poi ti dirò. »

« Mi piacerebbe che almeno una volta tornassi da casa Ferrara con un bel sorriso. »

« Be', non siamo proprio la famiglia del Mulino Bianco. »

Sono seduto sulla tavoletta del water mentre il resto della famiglia è ancora in salotto, dal quale mi sono assentato cir-ca tre quarti d'ora fa, tanto è servito ad Arianna per sviscerare il suo dolore.

« Comunque... veniamo a noi: ho parlato con papà. »

« L'avevo capito. Che cosa ha detto? »

« In estrema sintesi? »

« In estrema sintesi. »

« Che sei una testa di cazzo. »

Silenzio.

« Vabbè, nessuna novità. E poi? »

« Che la vita è la tua e se te la vuoi rovinare lui non può farci nulla. »

Silenzio.

« Quindi è andata bene? »

« Hai trentatré anni, Flor, cosa ti aspettavi che dicesse? Mica può costringerti ad abortire. »

« E non ha fatto nessun sermone? »

« E certo che ha fatto il sermone. E ci sono andato di mezzo anche io. »

« Scusami. »

« Dice che non si spiega da dove nasca il nostro naturale talento nel rovinarci la vita. »

« Come se lui avesse avuto una vita lineare... »

« Gli ho risposto pressappoco così. »

« Bravo fratellone. »

« Grazie. E ora, che cosa pensi di fare? »

« Che cosa dovrei fare? Appena torno, mi faccio venire a prendere all'aeroporto e lo convinco a fare il nonno. »

« All'aeroporto? Ma non sei a Firenze? »

« Ah, mi sono dimenticata di dirti che ho proseguito per Berlino. »

« Berlino? »

« Già. »

« E che ci fai a Berlino? »

« Sono venuta a trovare degli amici. »

Sospiro e accavallo le gambe. Subito dopo Valerio apre la porta del bagno, che mi sono dimenticato di chiudere a chiave.

« Oh, fratellone, ma che fine hai fatto? » chiede e si infila nel gabinetto come se io non esistessi. Quindi mi fa segno di spostarmi ché deve fare pipì.

« Aspetta » dico a Flor, « qui c'è mio fratello che non si è accorto della mia presenza. »

« Quale fratello? Valerio? »

« Chi è al telefono? » domanda lui. Il rumore della sua pipì fa da sottofondo all'improbabile conversazione a tre.

« Sì, Valerio. »

« Passamelo! »

«Che gli devi dire?»

«Ma chi è?»

«Lo voglio salutare, passa!»

Accosto il cellulare all'orecchio di Valerio.

«Ehi, Flor» gli sento dire, «come stai?»

La voce di mia sorella fuoriesce così squillante che Valerio allontana un po' la testa. Non appena ha entrambe le mani libere, afferra l'apparecchio e continua a chiacchierare con Flor mentre io cerco di dimenticare che i due hanno avuto un flirt e che lui non si è ancora lavato le mani e, forse, mai lo farà. Alla fine si salutano, Valerio mi restituisce il telefono e sussurra: «Tua sorella è matta. Ma se non fosse stata tua sorella mi sarei innamorato di lei».

Poi apre la porta e sparisce.

«Che mito tuo fratello!» esclama Flor.

«Già, proprio un mito.»

«Se non fosse stato tuo fratello mi sarei fatta una storia con lui, sai?»

«Flor, ti ricordo che la storia con lui te la sei fatta...»

«Ma no, quella è stata una cosa da niente. Comunque, dicevo... quando torno, convinco papà che in fin dei conti potrà diventare un bravo nonno.»

«Ho i miei dubbi. Non lo immagino come un bravo nonno.»

«Vabbè, l'importante è farglielo credere. Mica penso che lo sarà davvero!»

«E come farai economicamente? Ci hai pensato?»

«Erri, non mi stressare. Mancano nove mesi, mi organizzerò. Hai venduto qualche copia del mio romanzo?»

«No.»

«Peccato... Va bene, amore, ora vado. Grazie. E, mi raccomando, non trascorrere tutto il tuo tempo con i Ferrara. Sono nocivi per la salute. A parte Valerio. »

« Ciao, Flor, stammi bene. »

« Ciao, fratellone. »

« Flor? »

« Eh. »

« Toglimi una curiosità. Ma tua madre lo sapeva già che eri incinta, vero? »

« Sì, certo. Perché? »

« Perché appena sono arrivato è sparita e non si è fatta più vedere. Come se sapesse il motivo per il quale ero lì. »

« Sì, sì, lo sapeva. »

« E perché non poteva dirlo lei al marito? »

« No, impossibile, avrebbero litigato, e non mi va che lo facciano per colpa mia. »

« Ah, io, invece, posso litigare con papà? »

« Che c'entra, tu sei abituato. E poi ti fa bene, cresci in autostima. Ciao. »

E riaggancia senza nemmeno darmi la possibilità di ribattere.

Se bisticciare con mio padre fosse servito ad aumentare la mia autostima, adesso camminerei a due metri da terra. Questo le stavo per dire.

Il potere dell'ibernazione

Era un Natale di qualche anno fa e Matilde e io ci presentammo puntuali per il pranzo a casa Gargiulo. Come sempre, non era stato facile trovare il giusto equilibrio fra il tempo trascorso con la sua famiglia e quello con le mie due, districandoci fra l'una e le altre senza far nascere malumori né offendere nessuno.

Quell'anno avevamo deciso che il 25 avremmo pranzato con la famiglia di mio padre, e Matilde sembrava felice della scelta. Non me lo ha mai confessato, ma credo che sotto sotto preferisse Rosalinda al capo miliziano. Arrivammo puntuali, pensando di essere i primi, e invece c'erano già tutti, compresa l'intera famiglia di Rosalinda arrivata dall'Andalusia. Una sorpresa con la quale non avevo fatto i conti.

Per anni avevo atteso il momento in cui avrei rivisto Clarinda. Per anni avevo passato le notti a pensarla e a fantasticare sulla sua vita, sul suo corpo da donna che si plasmava lontano dai miei occhi. E ogni volta che pensavo a lei, la immaginavo sempre più bella. Nelle mie fantasie, Clarinda era l'icona della bellezza femminile irraggiungibile.

Perciò, quando la vidi venirmi incontro tutta sorridente, strabuzzai gli occhi e inghiottii la saliva, ferma in gola come un pezzo di catrame. Nessuna aura magica avvolgeva la donna che mi abbracciava con affetto. Anzi, lì per lì mi venne il legittimo dubbio che a stringermi non fosse lei, ma una vecchia zia di Flor di cui non ricordavo il nome.

Invece era proprio Clarinda, solo che della bambina di quell'estate lontana non era rimasto nulla. Quella che avevo di fronte assomigliava a un armadio a due ante, ben più alto e più grosso di me, con i capelli ispidi, il naso allargato a dismisura, le labbra rimpicciolite, e la pelle, che ricordavo liscia e scura, simile a una cotenna incapace di contrastare la gravità.

Il suo entusiasmo nel rivedermi dopo tanto tempo fu così genuino che non potei fare a meno di fingere altrettanta felicità. Matilde si incuriosì non poco, e fui costretto a presentarle la mia vecchia icona stando bene attento, però, a non dare troppe informazioni, altrimenti avrebbe fatto due più due e capito che il giocatore di wrestling che le aveva stretto la mano era la bambina di cui le avevo parlato tante volte, eleggendolo a simbolo dell'infatuazione infantile.

Clarinda, manco a dirlo, aveva tre piccole pesti al seguito, oltre a un marito dalla faccia tonta che non diceva una parola d'italiano. I genitori di Rosalinda, che nel frattempo erano diventati due simpatici vecchietti, nel vedermi non riuscirono a mascherare una certa delusione. D'altronde, ricordavano un bambino col caschetto e il nasino all'insù. E nell'immagine che si trovavano davanti, la mia calvizie era solo uno degli aspetti di un insieme ben più inquietante.

Il pranzo fu piacevole, si parlò anche di quel viaggio e della Spagna, ma per tutto il tempo avrei voluto urlare una sola cosa: «Clarinda, che cosa ci sei venuta a fare qui dopo tanto tempo? Perché non sei rimasta a casa tua?»

Perché nelle mie fantasie, fino a quel Natale, tutto era rimasto intatto: la fattoria di allora, i volti giovanili dei genitori di Rosalinda, i miei capelli e la mia fata mora che avrei amato per sempre, nonostante il suo rifiuto, o proprio grazie a quello.

Tutto era lì, protetto, ibernato, fino al malaugurato giorno in cui Clarinda non si prese la briga di scongelare il sogno.

No, non è vero, c'è un'altra cosa che avrei voluto chiederle e non ho potuto: perché quel giorno scappò via. Ma sarebbe stata quantomeno anacronistica come domanda. Chissà se lei ricorda di avermi rifiutato, pensai, chissà se si è mai pentita.

Avrei potuto domandarglielo allora, in quella fattoria, inseguirla in cortile e non restare a fissare il muro come un imbecille. Così come sarei dovuto andare a prendermi Arianna, quando era il momento. Avrei dovuto fare il fratello maggiore, disegnare di notte invece che guardare il soffitto. Avrei potuto costruirmela meglio la vita, senza star lì a menarmela con la storia del buco allo stomaco da riempire.

Il fatto è che tutto ciò che non fai quando è il momento di farlo, te lo porti dietro come una zavorra per il resto dei tuoi giorni.

Da uomo a uomo

Eppure, l'incontro con Clarinda non fu la cosa più importante di quel Natale. Dopo pranzo, mentre accarezzavo il vecchio Ernesto e chiacchieravo con Flor, si avvicinò papà. Aveva il sigaro fra le labbra e i pantaloni senza cinta che gli cadevano molli.

«Vieni con me un attimo?» E mi afferrò il braccio per portarmi fuori, sul balcone.

«Con questo freddo?»

«Non fare il debosciato» ribatté serio.

Ci lasciammo sostenere dall'inferriata e restammo a guardare la strada deserta sotto di noi, nella quale lampeggiava la croce verde di una farmacia. Dalle case provenivano le voci delle televisioni intervallate dal frastuono delle stoviglie. Faceva molto freddo, eppure le finestre attorno erano aperte, perché a Napoli c'è un rapporto viscerale con la strada e non ci si tapperebbe in casa neanche di fronte al più gelido degli inverni. Lui fece due boccate dal sigaro e mi chiese, senza mezzi termini: «Te la ricordavi più carina, eh, Clarinda?»

«In effetti.»

«Mai disturbare i ricordi d'infanzia» commentò con un mezzo sorriso.

Ricambiai il sorriso e continuai a scrutare la strada, dove un gatto stava spazzolando i resti di cibo da un sacchetto della spazzatura mezzo aperto.

«Erri, ho un problema» aggiunse subito dopo. Mi voltai

di scatto. Lui sospirò, ma non distolse lo sguardo. «Mi sa che mi sono innamorato.»

Lo fissai a lungo prima di scoppiare a ridere. Papà sgranò gli occhi. «Che cos'hai da ridere? Hai capito quello che ti ho detto?»

«Scusa, è che la scena è piuttosto ridicola.»

«Che c'è di ridicolo?»

«Tutto. La tua faccia, per esempio, e le tue parole...»

Mi accorgevo di essere sprezzante, ma le frasi mi uscivano di bocca senza che potessi fermarle. D'improvviso, qualcosa dentro di me si ribellava ad anni di timori e paure, si prendeva la rivincita sull'uomo che ora pendeva dalle mie labbra.

«Non ti facevo così stupido» disse lui.

«No, scusa, è che non mi aspettavo una simile confessione. Per anni nemmeno ci siamo augurati la buonanotte, e adesso te ne esci con un segreto. E che segreto!»

«Che c'entra, prima eri un bambino, adesso sei un adulto. Posso confrontarmi con te da uomo a uomo.»

«Già, appunto, possiamo confrontarci da uomo a uomo. Peccato che mi sarebbe piaciuto confrontarmi con te anche come padre, prima che come uomo.»

«Che c'è, vuoi approfittare di questo mio momento di debolezza per ricordarmi le mie colpe?»

«Sì» risposi, «proprio così. Voglio dirti che anche io tante volte avrei voluto chiederti un consiglio e non l'ho mai fatto. E sai perché?»

«Perché?» Sospirò, come se già immaginasse la risposta.

«Perché non mi davi modo di avvicinarti, mi tenevi a distanza di sicurezza. Come fai da sempre con tutti i bambini. Quasi non potessi sprecare con loro il tuo prezioso tempo.»

«Be', diciamo che non sono portato per i bambini.»

«Se ti comportassi così solo con quelli degli altri potrebbe anche andare bene, ma per i tuoi figli forse ti saresti dovuto sforzare un po' di più, che dici? »

Lui sembrò riflettere, poi fece un altro tiro e rispose: « Sì,
avrei potuto fare di meglio, non sono stato un genitore
esemplare. Ma che cosa vuoi fare, tu? Recitare la parte del
figlio bistrattato davanti al padre cattivo per il resto dei miei
giorni o prenderti ciò che ti so dare adesso, che è ben più di
prima? »

Ancora una volta, fu capace di zittirmi. E stavolta non
con lo sguardo severo o con un rimprovero, solo con la verità. Potevo continuare a rinfacciargli le sue mancanze, oppure accontentarmi di quello che era pronto a darmi: un
rapporto da uomo a uomo.

« Di chi? » chiesi allora.

« Di chi cosa? »

« Di chi ti saresti innamorato? »

Fece una mezza smorfia. « Una ragazza molto più giovane
che ho conosciuto al ristorante. »

« Bravo, ci ricaschi. »

Lui abbassò lo sguardo e ribatté con espressione ironica:
« È che mi sto facendo vecchio. Guarda, ho anche i peli
che mi escono dal naso e dalle orecchie... e non lo sopporto.
Perciò sto tentando di capire come fermare questa cosa... del
diventare vecchi ». Poi mi mise una mano sulla spalla e sorrise, aspettandosi che io ricambiassi. Solo che non lo feci,
non capivo cosa c'entrasse la vecchiaia con il suo discorso.
Anche quelli che scappano invecchiano. Anche a loro crescono i peli nel naso e nelle orecchie. Questo avrei voluto dirgli,
invece chiesi: « E quindi, che cosa hai pensato di fare? »

« Nulla, volevo sentire cosa ne pensavi tu... »

« Non ami più Rosalinda? »

«Rosalinda è la mia vita, ma dentro sento che bolle troppa energia repressa. Capisci cosa intendo?»

«Credo di sì.»

«Siamo fatti per amare, questa è la verità. Il nostro cuore non può stare per troppo tempo all'asciutto, altrimenti si inaridisce. Invece molti rilasciano l'amore che hanno dentro tutto in una volta, e poi si seccano, come una spugna stretta fra le mani e messa da parte.»

Non lo avevo mai sentito parlare in questo modo.

«Che consiglio vuoi da me?» chiesi serio.

«Non lo so, forse avevo solo bisogno di sfogarmi...»

«O forse di impartirmi la tua lezione sull'amore.»

«Può darsi» rispose. Restammo per un po' in silenzio prima che lui chiedesse: «E tu, quando ti sposi?»

«Stiamo cominciando a parlarne.»

«Lo immaginavo. Sei sicuro della scelta? Lo vuoi davvero?»

«Certo» risposi sulla difensiva.

Papà alzò le mani e replicò: «Okay, okay, come non detto. Volevo solo avvertirti che non è un dovere. Si può essere felici anche senza sposarsi».

«Parli tu che lo hai fatto due volte e ancora non ne hai abbastanza.»

«Hai ragione. Noi uomini sogniamo grandi amori e vite avventurose, ma poi ci sposiamo.»

«Senti» mi staccai dalla ringhiera, «posso immaginare che sostituire mia madre non sia stato difficile, ma trovare un'altra come Rosalinda secondo me sarà un'impresa. Perché non ti accontenti di ciò che hai, almeno una volta?»

Papà sorrise amaro. «Erri, ho trascorso tutta la vita ad accontentarmi. Che ti credi, che da ragazzo sognassi di aprirmi un ristorante di frittate e di parlare tutto il tempo del passato? »

« Non so molto della tua vita, ma qualcosa di buono l'hai fatto. Due figli, innanzitutto, e sposarti una donna che ti vuole bene e ti regala serenità. Non mi sembra poco. »

Tornò a posarmi la mano sulla spalla. « Certo che sei venuto su proprio bene. Allora non sono stato poi così cattivo come padre. »

« Mi dispiace deluderti, ma nella mia crescita tu c'entri poco. »

Il suo viso tradì per un istante la delusione e io ero quasi pronto a fare un passo indietro, solo che l'attimo dopo Raffaele riprese la solita espressione impenetrabile.

« Vabbuò, come non detto » bofonchiò, « rientriamo, va', che se no ci becchiamo una bronchite. »

« E con quella tipa che farai? »

Gettò il sigaro. « Farò come hai detto, mi accontenterò. Tanto già so come si fa. »

Una volta dentro mi sussurrò: « Comunque, sono contento che alla fine tu abbia scelto la seconda possibilità ».

« Quale seconda possibilità? »

« Avere un rapporto da uomo a uomo. »

Fuori di zucca

Zio Vittorio è il fratello maggiore di papà. Ho detto che avrei raccontato la sua storia, ed è arrivato il momento giusto.

Oggi dovrebbe avere suppergiù l'età di Mario. Dico «dovrebbe» perché non ne so nulla da più di trent'anni, da quando litigò con mio padre e con il resto della famiglia. Anche se, in realtà, tre anni fa l'ho incrociato per caso in un'agenzia di viaggi.

Ero con Matilde e stavamo cercando di capire cosa fare quell'agosto con l'aiuto di una vecchia amica di mia moglie che da anni si preoccupava di organizzarci le vacanze.

Mentre aspettavamo di sapere se fosse rimasto qualche posto libero sul volo per Creta, dalla scrivania dietro di noi un vecchio con i capelli bianchi che gli ricadevano sulle spalle, i sandali, la camicia di lino bianco e un cappello di paglia in testa, scandì il proprio nome all'impiegato che si stava occupando della sua prenotazione: Vittorio Gargiulo.

Mi voltai di scatto e mi ritrovai a fissare le scapole dell'uomo che con ogni probabilità era lo zio che non vedevo da quando ero bambino. Matilde non si rese conto di quello che stava succedendo, troppo concentrata sui movimenti ondulatori del capo coi quali la sua amica ci preannunciava una torrida estate da trascorrere fra i lidi della periferia napoletana in attesa che si liberasse un qualche posto su un qualche aereo per un qualche luogo esotico.

Rimasi a fissare l'uomo sperando che prima o poi si girasse. A un certo punto, il mio zio potenziale tirò fuori il cellulare dalla tasca e iniziò una fitta conversazione in spagnolo. E mentre parlava e si guardava intorno, ebbi la conferma: era proprio il fratello di mio padre!

Portava la barba bianca e lunga, gli occhiali da sole, e fra i denti stringeva un sigaro spento fumato per metà. Lì per lì mi ricordò Fabrizio Bentivoglio, solo molto più vecchio, ma a guardarlo meglio aveva la bocca sottile e gli zigomi pronunciati dei Gargiulo, e lo stesso modo di parlare di mio padre, quella voce ferma e un po' roca di chi non ha paura di nessuno. L'unica differenza fra Raffaele e Vittorio erano proprio i capelli, e anche lì mi sorpresi a chiedermi perché non mi fosse toccato lui come genitore. Almeno, non era calvo.

In realtà, se fosse stato lui mio padre, mi sarebbe andata persino peggio. Ricordo che la famiglia, ormai rassegnata al suo atteggiamento del tutto fuori dagli schemi, a un certo punto cominciò a giustificarlo dicendo che, poverino, aveva qualche rotella fuori posto.

A me, invece, piaceva molto e proprio non capivo dove fosse il problema. Ogni volta che ci vedevamo, mi chiedeva di raccontargli della mia vita: la scuola, gli amici, le passioni. Se ne stava lì a fumare lo stesso sigaro di papà e ad ascoltare le storie di un bambino come se avesse davanti un grande narratore. A volte mi faceva dei regali strani, soprattutto libri di autori sovietici o opuscoletti di poesie, e pretendeva che li leggessimo insieme, nonostante i miei sbadigli. E se qualcuno mi regalava cose più adatte alla mia età, tipo una bella scatola di Lego o di Playmobil, lui storceva il naso e sussurrava fra i denti: «Lo farete diventare un mediocre, questo bambino, uno come tanti».

Zio Vittorio era un tipo strano, questo sì; non l'ho mai visto con una donna, per esempio, e a volte mi chiedevo perché non si fidanzasse o sposasse. Però spesso avevo sentito papà dire che « era uno spirito libero ». E gli spiriti liberi, questo lo avevo capito, evidentemente non possono sposarsi.

Comunque, proprio perché lui non aveva una famiglia, si legò molto alla nostra, soprattutto a me, e dopo la separazione dei miei cominciò a venire a casa quasi ogni sera, e sempre con un nuovo regalo: libri, cioccolata, francobolli strani, monete di qualche Paese lontano, immagini antiche, qualche bottone particolare che si usava un tempo. Mai un giocattolo normale, a ogni modo, diceva che i bambini devono imparare a sviluppare la fantasia.

Ben presto mi abituai alle sue visite e la sera mi sforzavo di tenere gli occhi aperti per aspettarlo. Non mi chiedevo perché zio Vittorio venisse ogni sera, e d'altra parte non sapevo nemmeno che la casa dove vivevo era la sua. Quando i miei si erano sposati lui aveva insistito perché andassero ad abitare nel suo appartamento. Mamma mi ha poi spiegato che aveva impiegato settimane a convincere papà, ché tanto a lui la casa non serviva, non c'era quasi mai, era sempre in viaggio. Alla fine Raffaele aveva accettato l'offerta e il fratello si era trasferito da un amico.

Anche zio Vittorio era iscritto a Giurisprudenza e anche lui, come papà, era più interessato alla politica che al diritto. In realtà, da adulto ho capito che mio padre tentava di emulare il fratello maggiore; entrambi uomini colti, impegnati con la politica, appassionati di letteratura e proverbiali teste di cazzo. Solo che era stato zio Vittorio a dare il via alla ribellione contro il conservatorismo oppressivo dei genitori.

A ogni modo, la sera in cui non presi la mia prima importante scelta si consumò proprio nella casa di zio Vittorio. Neanche dopo la separazione lui volle indietro l'appartamento. Anzi, disse che mai e poi mai mi avrebbe cacciato. Perciò, mentre papà si costruiva lontano la sua seconda vita, il fratello, al contrario, tornò a casa sua per prendersi cura di me.

Almeno così pensavo.

Dopo qualche tempo si seppe che zio Vittorio non era interessato solo a me, ma anche a mamma. Per la verità, la cosa non mi trovò del tutto impreparato, perché un paio di volte mi ero alzato in piena notte per fare pipì e mi ero ritrovato lo zio che fumava per casa, in mutande.

Raffaele Gargiulo non la prese benissimo.

Anzi, la prese malissimo. E quando alla fine dell'82 tornò in Italia, i due quasi vennero alle mani. Sono passati più di trent'anni dall'ultima volta che si sono rivolti la parola, e in tutto questo tempo né Renata né Raffaele hanno più parlato dello zio Vittorio.

Molti anni dopo mamma si ammalò e lo zio la chiamò. Un pomeriggio la vidi piangere e non ebbi il coraggio di avvicinarmi, credevo fosse per via del cancro, così la sera chiesi notizie a Mario, il quale mi disse che mamma si era commossa perché, dopo tanti anni, aveva risentito zio Vittorio. Erano rimasti al telefono per un'ora, nonostante lui si trovasse in Marocco.

«In Marocco?» chiesi io. «E che ci fa lì?»

«Ah, non lo chiedere a me» rispose, «non ho mai incontrato tuo zio, ma dai racconti ho capito che non ci sta molto con la testa, è fuori di zucca!»

Io feci un mezzo sorriso e pensai che avrei tanto voluto essere fuori di zucca come lui. Che in genere i «fuori di zucca» sono quelli che hanno il coraggio di vivere sull'orlo, senza rincorrere falsi obiettivi e desideri altrui.

Col telefono stretto fra l'orecchio e la spalla, zio Vittorio si alzò e uscì. La nostra agente stava ancora spulciando fra le compagnie aeree, perciò mi alzai con la scusa di fumare e uscii anche io.

Lui discuteva animatamente mentre camminava avanti e indietro sul marciapiede, con una mano sul fianco e lo sguardo per terra. Mi accesi una sigaretta e lo fissai a lungo, col cuore che iniziava a pompare più forte all'idea di riabbracciarlo. Mentre parlava, rimuginavo su cosa dire e cosa fare. Poi lo zio si girò e incrociò il mio sguardo. Fu un istante, i nostri occhi si ritrovarono come un tempo, quando la sera, sul divano, mi leggeva le poesie e mi fissava per capire se avevo capito. E in quell'istante provai la stessa sensazione di allora, lo stesso smarrimento che spariva con il suo sorriso.

Solo che lui stavolta non sorrise. Era di fronte a me, con il sigaro fra i denti e lo sguardo sul mio viso, ma in realtà non mi stava guardando davvero. Dopo pochi secondi riprese a passeggiare sul marciapiede e a conversare in spagnolo. Il sorriso appena delineato mi sparì dal volto e rimasi impassibile a fissare la figura familiare che non aveva più nulla di familiare. Un attimo dopo Matilde uscì dall'agenzia sventolando due biglietti. «Si va a Creta!» disse e mi abbracciò.

Ricambiai molle la stretta mentre con gli occhi seguivo quel vecchio «fuori di zucca» che era lontano dalla mia vita da un pezzo. Gli passai accanto con Matilde che mi stringeva la mano, e l'odore del suo sigaro mi penetrò nelle narici e mi portò alla mente papà e l'infanzia, quando i due fratelli se ne stavano per ore attorno alla tavola, a fumare toscani e parlare di Berlinguer mentre io li guardavo a bocca aperta, inebriato dalla prospettiva di diventare, un domani, come loro: due leoni che si rispettano e si proteggono a vicenda.

«Quel vecchio fuma lo stesso sigaro di tuo padre» commentò Matilde.

«Già» risposi, «me ne sono accorto.»

Dall'agenda di Matilde lasciata a metà

Stasera abbiamo litigato. Abbiamo alzato la voce e ci siamo detti delle cose brutte. È che quest'attesa di te ci sta sfibrando. Ma non ti preoccupare, faremo pace e tutto passerà; non possiamo stare l'uno senza l'altra. Ho fatto un calcolo: sono quasi cinquemila i giorni trascorsi assieme. Ognuno di essi ha contribuito ad aggiungere al nostro rapporto un pizzico di intimità, di rispetto, comprensione, fiducia, ammirazione, amore. Sono troppi cinquemila giorni con lui per riuscire a stare anche solo una notte senza averlo accanto.

Eppure mi sembra che non siano bastati per dirgli tutto quello che volevo dirgli, per fare tutto ciò che andava fatto. Ma mi rincuora pensare che ce ne saranno altre migliaia, e in quelle migliaia sbucherà pure qualche giorno brutto, un dolore, un litigio, delle urla, però la maggior parte di questi giorni, sono sicura, sarà bello e contribuirà, nel suo piccolo, ad aggiungere uno spicchio di amore in più al nostro amore.

Non me lo posso permettere

Appena torno in salotto mia madre esordisce con questa frase: «Erri, stasera te ne sei stato per i fatti tuoi tutto il tempo. Perché non ti siedi un po' qui con noi?»

«Siediti al mio posto, che noi ce ne andiamo» dice Valerio alzandosi. «Tomoko domani deve svegliarsi presto, e io stanotte ho un torneo. Non vorrei saltarlo.»

«Già ve ne andate?» fa mamma, e si alza anche lei.

«Ma', mica ci possiamo anche dormire qui.»

«Perché no? Tuo fratello rimane.»

Valerio si infila la maglietta nei pantaloni e ribatte: «Non avevo dubbi...»

«Ne parliamo quando anche tu avrai un figlio» interviene polemico Giovanni.

«Allora non ne parleremo mai.»

«Valerio, non dire così!» reclama mamma.

«Allora, avete studiato bene la divisione? Nessuno che sollevi dubbi o perplessità? Non vorrete chiamarmi domani per fare polemiche, spero...»

«Sta' tranquillo» ribatte Valerio e dà una pacca sulla spalla al padre, «nessuna polemica, ci fidiamo di te.»

Mario strizza gli occhi e a me viene naturale guardare Arianna. È seduta in un angolo e fissa il padre senza parlare.

Saluto Valerio, poi Tomoko si avvicina al mio orecchio e mi ricorda dell'impegno preso. Un minuto dopo nella stanza scende il silenzio.

« Allora » fa mia madre, che i silenzi non li ha mai saputi reggere. « Perché non vi fermate anche voi? » domanda, rivolta a me e ad Arianna.

« Non posso » risponde subito Arianna.

« Neanche io » aggiungo.

« Devi tornare da Matilde? » insiste lei speranzosa.

« No, vado a casa. »

« In una serata così bella, in cui ci hai detto che diventerai padre, te ne torni a dormire da solo in quella stanza ammuffita? »

« Non è ammuffita, ma'... »

« Sì, certo, certo... »

« Io vado a letto » interviene Mario. « Sono stanco e domani anche io devo svegliarmi presto. »

« Allora ne approfitto e vi saluto pure io » fa subito dopo Clara, che si alza e si stiracchia. « Renata mi farà alzare all'alba. »

Giovanni ci saluta e segue la moglie. In salotto restiamo io, Arianna e mia madre, che mi guarda e aggiunge: « Sono contenta del riavvicinamento con Matilde. In fondo ho sempre pensato che sia una brava ragazza. Ha avuto un attimo di debolezza perché non arrivavano figli, ma ti vuole bene ».

Vallo a raccontare a Ghezzi, che era solo un attimo di debolezza.

« Non è mica detto che torniamo insieme » ribatto.

« Io lo spero proprio. Non sai quanto desideri vederti sistemato e felice con la tua famiglia. »

Arianna mi guarda e non dice una parola.

« Non ti preoccupare per me » replico allora, « piuttosto, pensa a Mario. »

Lei tira indietro il collo e balbetta qualcosa, imbarazzata.

« Renata, sappiamo tutto » interviene Arianna, « papà ci ha raccontato come stanno le cose. »

« Sapete tutto? »

« Sì » ribatto, « con noi puoi smettere di fingere. »

« Perché ve ne ha parlato stasera? Voleva farlo nei prossimi giorni... »

« Perché non ho creduto per un istante alla storiella dei vantaggi fiscali. »

A questo punto Renata Ferrara sembra sgonfiarsi d'improvviso. Le spalle le ricadono sull'addome, il viso si scioglie in un'espressione finalmente genuina, un misto di dolore e liberazione. Solo dopo allunga la mano verso Arianna e dice: « Già, tu ti accorgi sempre di tutto, vero? Sei una ragazza sensibile ».

È la prima volta che mamma fa un gesto di affetto verso Arianna, che le rivolge una frase di apprezzamento. Perciò, incuriosito, fisso la scena. Anche Arianna sembra sorpresa dalla reazione di mia madre e rimane sulle sue.

Ma, evidentemente, Renata stasera ha deciso di riscattare il proprio passato. « Non abbiamo mai avuto un vero rapporto tu e io » prosegue, « e forse è più colpa mia che tua, però sappi che ho sempre saputo quanto vali, ho sempre saputo che sei diversa da tutti gli altri. So quanto hai sofferto. Volevo dirti, ecco, che la storia di tuo padre mi ha scosso, e... insomma, mi dispiace non essere stata una buona madre per te, ma speravo di renderti più forte con il mio atteggiamento, ti volevo più robusta, più equilibrata. »

« Mi volevi come te » ribatte Arianna con la solita espressione distaccata.

Agli occhi di chi la conosce poco, potrebbe sembrare che per lei sia una discussione come tutte le altre, senza alcun coinvolgimento emotivo, ma io, che ci sono cresciuto insieme, riesco a leggere sul suo viso rabbia e commozione insieme. Arianna è sul punto di piangere di nuovo e forse le farebbe bene. Sempre se mamma non se ne esce con il solito invito a guardare avanti.

Ma gli ultimi eventi devono aver inflitto un grave colpo al suo culto della prestazione, perché ribatte: « Sì, può essere. Pensavo che ti servisse avere accanto una figura femminile forte. Invece mi sbagliavo, tu hai proseguito per la tua strada e io per la mia... »

« Acqua passata » commenta Arianna.

« Sì, acqua passata. »

Mi arriva un nuovo messaggio sul telefono. Guardo il display immaginando che sia Flor.

È Matilde.

« L'importante ora è stare accanto a papà » esclama Arianna.

« Vedrete » ribatte mamma, e si gira anche verso di me, « Mario starà bene. È forte, grande e grosso, e resisterà a lungo. »

La loro conversazione ormai mi arriva alle orecchie come da un posto lontano, il cervello è preso dalle parole della mia ex moglie.

Credevo mi chiamassi. Non ti importa nemmeno sapere se questo figlio è tuo?

« Scusatemi » dico e mi allontano.

« Erri, ma un secondo senza telefono non riesci a stare? » commenta Renata, ma io sono già nel corridoio.

Ho bisogno di isolarmi per decidere se e cosa rispondere. Mi infilo in camera da letto nell'istante in cui arriva un secondo messaggio.

> In questo momento avrei proprio bisogno di
> te. Ho lasciato Manuel, non lo amavo. Non
> l'ho mai amato.

Alzo la testa e mi trovo davanti Clara. Ha Renata in braccio, mi fissa e sorride.

«Scusami» dico, «non sapevo fossi qui.»

«No, scusami tu, è la tua camera. Sono venuta a prendere Renata per portarla nel mio letto.»

Resto a fissare Clara che sorride mentre la figlia le dorme sulla spalla, e chiedo a lei quello che, forse, avrei chiesto ad Arianna, se solo non fosse impegnata in una seduta di terapia con il suo carnefice, che ce la sta mettendo tutta per trasformarsi in vittima.

«È Matilde» dico indicando il cellulare nella mano.

«Ricongiungimenti alle porte?»

«Non lo so.»

Clara sembra riflettere un istante, infine esclama: «Be', questo figlio cambia le cose. Ora avete quasi l'obbligo di riprovarci».

Matilde mi manca sempre di più, ma se pure questo figlio fosse mio, non so se basterebbe a cancellare mesi di rancori. Non so se riusciremo mai a metterci tutto alle spalle per il suo e il nostro bene.

Ma tutto questo non posso e non voglio dirlo, anche perché è solo una parte della verità. Da circa un minuto, infatti, cioè da quando mi è arrivato il primo messaggio di Matilde, ho attraversato tutti gli stati d'animo: dalla sorpresa all'euforia, dalla confusione a una specie di languore nutrito dal dubbio che quanto sto per fare (rispondere, o peggio ancora telefonarle) non sia la cosa giusta, ma soprattutto non sia ciò che davvero desidero. Perché mio fratello Giovanni non

aveva tutti i torti, quella sera. Insieme all'inevitabile sofferenza, in questi mesi ho convissuto anche con una specie
di formicolio nella pancia: la speranza che qualcosa, infine,
cambiasse davvero, che la mia vita prendesse un binario diverso. E così sono andato avanti, barcollando fra il dolore di
non avere più Matilde e la soddisfazione di una vita per certi
versi più appagante, con meno certezze e qualche aspettativa
in più.

E ora ho paura che la voglia di prendermi un figlio arrivato chissà come, il desiderio di avere di nuovo mia moglie
tutta per me, oltre che una casa dove qualcuno mi aspetta e
una vita più regolare, possano far svanire dalla pancia la sensazione di libertà con la quale mi svegliavo e che mi faceva
pensare che sì, ero solo e avevo già diversi fallimenti alle
spalle, ma finché avessi avuto quell'energia che mi scorreva
nell'addome e mi permetteva di alzarmi a ogni caduta, tutto
sarebbe ancora stato possibile. Perdere quel soffio equivar-
rebbe a perdere me stesso. E questo non me lo posso permettere. Neanche per un figlio.

Clara interrompe i miei pensieri. «Non trovi?»

«Non so. Ho paura di sbagliare.»

Lei socchiude solo un attimo gli occhi e inclina la testa, e in quel piccolo gesto rivedo quello che mi piaceva di lei tanto tempo fa, nella ragazza dolce che si presentava ogni mattina in ufficio. Un attimo dopo Clara torna a essere la donna che non ha più spazio per i sogni.

«Erri» dice, e si avvicina, «tutti noi abbiamo paura di fare delle scelte, ma quando arriva il momento bisogna decidere e non guardarsi più indietro.»

«Bisogna guardare avanti!» esclamo nel tentativo di emulare mia madre e rubarle così una risata.

Solo che lei, anziché ridere, si galvanizza e ribatte: «Sì, bravo, devi guardare avanti. A tuo figlio».

Mio dio, Giovanni sta coltivando in casa la futura Renata Ferrara.

«Perdonala e torna da lei. C'è un bambino di mezzo.»

«Non so se riuscirò a perdonarla» dico.

«Ti passerà. E, per amore di tuo figlio, dimenticherai.»

Potrei sorriderle sornione e liberarmi così della sua presenza per poi telefonare a Matilde, ma decido di cogliere l'occasione di intrufolarmi nell'Io di Clara.

«Ma tu, Giovanni, lo ami?» ribatto.

Lei spalanca gli occhi. «Perché me lo chiedi?»

« Perché sembreresti disposta a passare su tutto per tua figlia. »

« È così » replica, con gli occhi che fissano il pavimento e la guancia contro quella di Renata.

Sorrido per toglierla dall'imbarazzo, ma lei ha accusato il colpo. Torna a guardarmi e dice: « Che ti credi, che non sappia quello che fa Giovanni? »

Non riesco a trattenere una smorfia, ma lei mi anticipa. « Lo sanno tutti, me compresa. Ma che cosa devo fare, dimmi tu, lasciarlo? Lasciare Renata senza il padre? Farla diventare una ragazza piena di paure e insicurezze per un mio capriccio? » Dopo un attimo di silenzio aggiunge: « Scusami, non intendevo che tutti i figli di genitori separati sono degli insicuri... »

« Lascia stare. »

Una lacrima le scende lungo la guancia e subito la asciuga con la mano libera, abbassando di nuovo lo sguardo. Strano, stasera la mia ex stanza deve contenere un effluvio particolare che spinge a confidarsi.

« Mi dispiace, per la verità non credevo... » tento di rispondere, ma Clara mi interrompe: « Davvero non sapevi nulla? Incredibile, saresti il primo. Credo lo sappia persino tua madre. Di sicuro Valerio. Anzi, lo sai cosa mi ha detto? »

Faccio di no con la testa.

« Che gli uomini sono così, che il loro istinto ancestrale li porta a ingravidare il maggior numero possibile di donne in modo da avere più probabilità di successo per garantire la sopravvivenza della specie. »

Mi viene spontaneo ridere, anche se non dovrei. Perciò tento di rimediare: « Valerio lo conosci, no? Ha le sue idee bizzarre. Non mi sembra la persona ideale alla quale chiedere consigli ».

« Già. »

« E poi credo che in queste cose ci sia poco da dare consigli, bisogna fare quello che ci si sente di fare. »

« Appunto. E io mi sento di restare con Giovanni. »

« Allora fai bene a restarci. »

Clara china il capo un secondo e quando lo rialza ha gli occhi lucidi. Allunga la mano sulla mia guancia e in tono ironico esclama: « Che ci vuoi fare, ho scelto il fratello sbagliato... »

Poi se ne va e mi lascia a fissare la porta, con una domanda che mi rimbalza nel cervello: perché scegliamo spesso le persone sbagliate? Forse perché non scegliamo mai davvero l'altro secondo ciò che è, ma in base a quello che ha da donarci. Come a un'asta, la nostra vita va al migliore offerente.

Piccola riflessione sui rimpianti

La teoria di Renata Ferrara è molto in voga. Da più parti sento spesso dire che non bisogna avere rimpianti, che chi vive ancorato al passato non ha speranza nel futuro. In realtà credo che chi non ha rimpianti non ha mai avuto sogni. Ed è la mancanza di sogni a precludere un bel futuro.

Io mi porto dietro la mia zavorra di rimpianti, le tante speranze accumulate e mai avverate, come quella di diventare fumettista, o di baciare Arianna. Anche avere un figlio è stata una speranza.

La verità è che tra la speranza e il rimpianto passa un soffio.

E in quel soffio trascorriamo gran parte della nostra vita.

Un barattolo pieno di scheletri di riccio

Per un breve periodo le famiglie Ferrara e Gargiulo si riunirono. Accadde nell'estate dell'84, quella delle Olimpiadi di Los Angeles (ho ancora davanti agli occhi papà e Mario seduti in giardino, davanti alla tv, a bere birra e commentare le gesta degli atleti).

Valerio e Flor avevano un anno. Mario affittò per agosto una bellissima villa sulla spiaggia in Sardegna, vicino a Palau. Una casa enorme, con tre stanze da letto, la cucina abitabile con un lungo tavolo al centro, il patio e un giardino immenso che si srotolava sulla sabbia. Un posto magnifico che ci lasciò senza fiato. Tra l'altro, la villa era anche immersa in una grande pineta che affacciava sul mare e il terreno era tappezzato di aghi di pino.

Nonostante le proteste di mamma, che se la prese con l'altruismo del compagno e lo pregò di non combinare idiozie delle quali si sarebbe pentito, perché in fondo non conosceva davvero Raffaele Gargiulo, Mario decise di invitare anche papà con la sua nuova famiglia. Il sottoscritto, infatti, gli aveva detto che i Gargiulo sarebbero rimasti a Napoli.

Papà era tornato dalla Spagna da quasi due anni e da qualche mese aveva ottenuto il famoso posto da bigliettaio; normale che non potesse permettersi una vacanza. Perciò, una sera Rosalinda mi prese in disparte e mi disse ciò che avrebbe voluto e dovuto dirmi lui: «Erri, tuo papà vorrebbe stare con te quest'estate, ma noi non andiamo da nessuna parte, perciò è meglio se vai con l'altra famiglia. Semmai l'anno prossimo se va tutti ensieme en Spagna. Che dice, te va?»

Annuii e sorrisi, anche se in cuor mio mi chiedevo perché dovessi passare agosto con lui, se nelle estati precedenti non l'avevo mai visto.

Tornato a casa, mentre eravamo seduti a tavola, mamma mi chiese di papà. «Che fa quest'estate? Adesso che finalmente ha deciso di fare il genitore presente, si è almeno preoccupato di chiederti se vuoi stare con lui?»

«Non parte. Ha detto che l'anno prossimo semmai andiamo tutti in Spagna.»

Mamma e Mario si guardarono e non commentarono. Qualche giorno dopo seppi che papà sarebbe venuto con noi in vacanza.

«Tutti insieme?» chiesi allibito.

«Tutti insieme» rispose mia madre, dandomi le spalle.

Il generoso piano di Mario si sarebbe potuto rivelare una catastrofe: c'erano ottime probabilità che i miei trascorressero la vacanza a mandarsi frecciatine più o meno velate o a rispondersi in malo modo. Sarebbero potuti arrivare persino a servirsi di me per innervosire l'altro. Invece non accadde nulla di tutto ciò, e la vacanza fu straordinaria.

In realtà la mia preoccupazione durò solo i primi due giorni, durante i quali vagavo per casa con passo felpato, cercando di non dare confidenza né all'uno né all'altra. A cena guardavo tutto il tempo il piatto, in silenzio, sperando di non essere tirato in ballo nella conversazione.

Poi a poco a poco iniziai a rilassarmi, anche perché io e Arianna passavamo il tempo a giocare a nascondino o a rincorrerci fra gli alberi; oppure ci sedevamo sugli aghi di pino, la schiena appoggiata a un grosso tronco, e inventavamo storie epiche di folletti e gnomi che abitavano l'antica foresta. Qualche volta disegnavo delle vignette e lei ne era entusiasta. E poi, al mare stavamo quasi tutto il giorno con Mario, che ci regalò maschera, pinne e occhiali e ci insegnò a scendere sott'acqua per prendere le conchiglie e gli scheletri dei ricci. Ce n'erano di bellissimi e colorati, dal verde al marrone, al bianco e al viola. Ogni volta che ne pescavamo uno, lo mostravamo a Mario e correvamo sulla spiaggia per metterlo al sole, in modo che si asciugasse.

Preso dal nuovo ruolo di scopritore di tesori marini, a stento mi accorgevo del piccolo miracolo che accadeva intorno a me. Mamma, in realtà, scendeva poco in spiaggia e sempre negli orari meno caldi; ripeteva di continuo che il sole faceva male, che doveva pensare a Valerio (in realtà era la povera tata Luisa a tenerlo in braccio tutto il giorno) e che comunque preferiva stare in pineta, ma io avevo capito che evitava di passare troppo tempo accanto a mio padre e alla sua nuova famiglia. Anche Rosalinda scendeva in spiaggia quando poteva, fra una poppata e l'altra, e per pochi minuti, perciò l'unico che davvero se ne stava al sole per ore era proprio papà. Avrebbe anche potuto approfittare della mia presenza e magari pescare con me gli scheletri colorati, invece preferiva passare il tempo a leggere disteso sulla rena, con i piedi nell'acqua.

Era molto magro, aveva una barba folta e capelli già radi, eppure quando mi fermavo a guardarlo, con il corpo disteso sul bagnasciuga, la pelle cosparsa di gocce, mi sembrava una specie di divinità marina.

Ogni tanto si tuffava e con un paio di bracciate raggiungeva me e Arianna, che facevamo la spola dagli abissi (di due metri a dir tanto) alla riva. Quindi restava a guardarci, qualche volta ci sorrideva, altre scambiava una chiacchiera con Mario, più raramente fingeva interesse per quello che stavo facendo. Poi tornava a riva, si asciugava e andava a dare il cambio a Rosalinda, che arrivava di corsa, si immergeva e iniziava a schizzarci, a ridere con noi, oppure si metteva anche lei a pescare conchiglie che poi la sera dipingeva con i pennarelli alla luce della piccola lampada del giardino.

Spesso mi fermavo a guardarla e la vedevo bellissima, con la carnagione scura, gli occhi chiari e il buonumore perenne, e mi chiedevo come facesse a stare con papà, che invece sembrava sempre rabbuiato, e cosa c'entrassero lei e Mario con i miei genitori. Ai miei occhi le coppie sembravano invertite, Rosalinda avrebbe dovuto fidanzarsi con Mario e mamma e papà sarebbero dovuti tornare insieme.

Anche Arianna, un giorno, mi chiese: «Ma tuo padre non parla mai?»

«Poco» risposi.

«È antipatico» decise senza mezzi termini, come era da lei.

«Non è vero» risposi subito.

«Sì, è antipatico, anche se è tuo padre.»

«Non è antipatico, lui è fatto così.»

«E allora è fatto sbagliato» rispose Arianna, tuffandosi in cerca di un nuovo riccio.

Eppure, più passavano i giorni e più la vacanza assumeva un'aura magica. L'imbarazzo generale dei primi giorni era svanito e la sera gli adulti si fermavano a chiacchierare a lungo dopo aver addormentato Valerio e Flor. Oppure li sentivamo giocare a carte in giardino mentre noi eravamo già a letto.

Qualche volta di notte mi svegliavo per andare in bagno e passavo davanti alle stanze delle mie famiglie. Per la verità, mamma i primi giorni aveva tentato di dormire con la porta chiusa, ma faceva troppo caldo e si era dovuta arrendere. Mi fermavo sulla soglia di entrambe le camere e restavo a fissare i loro corpi immobili, soprattutto quelli di papà e Rosalinda, che ancora non mi sembravano una famiglia, la mia famiglia. Papà, come Mario, russava, dormiva a petto nudo e in mutande, in genere su un fianco, gli occhiali poggiati sul comodino dove c'era un libro aperto a metà. Lei, invece, a pancia in giù, con le braccia sotto il cuscino e Flor nella culla al suo fianco. Rosalinda non sembrava preoccuparsi più di tanto del proprio corpo, mamma, al contrario, non faceva che tirarsi giù l'orlo della gonna o su la bretella della canotta. Rosalinda si scostava il costume sulle natiche per abbronzarsi e mamma metteva quello intero, lei dormiva scoperta e mamma si imbacuccava nelle lenzuola.

Eppure, erano entrambe belle. Anche se così diverse, nel corpo e nella mente, emanavano uguale bagliore ai miei occhi. Rosalinda era la vitalità, l'allegria, la gioventù, mamma l'eleganza e la compostezza; quello che non aveva l'una aveva l'altra, e ben presto cominciai a domandarmi come avessero fatto entrambe a innamorarsi di quella specie di divinità marina, sì, ma «fatto sbagliato», come aveva detto Arianna.

In breve l'estate strana e miracolosa volse al termine. La sera prima di partire papà mi chiamò in camera sua e mi mostrò un foglio di giornale che proteggeva una ventina di scheletri di riccio coloratissimi.

Strabuzzai gli occhi. «Dove li hai presi?»

«Al mare» rispose, «dove, se no?»

Me li rigirai fra le mani. «Sono bellissimi.»

«Sono tuoi.»

«Grazie» sussurrai. Avrei voluto abbracciarlo, fargli capire quanto mi emozionavano quel suo regalo e la sua attenzione, ma non ne ebbi il coraggio.

Per fortuna fu lui a fare la prima mossa. «Vieni qui» disse, «dammi un bacio.»

E fu così che posai per la prima volta le labbra contro la sua barba ruvida. A distanza di tanti anni non posso che ringraziare lui, Rosalinda, mamma e Mario, che per il mio bene decisero di mettere da parte i loro rancori, almeno il tempo di una vacanza.

Tornai a casa più confuso di prima e con poche certezze, ma con un ricordo che non mi avrebbe abbandonato e con un barattolo di vetro pieno di carcasse di riccio che è ancora nella mia vecchia stanza. Gli scheletri negli anni si sono sbriciolati e hanno perso il colore, eppure se mi fermo a guardarli mi sembra ancora di sentire il profumo di quell'estate miracolosa.

Profumo di pino, di salsedine, di zampirone, di grigliate, di birra, di bambini.

Di famiglia.

La danza delle piccole cose

Se Manuel Ghezzi fosse stato uno di quegli uomini arroganti, in gessato e scarpa lucida, con il nodo della cravatta grande quanto una pallina da tennis e un Suv che attesti per interposta automobile la loro virilità, odiarlo mi verrebbe facile.

Viceversa, Ghezzi è un uomo modesto, misurato, sempre gentile, sorridente, salutista, dispensatore di consigli, buon ascoltatore, intelligente. Né carino né brutto, forse un tipo, come si dice in questi casi, uno di quelli che la mattina ti raccontano il film visto la sera prima, che ti parlano del libro che hanno sul comodino, che se ne fregano delle auto, dei vestiti costosi, del calcio e non passano il tempo a parlare delle gnocche. Verrebbe quasi da pensare che a un uomo simile la vita abbia regalato solo soddisfazioni e gioie; d'altronde chi avrebbe la forza di dispensare sorrisi mentre l'esistenza gli va a rotoli?

Invece, Ghezzi dieci anni fa perse la moglie in un incidente stradale. Quel giorno sarebbero dovuti partire per le vacanze, avevano affittato un appartamento in Calabria insieme a una coppia di amici. Solo che all'ultimo momento Ghezzi dovette rimandare la partenza per una riunione di lavoro e così fu stabilito che sua moglie si avviasse con la coppia, mentre lui li avrebbe raggiunti in treno il giorno seguente. I due figli, per fortuna, erano in campeggio con gli scout.

Fatto sta che, non si è capito bene come, la macchina che trasportava l'allegra comitiva si andò a infilare sotto un autoarticolato e i tre morirono sul colpo. In azienda fu uno choc per tutti, nessuno trovava parole di conforto degne di una tragedia del genere.

Ghezzi si assentò solo due giorni, per i funerali, e negli anni non si è mai fatto scudo del suo dolore, né ha mai fatto la vittima.

Insomma, Ghezzi è il collega ideale.

Di certo non il compagno ideale. Ci era riuscito una volta a trovare una donna attratta dalla sua sconcertante normalità, sarebbe stato difficile replicare il successo. Almeno, così pensavo.

Invece, Matilde aveva bisogno proprio di un uomo normale, gentile, premuroso, presente e senza troppe pretese. Ghezzi era il prototipo perfetto, a pensarci. Come sia iniziata tra loro non lo so e non lo voglio sapere, credo però che Matilde abbia sostituito il desiderio di diventare mamma con la necessità di trasformarsi di nuovo in figlia.

Qualcosa del genere.

Una sera tornai a casa più malinconico del solito e le quattro mura colorate, in assenza di Flor (che, se non sbaglio, era da un amico a Londra), mi sembrarono più grigie di quelle del mio vecchio ufficio. Aprii il frigo e presi una birra, poi mi sdraiai sul divano e accesi il televisore. Se avessi saputo piangere, lo avrei fatto, invece restai muto a fissare lo schermo e a pensare alla mia vita precedente senza dire una parola. È che la lontananza da Matilde mi stava facendo scoprire piccole cose della sua quotidianità che avevo dimenticato, o che avevo dato per scontate. La sera mi sembrava di sentire ancora l'odore della crema che si passava sulle mani e lo strofinio dei piedi che, una volta a letto, strusciava uno contro l'altro fino a prendere sonno. Oppure avvertivo nell'aria l'effluvio dell'acetone col quale si toglieva lo smalto, e mi giravo a guardare il comodino quasi mi aspettassi di trovare quei piccoli batuffoli di cotone rosa che toccava sempre a me gettare. Come le cialde del caffè; non c'era verso di fargliele infilare nel sacchetto. E proprio dalla cucina mi sembrava provenisse lo stesso identico rumore di quando sfregava le posate sotto il getto del rubinetto, seguito sempre dallo stesso gesto delle mani, un rapido schiaffo nell'aria per far sgocciolare l'acqua. Poi quel modo di piegare lo straccio: lo afferrava per i due angoli ed eseguiva un semicerchio fino a quando gli indici non si toccavano. Movimenti veloci, roba di attimi. Eppure erano lì, ancora nella mia mente. Come il suono di pagine sfogliate, accompagnato dal rintocco del bicchiere sul lavello. Leggeva in piedi, la mattina prima di andare al lavoro, mentre beveva un succo d'arancia. Arrivavo di corsa in cucina (facevamo sempre tardi) e la trovavo lì, inerme, bellissima, concentrata e silenziosa, con i capelli neri che le ricadevano davanti agli occhi, un piede attorcigliato all'altro, la mano affusolata ad avvolgere il libro. E poi in bagno, mentre lavavo i denti, a volte mi capitava di risentire il rumore con cui il vetro del bicchiere accoglieva il suo spazzolino, un rapido tintinnio che mi avvisava che lei stava per venire a letto. In auto, mi giravo spesso verso il lato passeggero e quasi la vedevo mentre si passava il rossetto guardandosi nello specchietto del parasole o si legava i capelli con le due mani, la forcina stretta tra le labbra e lo scollo della camicetta che faceva intravedere la morbida curva del seno. Quella sera, invece, udii il *clic* metallico con il quale chiudeva il contenitore degli occhiali un attimo prima di abbandonarsi all'abbraccio del divano.

Non avevo bisogno di foto per ritrovare Matilde, mi bastava ascoltare, chiudere gli occhi e aspettare che tutti quei piccoli rumori iniziassero a muoversi nella mia mente. Una piccola danza dei suoi gesti quotidiani. E ho capito che sono proprio loro, i piccoli gesti di ogni giorno, le abitudini, persino le ossessioni, a svelarti una persona. Le nostre minuscole e preziose cose sono visibili solo a chi ci osserva con attenzione, tutti i giorni. Sono il grande privilegio che concediamo a chi ci ama.

La voce di Malaika sul pianerottolo mi ridestò. Aprii la porta, ma lei era già entrata a casa sua. Bussai. Mi aprì in vestaglia e sorrise.

«Che fai?» chiesi, anche se era evidente. Era truccatissima e sotto la vestaglia s'intravedeva un top di raso nero.

«Lavoro» fece lei.

«Ah, allora scusa» ribattei sconsolato.

Mi fissò. «Appena ho finito, vengo un po' da te.»

E fu così che, un'ora dopo, mentre affogavo la tristezza grazie a una chiacchiera con Malaika e a un po' d'alcol, arrivò la chiamata di Matilde. Risposi al volo, per paura che il telefono smettesse di squillare.

«Come va?» esordì lei.

Risposi con un'alzata di spalle, che al telefono neanche si vide.

«Ti stavo pensando» proseguì Matilde.

A quelle parole la presenza fino ad allora indispensabile di Malaika si fece del tutto fuori luogo. Mi alzai dal divano, feci segno alla vicina di aspettare un attimo e mi tuffai in bagno.

« Cosa c'è, Matilde? » chiesi poi con voce dura.

« Nulla, mi mancavi. »

« Non puoi chiamarmi per dirmi queste cose. Magari con Palle mosce di là che dorme. »

La sua voce si irrigidì. « Ti ho detto di non chiamarlo così, non se lo merita. Lui non ha colpe ed è una persona buona. »

« Sarà anche buono, ma è vecchio. »

« Se lo vuoi proprio sapere, da quel punto di vista è più fantasioso di quanto pensi... »

A quel punto il mio stomaco iniziò a brontolare. « Che vuoi fare, parlarmi di com'è il tuo amante a letto? »

Lei sospirò. « No, è solo che non mi va che tu lo prenda in giro. Non se lo merita. »

« È il tuo amante. »

« Non è stata proprio una buona idea telefonarti » replicò dopo una breve pausa.

« Mi sa di no. »

« Allora ciao. »

« Ciao. »

Tornato di là, trovai Malaika che si era appisolata sul divano. Aprii un pensile della cucina e trangugiai una dose di Gaviscon, cercando di spegnere il fuoco che minacciava di bruciare tutto. Poi restai a fissare la mia vicina e mi domandai se fosse il caso di svegliarla. Alla fine me ne andai a letto e tentai di dormire, cercando di non rimuginare su un tempo che non mi apparteneva più. Chiusi gli occhi e mi sforzai di credere che a volte il passato viene a bisbigliarti qualcosa all'orecchio solo per aiutarti a cambiare il presente.

Sirio

La prima notte con Matilde era stata un'esperienza indimenticabile. Da qualche mese le ronzavo attorno con garbo e senza strafare, un po' perché era la figlia del capo, un po' perché non sapevo nulla della sua vita, neppure se avesse un fidanzato. Per settimane il corteggiamento si limitò a un timido sorriso, per fortuna sempre ricambiato, a qualche sguardo sfuggente, a una battuta al volo in ascensore o a un caffè offerto alla macchinetta al primo piano.

Poi, un giorno il padre si presentò da me con la figlia sottobraccio e disse: «Erri, voglio che Matilde impari a usare quel programma assurdo che usi tu. Io non ci capisco una mazza. Mettila sotto e insegnale a usare quel software per psicopatici».

Era fatta, avevo finalmente un motivo per trascorrere del tempo con lei. Mi alzai di scatto e le presi una sedia, quindi la invitai ad accomodarsi e rimasi in piedi chiedendole se gradiva qualcosa.

«Qualunque cosa possa recuperare nel raggio di cinque chilometri» precisai.

«Sei sempre così disponibile con le donne?» rispose ridendo.

«Solo con le figlie del mio capo.»

«Sono l'unica figlia del tuo capo» ribatté lei, denotando una buona verve, oltre che una discreta disponibilità ad accettare le mie lusinghe.

« E allora vorrà dire che tutte le mie attenzioni saranno rivolte a te. »

Matilde rise di nuovo e capii di averla conquistata nel giro di due minuti e con sole tre battute. Quasi un record per me, da sempre abituato a utilizzare al meglio delle mie possibilità lingua e cervello, in modo da sopperire all'insufficienza estetica che mi faceva partire sempre in ritardo rispetto ai concorrenti.

Da ragazzo mi definivo un maratoneta, uno che esce alla lunga distanza, al più un mezzofondista. Al contrario di molti compagni, che grazie alle loro indubbie qualità fisiche erano veri e propri centometristi, io proseguivo la corsa a passo lento, chilometro dopo chilometro, in attesa che qualcuno dei miei rivali inciampasse o restasse senza fiato. A quel punto gli rubavo il posto. Più di una volta è accaduto che ragazze appena conosciute puntassero dapprima su qualcun altro, salvo poi accorgersi col tempo di essere molto più interessate al sottoscritto.

Nonostante il nostro rapporto fosse partito alla grande, impiegai comunque una decina di giorni per invitare Matilde a uscire. Avevamo lavorato a stretto contatto per tutto quel tempo e lei accettò con entusiasmo. Le offrii una cena a Baia e poi la portai sulla spiaggia di Capo Miseno. Era giugno, in giro c'era ancora poca gente e la serata sembrava perfetta. Lei guardò le stelle e domandò: «Tu ce l'hai un sogno?» Rimasi a bocca aperta e balbettai qualcosa di incomprensibile, perché altrimenti avrei dovuto confessarle la verità, e cioè che non avevo più alcun sogno e non sapevo nemmeno da dove iniziare per trovarne uno nuovo. Matilde, per fortuna, passò oltre. Se invece fosse andata fino in fondo, si sarebbe accorta subito del pericolo e si sarebbe allontanata per sempre. Chi non ha progetti da inseguire dentro di sé tende a spegnere anche quelli di chi gli è accanto, come un buco nero che inghiotte la luce che si avvicina troppo. Invece dopo poco ci baciammo e iniziai a sbottonarle camicetta e reggiseno. Matilde mi fermò e disse che no, lì non era il posto giusto, che ci avrebbero visto e non si sentiva tranquilla.

« E allora dove? » chiesi.

« Da te? »

Guardai l'orologio. Erano le undici di un giorno feriale e con ogni probabilità Mario e mia madre già dormivano. Ci intrufolammo in casa come ladri, in punta di piedi e a tentoni nel buio, proprio come facevo un tempo con Giulia. Una volta raggiunta la mia stanza, lei esclamò: « Credo che i tuoi siano ancora svegli, ho visto la luce del televisore in fondo al corridoio ».

« Nessuno dei due è mio. Lui perché non è mio padre, lei perché non può essere di nessuno » risposi mentre la attiravo a me sul letto.

Matilde rise e domandò: « E i tuoi fratelli? Dormono anche loro? »

« Tranquilla, non ci sono. »

Rassicurata, si calmò e iniziammo a esplorare i nostri corpi con grande passione. Ci spogliammo mentre ci baciavamo, sparpagliando per la stanza gli abiti che intralciavano il nostro bisogno dell'altro. Quindi ci stendemmo sul letto e ci scambiammo i corpi, il respiro, il sudore, il sorriso. Insomma, ero lì, con il sogno erotico delle ultime settimane che si contorceva su di me, quando suonò il cellulare. Rifiutai la chiamata e tornai da Matilde, solo che il maledetto aggeggio dopo un secondo riprese a suonare.

« Rispondi » disse lei ansimando.

Sbuffai e guardai il display. Era Valerio. Cosa vuole adesso?, mi chiesi.

« Erri? »

« Che c'è? » risposi brusco.

« Dove sei? »

« A casa, perché? »

« Ho bisogno di un favore. »

Mi passai la mano sul viso mentre Matilde sembrava imbarazzata dalla situazione, dai nostri corpi nudi e ancora poco abituati all'intimità.

« Che favore? »

« Mi devi venire a prendere. »

« Non se ne parla proprio, Valerio. »

« Ma se non sai neanche dove? »

« Non mi interessa. Non posso venire. »

« Erri, sono nei guai. »

« Che guai? »

« Poi ti spiego, adesso puoi venire a recuperarmi? Sto con Filippo sotto il ponte di Gianturco. »

« Sotto il ponte di Gianturco? Che ci fai a Gianturco a quest'ora? »

« Poi ti spiego. Allora, che fai, vieni? »

Sospirai e incrociai lo sguardo di Matilde. Chiusi la conversazione, mi rivestii e dissi: « Mi dispiace. Che fai, mi accompagni o mi aspetti? »

« Qui? »

« E dove se no? »

Lei sembrò pensarci e rispose: « Ti accompagno, così conosco anche tuo fratello. Quello strano dei due, scommetto... »

« Ti avviso, però, che la tua vita scorrerebbe molto più

tranquilla se decidessi di non immischiarti nella famiglia Ferrara.»

«Addirittura? E che avrà mai di così particolare questo Valerio? Guarda che ogni famiglia ha la sua pecora nera.»

«Veramente non stavo pensando a Valerio...»

«Ah, no. E di chi dovrei aver paura, allora?»

«Di mia madre» risposi senza esitazione.

Era successo che Valerio, fresco patentato, era uscito di casa verso le undici, venti minuti prima del mio arrivo, per andare a prendere Filippo, l'amico di sempre. In piazza Vanvitelli però non c'era nessuno e le strade erano deserte, e siccome ormai l'erba l'avevano fumata, in qualche modo dovevano pur divertirsi: e cosa c'era di meglio che visitare le strade di periferia più frequentate dai trans per prenderli garbatamente in giro?

Si erano avvicinati a un travestito in una traversa di via Foria e Filippo aveva iniziato la sua solita sfilza di battutine stupide e volgari. Nonostante il tipo in questione li avesse minacciati di chiamare qualcuno, loro erano rimasti lì a divertirsi e a rovinare i suoi già poco fiorenti affari, e lui alla fine aveva davvero chiesto aiuto.

E l'aiuto era un uomo dalla faccia rude e butterata, al volante di una grossa Mercedes, che si era avvicinato e, senza dire una parola, aveva sollevato il braccio per puntare una pistola in faccia a Filippo. Valerio era sbiancato di colpo e l'adrenalina che gli schizzava nelle vene aveva avuto la meglio sull'erba che gli scorreva placida nel sangue: inserita la prima, era partito a tutto gas. Peccato che anche il barbaro rabbioso si fosse lanciato all'inseguimento, che si era protratto lungo tutta via Marina, con Valerio e Filippo che urlavano impazziti (quest'ultimo, tra l'altro, con la testa infilata fra le cosce come uno struzzo), e il pistolero dietro di loro che con la sua robusta auto tedesca speronava il piccolo gioiellino automobilistico di Renata Ferrara, una Twingo fucsia che lei usava pochissimo e perciò, dopo non so quanti anni, aveva percorso appena dodicimila chilometri.

Alla fine, vicino a Gianturco, l'indomabile inseguitore era riuscito ad affiancarli e aveva dato varie botte alla fiancata, spedendoli dritti sul marciapiede. Solo a quel punto aveva riposto la pistola ed era tornato soddisfatto dai suoi travestiti.

La ricostruzione dettagliata degli eventi ci fu data da mio fratello e dall'amico mentre tornavamo a casa, dopo aver constatato che potevamo solo abbandonare l'ex gioiellino di nostra madre lì dove era stato abbattuto.

« Ma come vi è venuto in mente di fare una cosa del genere? » chiesi a un certo punto, nel tentativo di apparire agli occhi della mia nuova conquista come un angioletto.

« Vabbè » si intromise Matilde, « quel che è fatto è fatto. Pensiamo piuttosto a cosa dire a vostra madre. »

« Brava » commentò entusiasta Valerio, « cosa diciamo a mamma? »

« Cosa dirai... » risposi.

« E dai, Erri, non mi puoi abbandonare. Sono tuo fratello minore, ho il diritto di essere accudito da te. »

Matilde rise e io soffocai una parolaccia, pensando a quale fantasiosa bugia propinare a quel segugio di Renata Ferrara.

« Potremmo dire che qualcuno ci ha urtato ed è scappato! » suggerì Filippo.

« Ma se la Twingo sembra saltata su una mina antiuomo! Come si fa a credere che sia stata ridotta così da una macchina che vi ha urtato per sbaglio ed è fuggita? » ribattei.

Nell'abitacolo scese il silenzio.

«Altrimenti sarò costretto a dirle la verità» sussurrò Valerio in un attimo di sconforto.

«Gli sfottò al travestito e l'inseguimento alla *Starsky & Hutch*? Ma per favore...» commentai.

«Ho un'idea» ci interruppe Matilde.

Ci girammo tutti e tre a fissarla. Lei prese fiato e, tutta contenta, annunciò: «Diremo che l'auto l'hanno rubata. Eri andato a prenderla e non l'hai trovata. Dobbiamo solo fare la denuncia. Penseranno che sono stati i ladri a ridurla così».

Valerio si girò verso di me con gli occhi di fuori. «Ma dove l'hai trovata? Questa donna è un genio!»

Quella sera Matilde Del Gaudio entrò ufficiosamente nella famiglia Ferrara, mentre il gioiellino automobilistico di mamma, dopo anni di fedele servizio, ne uscì con onore.

Su quella spiaggia di Capo Miseno, io e Matilde ci ritrovammo anche l'anno dopo, al nostro primo anniversario, trascorso mano nella mano a guardare di nuovo le stelle.

«La vedi quella?» disse lei a un certo punto.

«Quale?»

«Quella luminosissima!»

«Non la trovo.»

«Uffa, Erri, segui il mio dito.»

«Quella lì?»

«Sì. È Sirio, ed è l'astro più grande del cielo. È lì da sempre, e ci sarà anche dopo di noi. Pensa quanti occhi innamorati si sono posati su di lei nel tempo. Quanti sogni contiene. Forse è per questo che brilla così tanto.»

«E allora?» feci con aria divertita.

« E allora giurami davanti a lei, una cosa così immensa, talmente più grande di te, di me, del mare e del mondo intero, che non ci lasceremo mai! »

« Giuro » risposi subito.

« Non così. Per davvero. »

« Giuro, te lo giuro. »

« Un giuramento non vale se non ci credi davvero! »

« Matilde, ho giurato. »

« Dammi la mano e ripeti: Giuro davanti a Sirio... »

« Mi sento ridicolo... » tentai di obiettare, ma lei mi aveva già preso la mano.

« Giuro davanti a Sirio... » esordii quindi.

« Che tu e io non ci lasceremo mai, diventeremo vecchi insieme... »

« ... diventeremo vecchi insieme... »

« No! non ci lasceremo mai e diventeremo vecchi insieme... »

« ... non ci lasceremo mai... » replicai sforzandomi di trattenere una risata.

« Giuro che non mi stancherò mai di te e dei tuoi baci. »

« Non mi stancherò mai di te e dei tuoi baci. »

« Giuro che non ci sarà notte, d'ora in avanti, nella quale guarderò quella stella senza sapere dove sei! »

« Ancora? Ma quanto dura un giuramento? »

Lei mi guardò delusa, perciò presi fiato e recitai la formula: « Giuro che non ci sarà notte, d'ora in avanti, nella quale guarderò quella stella senza sapere dove sei! »

« Hai giurato! »

« Lo so. »

« E ora non puoi più tornare indietro! » disse con un sorriso affondandomi la testa nella sabbia per baciarmi.

Quando riuscii a liberarmi, precisai: «A meno che Sirio, nel frattempo, non si spenga».

«Stupido.»

Sì, stupido io, che negli ultimi anni sono venuto meno al giuramento e ho dimenticato che anche alla più luminosa fra le stelle bisogna ogni tanto concedere uno sguardo e affidarle un sogno, affinché continui a brillare.

« Me ne vado » dico a Mario, che si sta lavando i denti.

Lui fa cenno di aspettare e io mi appoggio allo stipite della porta del bagno. Si asciuga il viso con estrema lentezza e fa: « Ti ricordi la volta che andammo a Firenze a vedere la partita? »

« E come no! » rispondo di getto.

« E quella fiorentina? Quanto era grande? »

« Così » dico e mimo la grandezza della bistecca con le mani.

« Fu una bella trasferta. »

« Già. »

« Maradona giocò? »

« Sì, segnò anche, però alla fine perdemmo tre a uno. »

« Sì, è vero. Ma era l'anno in cui vincemmo lo scudetto? »

« Già. »

« Quanti anni avevi tu? »

« Be', dodici. »

« Sì, dodici. Incredibile. E ti rendi conto di quanti ne avevo io? »

Abbasso la testa per riflettere, ma lui mi anticipa. « Quarantasei. »

« Pochi più di me adesso. »

« Già » ribatte impassibile.

« Come ti è venuto in mente? »

« Non lo so, ero lì che mi lavavo i denti e ho visto davanti agli occhi la scena di te con quella bistecca enorme, che non sapevi nemmeno da dove cominciare e mi facevi ridere. »

« Mi sembravi molto più grande, sai? »

« Un vecchio? »

« No, vecchio no, sapevo che eri un adulto, insomma, mi davi sicurezza. Se paragono il te di allora con il me di oggi, mi sembra impossibile che abbiano solo pochi anni di differenza. »

Lui sorride e si gratta la pancia. Poi spegne la luce del bagno e si avvia in camera da letto. Io lo seguo.

« È normale, anche io non mi sentivo così adulto. Ero un bambinone cresciuto al quale piaceva andare a vedere la partita con te. »

« No, tu eri molto più di un bambinone cresciuto. Tu eri un padre. »

Mario mi guarda con tenerezza, fa due passi e mi posa la mano sulla spalla. Allora lo lego a me con quanta forza ho nel corpo, come se non stessi aspettando altro e solo adesso mi rendessi conto di quanto avevo bisogno di una sua stretta. Lui fa per indietreggiare imbarazzato, ma alla fine mi stringe a sé. Chissà perché nella vita, più si va avanti, più si tende a eliminare qualcosa: prima i baci, poi le carezze, gli abbracci e, infine, le parole. Invece, bisognerebbe aggiungere. Sempre.

« Anche tu sarai padre » commenta quindi.

« Così parrebbe... »

« E sarai un ottimo padre. »

« Come fai a dirlo? »

« Lo so e basta. »

Mi afferra la nuca e aggiunge: « Non sai quanto mi ha reso felice la notizia. Non voglio intromettermi nella tua vita, nel rapporto fra te e Matilde, ma sono contento di questo bambino. Sono felice di diventare di nuovo nonno ». Sorrido e lui mi dà un buffetto sulla guancia. « Andrà tutto bene. »

Vorrei chiedergli a cosa si riferisse quest'ultima frase, se alla nascita del bimbo, al rapporto fra me e Matilde o alla sua malattia. Ma non ho il coraggio di fare domande e me ne resto lì, con la sua mano callosa dietro la nuca, a godermi questi attimi.

« Il giorno che mi regalasti l'*Amerigo Vespucci*... » esclamo poi e lo fisso negli occhi.

« Eh... »

« Niente, è che... ti avrei accettato anche senza il regalo. Qualcosa dentro di me sapeva che eri tu quello giusto. »

Lui torna a grattarsi la barba, come fa tutte le volte che non vuole commuoversi, ma io insisto. « Ti ricordi che mi chiedesti di dividere tutti i legnetti della confezione? »

« Mmm, no, sono passati tanti anni... »

« Mi dicesti di dividere i pezzi, così il giorno dopo avremmo potuto iniziare a costruire il vascello. E io lo feci, solo che a un certo punto ero così stanco che, quando mi alzai dal tavolo, cadde tutto per terra. Raccolsi ogni singolo pezzo e mi portai la scatola a letto. Feci l'alba per completare il lavoro. »

« Bravo » fa lui sorridendo, « l'ho sempre saputo che quando vuoi sai tirare fuori una volontà di ferro. »

Lo fisso un istante prima di ammettere: « Non era volontà, era paura ».

« Paura? »

Annuisco.

« Paura di che? »

« Di perderti. »

Mario mi guarda e resta in silenzio.

« Credevo che se non avessi finito il lavoro, il giorno dopo ti saresti rimangiato la promessa. »

« Mai rimangiato una promessa fatta a un bambino. »

« Sì, adesso lo so. Ma allora non potevo saperlo. »

Lui sembra sempre più imbarazzato e credo preferirebbe cambiare argomento. Allora vado dritto al punto: « Insomma, sto tentando di dirti che la vita alcune volte ti ripaga con qualcosa di prezioso. Tu sei stato la miglior ricompensa possibile ».

« Allora vuoi proprio farmi piangere stasera? »

« No, per carità. »

« Non ho fatto null'altro che essere me stesso » ammette.

« Lo so, ed è stata questa la differenza. »

Rimaniamo per qualche secondo in silenzio prima che lui riprenda la parola. « Erri, non sono affari miei, ma certe volte bisogna chiudere un occhio e andare avanti. Nulla è perfetto, tanto meno le relazioni umane. »

« Già, me ne sono accorto. »

« Perciò, se puoi, e se davvero lo vuoi, cerca di recuperare il rapporto con Matilde. Lei ti vuole bene. »

« Strano modo di dimostrarlo. »

« A volte, per sfuggire al dolore, le persone feriscono qualcuno o fanno cose senza senso agli occhi degli altri. »

« Già, e tu ne sai qualcosa. »

Mario sembra disorientato dal mio commento. « Ci passiamo tutti, tutti prima o poi feriamo e tutti veniamo feriti. L'amore, Erri, è pieno di gioie e momenti felici, di dolore e delusione. È come la vita, un'immensa fucina di pulsioni, alcune delle quali spiacevoli. Non fare come molti, che per non affrontare il dolore decidono di girare le spalle all'amore. Innamorati, soffri, piangi, disperati, urla, incazzati, tira calci, ma affronta le emozioni, vivile. Vivi. A ogni costo, ragazzo mio, a ogni costo.»

Passa un'eternità prima che trovi il coraggio di tornare a parlare: «Ti chiamo domani».

«Ehi, adesso mica vorrai starmi addosso per i prossimi cinque anni?»

«Può darsi» ribatto, e gli strizzo l'occhio.

Ci sono uomini giusti a questo mondo. La più grande fortuna nella vita è ritrovarsene uno come padre.

Tutti feriamo e tutti veniamo feriti

La frase con la quale ho disorientato Mario si riferiva al modo in cui Renata Ferrara tentò di soppiantare il dolore per il cancro al seno rifugiandosi tra le braccia di un collega della televisione, un giornalista calvo e con il pizzetto che si occupava di sport per *Il Mattino*. In quel periodo, mamma mi chiamò più di una volta per sapere se ero interessato a vedere il basket, la pallavolo, il rugby o il calcio femminile. All'ennesima proposta le chiesi come mai avesse biglietti per tutte le manifestazioni sportive di Napoli e dintorni, e lei balbettò imbarazzata che glieli regalava la sua ex redazione. Lì per lì non mi stupii e lasciai correre. Fu quando iniziò a telefonarmi ogni quindici giorni per sapere se volevo andare in tribuna al San Paolo che cominciò a sorgermi qualche dubbio.

La sera di Napoli-Juventus mi chiamò Giovanni. « Ehi, fratellone, vieni pure tu alla partita? »

« Sì, anche tu hai il biglietto? »

« Certo, mamma ne ha parecchi. »

Avrei voluto chiedere delucidazioni, ma lui riattaccò subito. Così sulle gradinate, prima del fischio d'inizio, mentre succhiavo da una cannuccia una Pepsi calda, tornai sull'argomento. « Ma come fa mamma ad avere tanti biglietti? »

Giovanni rispose senza smettere di mangiare il cornetto, quasi divertito. « Non lo sai? »

« Cosa? »

« Mamma ha l'amante. Un giornalista sportivo. »

Quasi soffocai. « Ma che dici? »

« Lo ha scoperto per caso Valerio. In realtà io avevo già dei dubbi, il fatto dei biglietti, le telefonate e i messaggi continui, cose così. Poi Valerio mi ha detto che l'ha vista con un tipo in un bar del centro. »

« Che cosa facevano? » chiesi e trangugiai in un sorso la bevanda, dopo aver gettato la minuscola cannuccia che a tutto serve tranne che a succhiare.

« Boh, credo parlassero. Comunque Valerio dice che la situazione era inequivocabile. »

« E lui che ha fatto? »

« Niente, se n'è andato. »

« E tu? »

« Io cosa? »

« Le hai parlato? Le hai chiesto qualcosa? »

« Ma di che? »

« Come di che? Se è vero, se ha un altro. E perché. »

Le squadre entrarono in campo e Giovanni si unì ai cori che partivano dalle curve. Solo dopo aggiunse: « Erri, sembra quasi che tu non sia cresciuto nella nostra famiglia ».

Lo osservai, ma lui aveva di nuovo lo sguardo fisso sul campo da gioco, dove i calciatori si stavano scambiando una stretta di mano. « Non è la prima volta che succede negli ultimi anni. Anche papà ha avuto una relazione con una giovane segretaria. Un femminone, tra l'altro! »

« Mario? »

« Eh, Mario » rispose e si voltò solo un attimo a guardarmi. « Ma che credevi, che il loro fosse l'amore più grande del mondo? Anche i Ferrara si tradiscono, come tutti. »

Tornai a guardare il rettangolo verde, ma ero troppo stravolto per dedicarmi alla partita. Mi rivolsi di nuovo a Giovanni. « Ma quanti anni hai tu, che parli così? »

«Quasi...»

«Sì, lo so, solo che sembri uno di quei vecchi che non credono più a nulla.»

«E tu, invece, quanti anni hai?»

«Sempre dodici più di te.»

«Ecco, appunto. E credi ancora all'amore assoluto?»

Poi iniziò la partita e mio fratello non mi concesse più la sua attenzione. Rimasi a guardare gli uomini in campo che rincorrevano la palla e nel frattempo rimuginavo sulle parole di Giovanni, sul perché, pur essendo cresciuti nella stessa casa, fossimo così diversi. Sul perché avesse già quella visione disincantata della vita e su cosa avessero combinato mia madre e Mario per trasmettere ai loro figli una simile idea del mondo.

«Tutti prima o poi feriamo e tutti veniamo feriti» mi avrebbe detto Mario anni dopo, e io avrei annuito. Ma quella sera allo stadio ancora pensavo che gli amori veri resistono agli urti della vita e restano invincibili. Quella sera, in fondo, mi considerai fortunato: nonostante tutto, i litigi e la separazione dei miei mi avevano fatto crescere con l'ideale della famiglia perfetta e avrei dato tutto me stesso pur di riuscire a costruire ciò che non avevo avuto da bambino.

Oggi posso dire che Giovanni, sebbene più giovane, aveva capito meglio di me che il rapporto fra mamma e Mario sarebbe durato per sempre, nonostante le ripetute crisi e qualche sporadico tradimento, e che l'amore, quello vero, non deve resistere al tempo, ma alle ferite.

Dall'agenda di Matilde lasciata a metà

Da un po' di tempo la gente dice che sono cambiata. Può darsi, tutti cambiamo in continuazione. Anche tu lo farai spesso. Solo che il cambiamento fa paura, è qualcosa che chi ti è accanto non accetta di buon grado. Perciò prima o poi troverai chi ostacolerà la tua voglia di cambiamento, ti diranno che non ti capiscono più, che sei egoista. Con ogni probabilità saremo proprio tuo padre e io a romperti le scatole, a non comprenderti e ad accusarti di non essere più come prima. Tu fregatene e vai avanti per la tua strada, a costo di ferirci, a costo di ferirti.

Ricordati, sei e sarai sempre responsabile soltanto della tua felicità.

Gambino mi saluta da lontano

Appena Crispino Del Gaudio venne a sapere della relazione fra la figlia e Manuel Ghezzi, sollevò la cornetta e mi chiamò.

« Erri » esordì con la sua solita voce ferma.

Non mi fu difficile immaginarlo dietro la scrivania in cristallo, affondato nella poltrona di pelle che ogni volta che lui si muoveva sembrava scoreggiare, nella stanza con vista sull'intero agro nocerino e con affaccio diretto sulla Salerno-Reggio Calabria. Immaginai che stesse fumando il solito sigaro e avesse un'espressione accigliata mentre giocherellava col filo del telefono e fissava la foto di famiglia alla sua destra. Chissà se c'ero ancora in quella foto, o se Ghezzi mi aveva sostituito anche lì.

« Ti devo parlare. »

« Di cosa? »

« Della famiglia » rispose con un bisbiglio.

Rimasi in silenzio e alla fine dissi: « Sono tutto orecchi ».

« Non per telefono. Potresti farmi la cortesia di venire in azienda? »

« In azienda? »

« Eh. »

Attesi che finisse di sbuffare il fumo contro la cornetta. « È molto importante? »

« Sì. »

E così mi ritrovai nel mio vecchio ufficio. Per tutto il tragitto in autostrada mi domandai come mi avrebbero accolto i miei ex colleghi, quale espressione avrei visto dipinta sui loro volti, se compassione, derisione, indifferenza o addirittura soddisfazione. Avrei giurato che Gambino stesse ancora festeggiando; d'altronde, per anni ero stato il figlio acquisito del capo, l'unico che aveva attirato l'attenzione della sua principessa, che vagava per i corridoi dell'azienda in eleganti tailleur.

Invece, incrociai solo la segretaria del capo (una vecchia racchia scelta da mia suocera dopo accurate valutazioni) e un paio di innocui colleghi che a stento mi salutarono. Per fortuna, non c'erano né Gambino, né Matilde, né tanto meno Ghezzi. Gli ultimi due non mi aspettavo certo di trovarli, mio suocero non poteva essere così stupido. Per quel che riguarda Gambino, be', durante la conversazione col padre di mia moglie sperai con tutto il cuore che fosse stato licenziato il giorno dopo di me.

« Erri » esordì mio suocero, alzandosi per venirmi incontro a braccia aperte.

Mai nella sua vita Crispino Del Gaudio mi aveva dato una simile dimostrazione di affetto, perciò me ne stetti sulle mie, certo che di lì a poco sarebbe tornato a essere lo stronzo che era sempre stato.

« Mi dispiace per quello che è successo » disse una volta seduto, visibilmente irritato per la mia risposta poco calorosa, « ma mi credi se ti dico che io non ne sapevo nulla? Ma nulla, eh? »

« Ti credo » risposi subito.

« Se avessi solo minimamente sospettato qualcosa, avrei allontanato lui e non te. » E rimase a guardarmi con un sorriso idiota, aspettandosi che ricambiassi. Cosa che non accadde.

« Ma, ormai, quel che è fatto è fatto, non posso più rimediare. Almeno fino a un certo punto.» Continuava a fissarmi mentre pendevo dalle sue labbra, sulle quali erano abbarbicati baffi poco curati e ingialliti dal fumo.

«Insomma, Matilde è impazzita, non so cosa le passi per la testa, figurati che non sta venendo nemmeno più al lavoro. Lui, invece, non posso licenziarlo, anche se ho dato mandato ai legali di trovare una qualche ragione per sbatterlo fuori. Con tutti i soldi che si prendono, devono pur trovare una clausola che mi permetta di cacciare la testa di cazzo che ha rovinato il matrimonio di mia figlia.»

«Non è colpa di Ghezzi» risposi senza muovere nemmeno un muscolo della faccia.

«Già, può darsi, intanto iniziamo a levarcelo dai coglioni e poi vediamo. E chissà che nel frattempo Matilde non torni sui suoi passi.»

«Credo che lo ami.»

Lui sbuffò e si appoggiò allo schienale.

Nonostante sia un uomo all'apparenza curato, sempre vestito di tutto punto e profumatissimo, alcuni particolari lo smascherano. I baffi gialli, appunto, e le unghie smangiucchiate, i peli sulle orecchie, i denti rovinati dal fumo. Dettagli che certo non sfuggono agli occhi vigili di una donna. Eppure, Crispino è un uomo che piace. Sarebbe facile addurre il motivo della sua posizione economica e del prestigio, viceversa ho sempre nutrito il dubbio che, in realtà, alla base del suo successo con il gentil sesso ci sia la sua capacità di corteggiare. A me, per la verità, non ha mai rubato un sorriso, ma con gli uomini è sempre stato burbero. Se, però, nei dintorni c'è una donna, allora Crispino Del Gaudio diventa un uomo divertente, un adulatore, un romantico affabulatore.

Dopo un po' che lavoravo lì, capii che se c'era da comunicargli una cattiva notizia o, peggio ancora, un errore nelle procedure, conveniva portarsi dietro una stagista o qualche collega. Bastava che la donna in questione non superasse i trentacinque anni. Sotto questa soglia si poteva essere certi che tutto finiva con una risata e un corteggiamento più o meno velato. Se, invece, la signora aveva fra i trentacinque e i quarant'anni, allora dipendeva dalla giornata: se Crispino era di buonumore, potevi sperare che tutto filasse liscio, in caso contrario eri costretto a sorbirti la ramanzina. Sopra i quaranta, infine, era meglio presentarsi al suo cospetto da solo e sperare in una grazia.

«Erri, ma che ama e ama, quello ha quasi la mia età, ma per favore. Matilde sta solo attraversando un periodo di confusione, capita a tutti e non per questo si gettano a mare i matrimoni. A te non è mai capitato di sentirti confuso?»

«Non so...»

«Non dirmi che nessun'altra ti ha fatto rizzare l'uccello, Erri, a me le stronzate non le puoi raccontare. E non voglio certo sapere se ti sei portato a letto qualche stagista, non sono affari miei, l'importante è che la sera tu sia tornato a casa da Matilde, come fa un uomo vero.»

«Non mi sono portato a letto nessuna stagista.»

«Già» fece lui poco convinto, e cambiò discorso. «Ho un piano» disse e si avvicinò col busto al cristallo di un quintale poggiato su due teste di leone in marmo.

«Che piano?»

«Un piano per salvare il vostro matrimonio.»

«Cioè?»

«Ti riassumo» esclamò sereno, e si lanciò di nuovo contro lo schienale della poltrona. Poi sorrise, ancora una volta senza essere ricambiato. Dopo un altro sbuffo di sigaro riprese il discorso. «Riassumo te e licenzio Ghezzi, così Matilde sarà costretta a incontrarti tutti i giorni e avrete modo di parlare, riavvicinarvi. Che dici, è o non è una grande idea? »

« Ma, veramente... »

« Lo so, non ti preoccupare, a Matilde dirò che sono stato costretto a richiamarti perché non potevo rinunciare alla tua decennale esperienza. »

Avrei voluto ribattere che la mia decennale esperienza non era bastata a non farmi sbattere fuori quando non sapeva di Ghezzi, invece preferii frantumare il suo entusiasmo fanciullesco e ribattere: « Crispino, davvero, ti ringrazio per i tuoi sforzi, ma tornare qui sarebbe l'errore più grosso della mia vita ».

Lui spalancò gli occhi e rimase a fissarmi.

« Ho un altro lavoro adesso » aggiunsi senza guardarlo.

« Un altro lavoro? »

« Già. »

« E che lavoro? »

Avrei potuto e dovuto rispondere: E a te che ti frega, scusa? Ma era pur sempre mio suocero, perciò dissi: « Nel campo dell'editoria ».

Potevo mai rivelargli che passavo le giornate con Flor a disegnare vignette sulle pareti della mia nuova fumetteria?

Lui si portò le mani al volto e si lisciò i baffi. Poi domandò: « Si guadagna bene? »

« Non male » risposi accompagnandomi con una smorfia della bocca.

« E Matilde? »

« Sto tentando di farmene una ragione e dimenticarla. »

« Eh no » gridò lui, e tornò ad appiccicare il torace al bordo del cristallo, « questo non lo devi dire. Non puoi arrenderti così, un uomo non si lascia sopraffare dagli eventi, ma cerca di comandarli! »

Gli sarei scoppiato a ridere in faccia se non avesse aggiunto, con tono pietoso: «Erri, ti prego, non lasciare che il vostro matrimonio vada a rotoli, non lasciare mia figlia nelle mani di un vecchio, ti prego, falla ragionare».

Mi alzai. «Tua figlia a quanto pare non ragiona più.»

«Vuoi che le parli io? Le parlo, le spiego come stanno le cose...» proseguì alzandosi per venirmi dietro.

«Crispino, ti prego...» tentai di dire, ma lui era un fiume in piena.

«Erri, noi ti vogliamo bene, lo sai, non puoi farci questo.»

«Farci che? È stata tua figlia a lasciarmi.»

Avanzai con difficoltà verso l'uscita, con Crispino che mi sbavava dietro e mi pregava come fossi un oracolo. Eppure, a ogni passo mi sentivo più libero e sicuro della mia nuova strada.

«Mi dispiace, ma non torno indietro!» esclamai sulla soglia.

Lui restò a guardarmi, le braccia lungo i fianchi e un'espressione di stupore mista a sconfitta sul viso. «Erri...»

«Stammi bene, Crispino.» E sgattaiolai fuori dalla stanza.

Salutai la segretaria racchia e mi avviai all'uscita con un sorriso tronfio e il solito formicolio nella pancia. Prima di lasciarmi per sempre la Natura Srl alle spalle, gettai un'occhiata oltre la porta socchiusa della mia vecchia stanza. Dietro la scrivania si intravedevano due gambe accavallate l'una sull'altra, con ai piedi dei mocassini neri e calzini amaranto. Sporsi un po' il collo per incontrare il volto di colui che si era impossessato del mio posto e rimasi inebetito: Gambino sorrideva sornione mentre ondeggiava da un lato all'altro la sua viscida manina in segno di saluto.

I buoni vincono solo nei romanzi

Ad attenderci fuori dal portone troviamo la strada deserta e l'aria frizzante. Arianna infila le mani nel giubbotto e dice: «Una serata niente male, eh?»

«Diciamo che ne ho avute di più leggere.»

«Che fai, torni a casa?»

«Perché, hai altre proposte?»

«Be', potrei chiederti di passare tutta la notte con me, magari a passeggiare e a chiacchierare come facevamo un tempo. Ma penso sia più giusto che tu vada a casa a chiamare Matilde.»

«Chi ti dice che voglio chiamare Matilde?»

«Lo farai. Perché è la cosa giusta e perché muori dalla voglia di farlo.»

«Potrei anche chiamarla fra qualche giorno.»

«Non credo. Non sarebbe da te.»

«Mi conosci bene, vero?»

«Sei la persona che conosco meglio al mondo, non dimenticarlo.»

«Già, hai ragione.»

Per un po' sfiliamo in silenzio accanto alle vetrine spente, lo sguardo perso nelle pozzanghere che riflettono le luci gialle dei lampioni e le pareti dei palazzi nobiliari che ci circondano. Una coppia sul lato opposto della strada è ferma davanti a un negozio di arredamento e parlotta indicando gli oggetti all'interno.

« Mi piacerebbe essere come quei due » fa lei, « una coppia normale, come tante, che passeggia al ritorno da un cinema e si ferma a conversare di quale contenitore per le riviste stia meglio in salotto, accanto al divano. »

« Non credere che sia poi così divertente la normalità. »

« Per me che l'ho praticata poco sembra un traguardo ir-raggiungibile. »

« C'è gente che combatte ogni giorno per non cadere in un rapporto assuefatto, si innamora di altri e distrugge tutto quello che ha costruito proprio perché non regge il peso della normalità. Tu, invece, vorresti fare l'esatto contrario. »

« Il fatto è che se hai costruito qualcosa che non ti piace, che ti sta stretto, puoi sempre tirare un calcio e mandare all'aria tutto. Ma se non hai nulla da distruggere, hai voglia a tirare calci... »

« Be', vista così, mi sa che hai ragione. »

« A te piaceva la vita con Matilde? »

« I primi tempi dopo la separazione mi sembrava di aver perso tutto, persino me stesso. Poi, però, piano piano, mi sono accorto che c'erano tante cose che mi mancavano nella vita di prima. »

All'angolo della strada c'è una focacceria ancora aperta con dentro un commesso che lava il pavimento. Arianna si ferma sulla soglia e chiede se può avere una focaccia. Il tipo si volta di scatto e posa il manico in un angolo. Quindi si infila dietro il banco e taglia un pezzo dell'unica pizza rimasta.

« Non ha proprio un bell'aspetto » le sussurro nell'orecchio mentre l'uomo infila lo spicchio nel forno a microonde.

« Se vedessi quello che mangio a casa... » risponde lei afferrando la pizza.

« Eppure stasera non hai quasi toccato cibo. »

« Sì, ero troppo nervosa. Quando sto con loro non sono a

mio agio, è come se mi trovassi ogni volta con degli estranei, è questa la sensazione. Non so se mi puoi capire. »

« Sì, posso capire. E ora, invece, sei più a tuo agio? »

« Ora sì, con te sì. Tu sei diverso, sembri nato per sbaglio lì... »

« Sì, lo penso pure io. Sono uno sbaglio, quei due insieme non potevano far altro che cazzate! »

Lei ribatte seria: « Non intendevo questo. Per me non sei uno sbaglio ».

Allungo la mano verso la sua guancia e ribatto ironico: « Come faresti senza di me? »

Lei spalanca gli occhi divertita e mi scruta come faceva da piccola, quando le raccontavo i miei più inconfessabili segreti. Finisce di masticare e ribatte: « Erri, sei troppo vanesio, basta dirti una parolina dolce e ci caschi. Dovresti indurirti un po', sai? Le donne ne approfittano di quelli come te ».

Poi dà un altro morso alla pizza e va verso la cassa, e io ne approfitto per tirare fuori il telefono dalla tasca e scrivere un sms a Matilde.

Ti va di vederci ora?

Arianna torna con due birre ghiacciate e getta il tovagliolo e l'ultima parte di pizza nel cestino.

« Andiamo » dice, e mentre usciamo mi porge una Corona già aperta.

« Sai come mi sento? » esordisco dopo alcuni istanti di silenzio.

« Come? »

« Come un vecchio tronco pieno di rami secchi che mi sottraggono energia. »

Arianna si ferma a guardarmi. Ha ancora la bottiglia appoggiata alle labbra e scoppia a ridere. «Che bell'immagine!» commenta poi. «Azzeccatissima. È vero, assomigli proprio a un vecchio e saggio albero parlante, come quelli delle favole!»

«Ridi, ridi, intanto io dico sul serio. Non riesco a liberarmi di nulla nella vita, non butto mai via niente, fosse anche una maglietta strappata e lurida, io la conservo.»

«Che c'entra Matilde in tutto questo? Vorresti buttare via anche lei? Anche lei è un ramo secco da potare?»

«Non lo so. So che appena la rivedrò non potrò fare a meno di baciarla, di passare la notte con lei, non potrò fare più a meno della sua presenza.»

«Mmm...» sussurra Arianna pensierosa, ma io non ho finito.

«Ho paura di lasciarla andare, come ogni cosa della mia vita, del resto. Gli alberi abbandonano i frutti maturi al loro destino, io invece tengo tutto sui miei rami: relazioni sbagliate, rabbia, parole non dette, emozioni represse, e resto a guardarmi marcire poco alla volta.»

Lei si ferma. «Sai che penso?»

«No.»

«Che sei troppo buono e i buoni marciscono prima.»

Rifletto sulle sue parole e mi attacco anch'io alla bottiglia.

«I buoni perdono sempre, Erri, in un modo o nell'altro.»

«E che dovrei fare? Diventare cattivo?»

«Sarebbe una buona idea, ma quasi impossibile da realizzare. Credo che nemmeno con l'aiuto di Iazeolla ce la potresti fare.»

«Grazie.»

«Prego» ribatte e tracanna l'ultimo sorso.

«Forse dovrei tentare davvero con Iazeolla, tornare da lui

e spiegargli questa cosa dei buoni, parlargli della mia difficoltà a tagliare i rami. Forse...»

«Forse dovresti smetterla di rimuginare su ogni cosa!»

Mi blocco e resto a fissarla.

«Sai cos'altro penso?» aggiunge subito dopo. «Che sei una persona farraginosa e contorta, e che parli, parli, parli, e non fai mai niente.»

«È questo che pensi di me?»

«Già, sei proprio una palla!» prosegue in tono ironico e allunga il passo.

«È questo che pensi di me?» domando di nuovo.

«Già, proprio così» risponde, girandosi con la stessa espressione dispettosa di sempre.

«Stronza» ribatto con un sorriso.

«Stronzo tu, che non fai niente per cambiare la tua vita. Non fare come me, che da sempre, quando la felicità si avvicina troppo, trovo il modo di prenderla a calci.»

Empatia significa comprendere appieno lo stato d'animo altrui, che si tratti di gioia o dolore. Significa *sentire dentro*. Ho capito presto che la magia non esiste, ma grazie ad Arianna ho scoperto che l'empatia ci assomiglia molto.

La attiro a me, i nostri corpi di nuovo vicini. Lei poggia la guancia sulla mia spalla. «Lo sai, la prima volta che ti ho visto avevi sulle ginocchia un album delle figurine, e quando mi regalasti i doppioni pensai che da grande ti avrei sposato, che tu saresti stato l'uomo della mia vita?»

Sgrano gli occhi incredulo, non avrei mai pensato che ricordasse quel giorno. «Davvero?»

«Già. Come vedi l'istinto non sbaglia mai, mi sarei dovuta fidare e corteggiarti per il resto dei miei giorni, nonostante fossi il figliastro di mio padre.»

Sorrido e sono pronto a ribattere, ma lei punta i miei occhi e dice: «Quante cazzate in meno avrei fatto se tu fossi stato con me».

«Arianna, senti...»

«È che la dolcezza chiama dolcezza. Puoi anche disprezzare il mondo. Puoi anche sentirti in credito con la vita. Puoi anche pensare che nessuno meriti il tuo amore. Ma se incontri qualcuno che sussulta a una tua carezza, non puoi fare finta di nulla: devi smettere, almeno per un momento, di odiare.»

Non trovo le parole per ribattere, così lei si allontana con uno sbuffo: «Ma adesso basta con la tristezza, sono stufa. Mi porti a guardare il mare?»

«Adesso?»

«Adesso.»

Un attimo dopo mi arriva un messaggio sul telefono. Arianna mi fissa e sembra supplicarmi con gli occhi di non guardare il display. Sfilo il cellulare dalla tasca. È Matilde.

> Sono sotto casa tua. Ti aspetto anche per due giorni se è necessario.

«Matilde?»

«Già.»

«Devi andare da lei?»

«In linea teorica non sarei costretto, ma...»

«Ma tu sei un buono, giusto? E i buoni tornano dalle mogli.»

«È che ho paura di crederci.»

Lei si fa seria e punta i miei occhi: «Erri, non basta una delusione d'amore per non credere più all'amore!»

Di fronte alla mia smorfia, Arianna fa l'occhiolino e aggiunge: « Dai, su, per guardare il mare c'è sempre tempo. Va' a scoprire se questo figlio è tuo ».

Le afferro le mani e la stringo di nuovo a me. Poi poggio la fronte contro la sua un istante e mi allontano. Pochi passi e mi volto. « Ari? »

Lei si gira.

« Ma i buoni almeno qualche volta vincono? »

Arianna sorride da lontano e risponde: « Certo, nei romanzi e nei film, sempre ».

Sorrido amaro e torno a camminare. È lei a richiamarmi. « Erri! »

« Che c'è? »

« Guarda che puoi anche non farla proprio quella domanda! » urla.

« Quale domanda? »

« Se il figlio è tuo. »

Il re dei primogeniti

Quando tutti i tuoi amici iniziano a procreare quasi non te ne accorgi, preso dalla tua vita, e passi da una clinica all'altra col solito regalo acquistato nel solito Prénatal sotto casa. Sorridi, dai baci, fai gli auguri, stringi mani e guardi i parenti che fanno quasi a botte per vedere da vicino il nuovo arrivato.

Poi la famigliola torna a casa e vai a trovarli, ceni con loro mentre il piccolo dorme, perché i neonati dormono sempre, e allora pensi, vabbè, non è poi cambiato molto rispetto a prima, riusciamo ad avere un rapporto quasi umano. E invece ti sbagli, perché il neonato in men che non si dica diventa un bambino che cammina, abbozza qualche parola di senso compiuto, piange, fa la cacca ogni due minuti e vuole giocare all'infinito, finché non crolla per la stanchezza.

Lì cominci ad accorgerti che la tua vita e quella dei tuoi amici di sempre stanno iniziando a prendere strade diverse, perché loro non dormono la notte, non fanno più sesso, non guardano un film, non leggono un libro. Pensano solo al bimbo. E dopo i soliti discorsi sulle colichette, i poveri nonni che vorrebbero vedere di più i nipoti, il bisogno di una tata notte e giorno, o almeno di giorno, sulla promessa non mantenuta della suocera che si sarebbe dovuta occupare del nipotino e invece a tutto pensa fuorché a lui, sull'iscrizione all'asilo nido che almeno ti tiene il bambino mezza giornata; dopo gli estenuanti calcoli del bilancio familiare che non permettono alla giovane mamma di licenziarsi, arriva il momento nel quale il silenzio si impossessa della scena per rammentarti che l'amicizia di un tempo è solo un ricordo lontano.

Ma è solo un attimo, perché subito dopo il bambino sta già scorrazzando felice fra il salotto e la cucina e a turno qualcuno deve pure andargli dietro. E così speri che il piccolino prima o poi crolli, così da poter scambiare con loro qualcosa di simile a una conversazione che non sia incentrata sulla migliore marca di pannolini in commercio. Solo che a quel punto i poveri genitori saranno stanchi e dovranno approfittare del sonno del figlio per riposare anche loro.

Quando torni a casa, nella testa ti risuonano frasi come « vuole stare sempre in braccio », « ora inizia a farsi capire », « ti fa di quei sorrisi », « i capricci solo se non stai tutta la sera a giocare con lui », « è stancante, non sai quanto è stancante ». E allora la sera nel letto quasi pensi che sì, in effetti, è una fortuna che tua moglie non rimanga incinta perché altrimenti anche tu diventeresti un automa che parla solo di pipì e popò senza sapere nemmeno più cosa accade nel mondo.

Ma tutto questo è nulla di fronte al fatto che dopo un po' di tempo, speso a ripetere le solite analisi di laboratorio per capire per quale dannato motivo un figlio proprio non vuole arrivare, devi fare i conti con gli stessi amici, che stavolta hanno messo al mondo il secondo figlio. E allora riparte il giro delle cliniche di Napoli, il solito acquisto da Prénatal (dove in realtà io mi perdevo a esaminare un mondo a me estraneo e se non ci fosse stata Matilde non ne saremmo usciti più), la visita di cortesia, le boccacce al nuovo neonato, un bacio a quello che neonato non è più, e poi di corsa a casa, a fare l'amore sperando di non restare di nuovo al palo e di realizzare almeno il goal della bandiera. Solo che, mentre tu ti passi la palla non so quante volte nel tentativo di arrivare in porta, i tuoi amici in due passaggi bucano ancora la rete, e così, senza sapere come, ti ritrovi di nuovo una pancia nella tua vita, solo che è sempre la pancia sbagliata, di una donna che con te c'entra poco o niente.

E allora partono il senso di colpa, l'autoanalisi, la ricerca di un motivo lì dove un motivo non c'è. Finché un giorno non te ne fai una ragione, decidi di salutare i tuoi vecchi amici con i quali non hai più nulla da dirti (anche perché adesso i capricci, i pianti e le cagate sono moltiplicati per due o tre) e ti metti alla ricerca di qualche altra anima solitaria che, per varie ragioni, è ancora indaffarata a pensare alla propria vita anziché a quella della progenie.

In una delle ultime visite neonatali accadde una scena che mi colpì e mi fece tornare in mente i miei fratelli.

La coppia che eravamo andati a trovare in clinica aveva appena messo al mondo il secondo figlio, con evidente e malcelato disappunto del primogenito. La venuta al mondo del fratellino aveva disturbato non poco il padrone di casa, che un po' sorrideva e dava carezze al nuovo arrivato, un po' gli mordeva il braccio e gli tirava qualche schiaffetto. Quando giunse il momento dell'allattamento, apriti cielo, scoppiò il putiferio: il grande non sopportò che il piccolo si appropriasse delle *sue* mammelle e iniziò a frignare perché voleva attaccarsi anche lui.

Anche Valerio faceva la stessa cosa con Giovanni, naturalmente di nascosto, e naturalmente scatenando i pianti disperati del fratellino.

Potrei dilungarmi sul fatto che mamma e Mario sapessero come andavano le cose e facessero finta di non vedere, sul perché i genitori pensino che il primo un po' abbia il diritto di sfogarsi sul secondo, in fondo ha subito un trauma, dovrà pur esternare la sua rabbia. E chi se ne importa se il secondo, neanche messo al mondo, già prende pugni e cazzotti senza sapere da dove arrivano. Preferisco, però, rivolgere la mia attenzione al fatto che, in realtà, i primogeniti sono fortunati: possono disporre del fratellino come di una specie di antistress. Funziona così da sempre, e funziona benissimo, almeno per i primogeniti. Il problema di chi funge da antistress non mi riguarda, perché io fortunatamente rientro nella categoria dei primogeniti. Io sono il re dei primogeniti, primogenito in due famiglie diverse, primogenito di due fratelli e una sorella.

Eppure, nonostante la leadership, non ho potuto incanalare la mia rabbia verso i secondi, come da diritto acquisito. Quando sono nati i miei fratelli ero già un bambino bello che fatto, quasi un adolescente, e sarebbe stato quantomeno inopportuno se avessi iniziato a tirare pizzicotti a Valerio o a Flor, o se avessi preteso di attaccarmi al seno di mia madre o a quello di Rosalinda.

Insomma, quel sacrosanto diritto mi è stato negato, e anche in quel caso ho finito per ingoiare la mia rabbia, continuando a non servirmene. Peccato, perché la rabbia non è una cosa poi tanto stupida. Come la paura, serve ad agire quando è necessario, anzi a reagire, e le reazioni fanno nascere cose nuove, rompono equilibri. La rabbia che sa quale strada prendere ti porta sempre qualcosa di buono al suo ritorno.

Puoi anche non farla quella domanda

Appena giro l'angolo lei è lì, appoggiata al tufo del palazzo ad aspettare il mio arrivo. Non la vedo da più di un mese e trovarmela a pochi passi mi riempie di emozioni.

Matilde non si è ancora accorta della mia presenza, ha il viso chinato a scrutare il telefonino e un piede appoggiato alla parete. Resto a guardarla da lontano e mi scopro emozionato. Non so se torneremo insieme, non so se è venuta a riprendersi me o a comunicarmi che il figlio è di Ghezzi e io non c'entro nulla, so che mi basta averla a pochi metri per sentirmi turbato. Perché mi sono appena reso conto che lei è ancora dentro di me, nel cuore che l'ha riconosciuta e ora scalpita per spezzare la sua gabbia d'ossa, e nello stomaco, che senza saperlo si è nutrito dei suoi gesti di amore.

Solleva lo sguardo e mi vede. Rimaniamo a fissarci per un istante, poi sorride e io faccio altrettanto. Quindi si stacca dal muro e mi viene incontro.

Ha già preso qualche chilo, penso mentre continuo a sorriderle.

«Ti sei tagliata i capelli!» esclamo invece quando siamo uno di fronte all'altra.

«Sì. Come sto?»

«Bene.»

Negli anni ha cambiato acconciatura varie volte e non è mai successo che non mi piacesse. Matilde è bella con i capelli corti e con i capelli lunghi, con qualche chilo in meno o in più. Se hai un naso carino e un po' all'insù, occhi grandi e ciglia lunghe, zigomi alti e bocca carnosa, puoi permetterti anche di prendere qualche chilo. Il problema di stare attento ai carboidrati riguarda quelli come me, che con i lineamenti hanno un brutto rapporto.

« Perché non mi hai risposto? »

Già, perché?

« Ho avuto una serata difficile. »

Lei rimane a fissarmi.

« Mario sta male col cuore. Ce lo ha detto stasera. »

Matilde cambia espressione. « È grave? »

« Abbastanza, i medici hanno detto che può vivere altri cinque anni. »

Lei china il capo un istante. « Mi dispiace, non sapevo. »

« Come potevi? »

« I tuoi fratelli come stanno? » chiede dopo un istante di silenzio imbarazzante.

« Bene, grazie. » Noto di sfuggita che l'unica di cui non ha chiesto notizie è mia madre. « Clara è di nuovo incinta. E anche Flor aspetta un bambino. »

« Flor? »

« Già. »

« E chi è il padre? »

« Non lo sa. »

Matilde resta in silenzio, in un'altra occasione sono certo che avrebbe commentato la notizia. E allora mi viene voglia di parlarle di Arianna, di tutto quello che mi ha raccontato, dei traumi che ha dovuto subire, della sua vita assurda e a me in buona parte segreta. Ma mi trattengo, ci sono cose più importanti di cui discutere.

« Vuoi salire? »

Lei annuisce e le faccio strada. Per le scale esclama: « Non ti facevo tipo da vivere in centro! »

E io non ti facevo tipa da Ghezzi, vorrei risponderle, ma lascio perdere e afferro il mazzo di chiavi. Una volta dentro, si guarda in giro e commenta: « Carino qui ».

Getto le chiavi sul tavolo e mi riempio un bicchiere di bicarbonato.

« Vedo che non sei cambiato molto » dichiara, poi si siede sul divano con cautela e sposta un cuscino afferrandolo con la punta delle dita. Mi scappa un risolino.

« Perché ridi? »

« Nulla, è che anche tu non sei cambiata granché. Sapevo che lo avresti fatto. »

« Cosa? »

« Spostare il cuscino come se fosse un sacchetto dell'immondizia. »

« Già. Siamo stati insieme così tanto che sarebbe strano il contrario. »

« Quindi non hai dimenticato i miei difetti? »

« Sono così tanti... »

« Io, invece, i tuoi li ho persi per strada. I primi tempi me li trovavo sempre davanti agli occhi e questo mi permetteva di non pensarti. Poi, a un certo punto, non li ho visti più. Evaporati, come bolle di sapone. Così è tutto più difficile. »

Gli occhi le si fanno enormi e lucidi. « Lo vedi? Dici una cosa bella e neanche te ne accorgi. »

Siamo al dunque. Butto giù il Brioschi e mi siedo vicino a lei.

È Matilde la prima a parlare. « Senti, ho bisogno di dirti come stanno le cose e vorrei che tu non mi interrompessi... »

« Non l'ho mai fatto. »

« Sì, invece, e tante volte. » Tira un sospiro e prosegue: « Non voglio litigare, voglio parlare, cercare di chiarire ».

« E allora fallo, chiarisci. »

« Vedi che mi interrompi? »

Sospiro io stavolta.

« Ho lasciato Manuel, ho capito di non amarlo, di aver fatto una sciocchezza. È come se la notizia del bambino mi avesse destato dal torpore degli ultimi mesi. Avevo infilato la testa nella sabbia, come gli struzzi, non volevo sentire nulla, avevo bisogno di non pensare. E Manuel mi ha aiutato. »

« E ora che non ti serve più lo getti via » commento, e resto a fissarla con rabbia.

« No, per nulla. Abbiamo parlato, gli ho detto la verità, ho tentato di fargli capire come stavano le cose, che amo ancora te. E... lui ha capito. Ci sono persone che quando racconti la verità ti credono. »

« Cosa vuoi da me, Matilde? »

« Non ho finito. »

« E allora sbrigati. »

Lei sembra ferita dalla mia durezza. Esita. Dopo un attimo di silenzio, arriva la domanda tanto temuta: « Non mi chiedi se il figlio è tuo? »

Mi porto le mani al viso e mi tornano in mente le ultime parole di Arianna. Giusto, potrei anche non farla quella domanda, si aggiungerebbe alla lunga fila di quesiti insoluti per insufficienza di coraggio. Il problema è che lo stomaco non ne vuole più sapere di ingoiare una sola sillaba non detta. Perciò guardo Matilde negli occhi e ascolto le mie labbra chiedere: « È mio? »

Marta non la dava

Come per le scelte, anche per quel che riguarda le domande non mi sono mai dato troppo da fare. Perché le domande a volte portano in dote risposte che ti mettono di fronte a una scelta. Siamo sempre lì. In mancanza di un'assoluta necessità, ho sempre evitato di chiedere. Quando Valerio si presentava la notte in camera mia, per esempio. O un pomeriggio con Giulia, all'inizio dei turbolenti (per me) anni Novanta.

Chiuso nella mia camera, con lo stereo a palla e la domestica che puliva fuori dalla porta, non avevo occhi che per lei, la sirena che mi rubava il sonno. E sì, perché Giulia mi aveva già lasciato e ripreso, e io ero un po' il suo amante, un po' l'amico consolatore, un po' l'oggetto sessuale alla sua mercé.

In realtà il suo ritorno di fiamma, lo capii dopo qualche tempo, era dovuto più a un attacco di gelosia o, meglio ancora, al suo istinto possessivo, all'egoismo. Di sicuro, non all'amore.

Da qualche settimana, infatti, avevo legato con una ragazza della sua scuola, una certa Marta, capelli corti, occhi neri da cerbiatto, vita stretta e sedere a mandolino. Tuttavia, il mio fine principale era avvicinarla per ottenere informazioni su Giulia, mai avrei pensato che Marta potesse interessarsi a me. Invece, incredibilmente, lei iniziò a mostrare una certa attenzione nei miei riguardi; arrivavo in piazza e diventava rossa, cominciava a ridere senza motivo con le amiche, mi lanciava occhiate furtive.

Presto Marta e io ci scambiammo i numeri di telefono e iniziammo lunghe conversazioni serali incentrate per lo più su Giulia. Un giorno mi chiese di andarla a prendere la mattina per portarla a scuola in Vespa. Il nostro arrivo non passò inosservato alla mia ex, che cominciò a guardarci di soppiatto, procurandomi un sinistro piacere.

Un giorno, mentre ero seduto sulla Vespa, Giulia mi avvicinò. «Lei non c'è?»

«No, ha la febbre» risposi divertito.

«Ho capito» commentò, giocando con il manicotto dell'acceleratore. Poi prese un lungo respiro e formulò la domanda che mi aspettavo: «State insieme?»

Avrei volentieri risposto di sì, ma non sarebbe stata la verità, e Marta lo avrebbe presto scoperto.

«No» dissi quindi.

«Vi siete baciati?» domandò subito dopo.

Un altro no avrebbe comportato un calo vertiginoso di interesse nella mia amata, perciò fui costretto ad annuire. In realtà con Marta c'era stato un mezzo bacio veloce. Era successo che, l'istante dopo che le nostre lingue si erano sfiorate, la mia mano era scivolata come un serpente sotto il reggiseno. Al che lei aveva spalancato gli occhi e, dopo un passo all'indietro, era rimasta a fissarmi come se di fronte avesse un serial killer. Infine aveva preteso di essere accompagnata a casa.

E in quel gesto avevo infine trovato la risposta alla domanda che da giorni mi ronzava nel cervello: perché mai una così bella ragazza non avesse il fidanzato e, soprattutto, uscisse con me.

Marta non la dava.

Fra noi c'era un'evidente disparità estetica che non sfuggiva a nessuno. Ogni volta che entravamo in un bar o ce ne stavamo sulla Vespa a chiacchierare, tutti lanciavano lunghe occhiate a Marta, poi notavano me e restavano meravigliati o increduli, a seconda.

Io ero tipo da Giulia, non da Marta. Marta era troppo perfetta, Giulia, invece, qualche difetto l'aveva, anche se ai miei occhi era splendida. Qualche chilo di troppo, per cominciare, e gli occhi e la fronte piccoli. E poi, a dirla tutta, aveva un sedere abbastanza pronunciato e solo un accenno di girovita. Eppure, come mi guardava Giulia, nessun'altra. A parte Arianna. Ma questa è un'altra storia.

«Marta non te la darà mai» fu il commento soddisfatto e crudele di Giulia.

«Non esserne troppo sicura» risposi con un sorriso beffardo. Mi stavo giocando l'opportunità di riconquistare la mia ex grazie a una colossale bugia. Marta non me l'avrebbe data. Era evidente. Eppure Giulia esitò. Ne approfittai e affondai il colpo. «In realtà, potrebbe accadere molto prima di quanto pensi...»

Lei sbiancò. «Se stai con lei, abbiamo chiuso!»

«E allora torna con me!»

Giulia sembrò riflettere, quindi si avvicinò al mio orecchio e, con tono malizioso, sussurrò: «Mi porti da te?»

«Quando?»

«Ora.»

«Ora?»

«Eh, ora.»

«È che non so se a casa c'è mia madre... Forse è uscita, potrebbe esserci solo la domestica...»

«Allora?»

Giulia mi fissava accigliata, stufa e offesa per la mia incertezza. Mi stava offrendo il suo corpo e io mi permettevo di non renderle grazie come fosse la Madonna.

«Sali» risposi.

E chiusi in un sol colpo la discussione e l'amicizia con Marta.

«Vieni dentro!» esclamò lei al culmine del rapporto, mentre la musica dei Depeche Mode rimbombava sui vetri e la scopa della filippina sbatteva contro la porta.

Mi bloccai e la guardai. «Ma che dici?»

«Vienimi dentro» ripeté in piena estasi, tanto che fui costretto a metterle la mano sulla bocca.

«Ma...»

«Che c'è? Non mi ami abbastanza?» ansimò mentre si contorceva.

«No, è che...»

Giulia si fermò e restò a guardarmi con aria severa. «Se non lo fai, saprò che non mi ami.»

Avrei dovuto e potuto rifiutarmi, ma avrei fatto una scelta, eventualità per me inaffrontabile in stato di lucidità, figuriamoci a pochi passi dall'orgasmo. Perciò avemmo un rapporto completo e poi restammo a baciarci a lungo, io dentro di lei.

Mentre ci rivestivamo, Giulia aveva uno strano sorrisino sul volto. Pensavo che fosse per via della mia prova d'amore e non dissi nulla. Così come non feci domande sullo sviluppo che avrebbero potuto prendere le cose. Mi tormentai per tre notti al solo pensiero di avere un figlio, dell'enorme fesseria fatta e del perché non fossi riuscito a dirle di no, finché lei non mi rivelò la verità.

« Prendo la pillola. »

« La pillola? »

« Certo, Erri, che cosa pensavi, che volessi un figlio da te? Alla nostra età? »

Sorrisi. « Eh già, che stupido che sono. »

Giulia e io non tornammo insieme, Marta mi tolse il saluto (proprio quello che desiderava Giulia) e il bambino, ovviamente, non arrivò.

Eppure anche allora, in quelle tre notti, mentre mi rigiravo fra le lenzuola cercando di placare la paura, sentivo qualcosa formicolare nella pancia, proprio come mi sarebbe accaduto molti anni dopo. È che una parte di me, forse, sapeva che un figlio sarebbe stato l'unico filo che mi avrebbe unito per sempre a Giulia. Una parte di me intuiva che il formicolio era venuto a dirmi che ero pronto per fare il padre, e se non avessi afferrato al volo il momento, chissà quanto avrei dovuto attendere.

Invece decisi che, così come era venuto, il formicolio se ne sarebbe andato. E così accadde. Dopo qualche giorno la sensazione svanì. E insieme se ne andò anche la strana voglia di diventare padre.

Giulia uscì definitivamente dalla mia vita qualche mese dopo, senza che quasi me ne accorgessi. Un pomeriggio di molti anni dopo ci incontrammo davanti a una gelateria, lei con il suo fidanzato, io con Matilde. Ci salutammo da lontano, un timido sorriso e un gesto della mano, poi via, ognuno per la sua strada. Matilde mi chiese chi fosse quella ragazza e io risposi: «Una alla quale sono grato perché ha scelto di condividere una piccola parte della sua vita con me».

Non so, credo che, in realtà, le cose vadano così, le persone si incontrano, si piacciono, si amano, percorrono insieme un pezzetto di strada e, infine, si perdono, senza un reale motivo.

O, forse, il motivo c'è, ed è quello di permettere nuovi incontri, diversi amori, altri inizi.

Dall'agenda di Matilde lasciata a metà

La speranza è una gran bella cosa, la più bella di tutte. Perciò questa sarà la mia ultima pagina, ho deciso di finirla qui con il quaderno, prima che le mie parole siano contagiate dall'assenza di speranza. Sarebbe come darla vinta a quelli che dicono che il rischio di sperare è quello di restare delusi. Due giorni fa Erri mi ha detto il suo primo vero no. Il più importante di tutti. E la settimana scorsa, nel vedermi scrivere, mi ha chiesto se non fosse il caso di darci un taglio con l'agenda. Quella notte ho pianto. Mi sentivo sola, tradita. Poi ho capito che lui, semplicemente, ha esaurito la sua riserva di speranza, e mi sono addormentata. Lo amo, ma non gli permetterò di sottrarmi la speranza, sarebbe come rinunciare alla mia vita. E alla tua. E non posso permetterlo. Devo preservare questa fiamma, perché mi servirà per vederti venire al mondo.

Quel giorno, amore, te lo giuro, queste pagine torneranno a riempirsi.

Non sarà un mezzo figlio

Matilde mi fissa a lungo, sospira e, infine, risponde: «Qualunque decisione vorrai prendere, il bambino è il nostro».

Mi accorgo che sto tremando e vorrei pure ribattere, se lei non riprendesse subito la parola. «Non mi chiedere come sia possibile, per anni ci abbiamo tentato e ora eccoci qui. Questo figlio è tuo perché io amo te, ho sempre amato solo te, perché con te ho sempre voluto un figlio. Che differenza farebbe se il seme non fosse tuo?»

«Che differenza farebbe, dici?» Urlo come se la rabbia fosse riuscita infine a esplodermi nella gola. «Farebbe tutta la differenza del mondo! Innanzitutto perché starei ogni giorno a osservare mio figlio per vedere se mi assomiglia o se ha la stessa espressione smorta di Palle mosce, e in secondo luogo perché, se fosse davvero figlio di Ghezzi, non credi che avrebbe diritto di saperlo?»

Una lacrima le scende lungo la guancia mentre risponde con gli occhi fissi nei miei. «Ho atteso per anni questo momento, Erri, e non me lo farò portare via. Non amo Manuel, ho fatto un errore perché mi sentivo impazzire, ero fuori di me, ora però so bene quello che voglio.»

«E non ti importa di quello che voglio io.»

Matilde si strofina il palmo della mano sotto il naso. «Perché escludi a priori che sia tuo?»

«Perché ci abbiamo provato per anni e non ci siamo riusciti. Perché se questo benedetto figlio non è arrivato allora, non vedo perché dovrebbe arrivare proprio adesso, che non siamo più marito e moglie, non siamo una coppia, non siamo niente. »

Lei inizia a piangere più forte e china il capo per nascondere i singhiozzi che la fanno sussultare. Mi alzo e infilo un bicchiere sotto il lavandino, poi mi risiedo al suo fianco e le offro l'acqua. Lei beve a piccoli sorsi mentre cerca di ritrovare un respiro regolare.

« Ti sto chiedendo di amarmi ancora, di credere in me. Ti sto chiedendo di scegliermi di nuovo, e non perché è arrivato il bambino, ma perché non riusciamo a stare lontani. Scegli prima noi e poi lui. »

« Una richiesta alla Matilde » ribatto.

Vederla ridotta in quello stato mi ha fatto venire una gran voglia di abbracciarla e se non mi sono ancora mosso è perché sto tentando con tutto me stesso di capirci qualcosa, di prendere una decisione per la prima volta. E di rispettarla. Le scelte che ti cambiano la vita spesso sono invisibili, si presentano d'improvviso ed evaporano in una frazione di secondo, lasciandoti stordito e con una strana sensazione addosso, come quando una parola dondola sulla lingua per un po' e poi ricade nell'esofago, senza che il cervello riesca ad acciuffarla per tempo.

« Spiegami perché. »

« Perché cosa? »

« Perché Ghezzi. »

Lei si lascia cadere contro lo schienale. « Lo sai perché, ne abbiamo parlato. »

« No, non lo so il perché e non ne abbiamo mai parlato, a dirla tutta. So che una sera mi sei venuta vicino e mi hai morso la mano, poi hai detto che ti scopavi Ghezzi. »

Lei inizia a giocare con la fede al dito. Neanche mi ero

accorto che se l'era rimessa. Quindi fa un lungo respiro prima di attaccare: «Ho provato a convincermi che fossimo una famiglia, te lo giuro. Però poi mi dicevo che stavamo insieme da troppo tempo e che senza un figlio eravamo destinati a lasciarci, che tu prima o poi saresti stato attratto da una più giovane, magari una nuova Clara appena arrivata in azienda, e io sarei rimasta sola».

«Io? Da una più giovane?»

«Già, tu.»

«In genere non faccio molto colpo sulle ragazze. Neanche sulle donne attempate, a dire la verità.»

«E poi Manuel iniziò a starmi dietro, era sempre gentile, lo conosci, sempre disponibile a un sorriso, ad ascoltare i miei problemi, aveva sempre una parola di conforto. Insomma, non so come e perché, ci sono finita a letto.»

Strizzo gli occhi per rimuovere l'immagine di lei con Palle mosce e mi alzo di scatto per aprire la finestra. Ho bisogno di aria fredda, di respirare e pensare. Il lume al centro della strada oscilla mosso dal vento. Alcuni metri più giù, una motoretta che passa rombando si mangia la strada, e il gas della marmitta raggiunge le mie narici, facendomi istintivamente ritrarre indietro il collo. Dalla finestra di fronte arrivano i bagliori di un televisore ancora acceso. Una volta Matilde mi accusò di essere poco assertivo. «Che significa?» chiesi. «Vuol dire che sei incapace di esprimere in modo chiaro le tue emozioni, o le opinioni. O accetti tutto passivamente, o dai in escandescenze.»

Quella volta diedi in escandescenze e la mandai a quel paese, lei e i suoi paroloni indecifrabili. Invece, aveva ragione. È che ci abituiamo alle parole di chi ci sta accanto, proprio come ci abituiamo ai suoi lineamenti, così alla fine nemmeno notiamo più se ci sta dicendo qualcosa di sensato.

Non sono mai stato un tipo assertivo. Non so esprimere in modo palese ciò che provo, non sono capace di lottare troppo a lungo per un'opinione, non so come difendere il mio punto di vista senza scontrarmi con l'interlocutore di turno. A volte non so farmi rispettare, altre manco di rispetto.

Credo che la mia poca assertività sia dovuta a una scarsa autostima. È che da bambino i miei genitori non mi lasciavano poi tanto spazio, non mi permettevano di dire la mia. Perciò ho imparato presto a restare zitto. Se durante l'infanzia ti continuano a ripetere che il tuo parere non conta un cazzo, alla fine cresci con questa convinzione.

Matilde si avvicina e mi abbraccia da dietro. Vorrei svincolarmi, ma non ci riesco, mi sembra impossibile muovermi.

«Sto tentando di spiegarti che ho fatto un errore, il più grande della mia vita, ma l'ho capito quasi subito, già quella sera alla festa. Sto tentando di dirti che forse c'è un disegno dietro tutto questo, se per anni non riusciamo ad avere un bambino e proprio dopo la separazione, quando inizio a provare di nuovo una vera attrazione per te e di notte sento la mancanza del tuo corpo, solo allora arriva la gravidanza. Forse stavamo sbagliando, stavo sbagliando. Eri diventato il fine per realizzare il mio desiderio più grande, solo tu avresti potuto dare un senso alla mia vita donandomi un bambino, e invece non è così che vanno le cose. Forse ci vuole un'energia diversa, una passione diversa, forse solo se si fa l'amore come l'abbiamo fatto noi quella sera in bagno, come se non potessimo farne a meno, come se il contatto dei nostri corpi ci togliesse il respiro, forse solo allora si sprigiona l'energia che dà la vita.»

Arriva un messaggio sul mio telefonino. Ora potrei girarmi e abbracciare Matilde, rivelarle che le sue parole mi hanno colpito e commosso, che forse ha ragione, avevamo fran-

cobollato un atto d'amore facendolo diventare quello che
non è. Potrei comunicarle che un domani ricorrerò al test
del DNA, ma che nel frattempo accetterò la situazione. Potrei addirittura baciarla e dire che sì, il figlio lo voglio, vada
come vada, perché tanto le cose mica possono arrivare sempre come avevamo immaginato, l'importante è che comunque in qualche modo arrivino. Invece non dico né faccio
nulla, mi sfilo dall'abbraccio e rientro.

L'sms è di Flor. Anzi, è un mms. Apro la foto: lei che sorride insieme a un ragazzo con il collo tatuato mentre guardano l'obiettivo e mi mostrano un boccale di birra, come a
voler brindare con me. Il testo è lunghissimo e dice:

```
Ho appena finito di vedere Persepolis.
È bellissimo!
Questa città è bellissima.
Ora sono qui con il mio amico Jakob, che ti
saluta.
Appena torno vediamo il film insieme distesi
sul divano, magari mentre tu dedichi qualche
parolina dolce a Soledad nella pancia.
Che dici? Un bel programmino, no?
Ti voglio bene.
Dio, quanto è bella la vita!
```

Digito la risposta mentre Matilde si avvicina e mi guarda
con curiosità. « È Flor » dico mentre scrivo:

```
Ma che fai? Non devi bere!!!
```

Solo dopo Matilde mi porge un foglietto. È l'ecografia del
bambino. « Lui è quel fagiolo lì » dice, e indica un punto
preciso con il mignolo tremante.

Allungo il collo e resto a guardare a lungo l'ombra sulla

carta, finché succede una cosa strana: mi dimentico della birra di Flor, di Ghezzi e delle buone probabilità che lo sperma sia suo e che un domani il bambino assomiglierà a lui, e penso soltanto che no, questo figlio non dovrà essere un mezzo figlio, sballottato di qua e di là, non dovrà avere due madri, due padri, due case e un po' di fratelli sparsi. E mentre sto lì a riflettere, Matilde mi abbraccia e mi bacia sul collo, e allora la pelle rabbrividisce al contatto inaspettato. Lei mi afferra il viso e mi bacia con la lingua calda e io sento di non potermi più trattenere, e la bacio e la tocco e mi lascio andare.

Matilde si disfa del maglioncino e della camicia in poche mosse, poi mi sbottona i pantaloni e mi infila la mano negli slip. E allora la mia palpebra inizia la consueta coreografia, solo che stasera siamo troppo impegnati a ritrovarci per darle retta. Le strappo il reggiseno e sto per morderle il capezzolo con voracità, sennonché mi accorgo che è diverso da come lo ricordavo, più turgido, e l'areola è più larga. In realtà è proprio tutto il seno a essere più grande, e la cosa non mi dispiace affatto. Matilde, però, non mi dà la possibilità di riflettere, mi afferra per un lembo della camicia e mi attira a sé, quindi si sdraia sul letto.

E allora facciamo l'amore con forza, passione, come se non potessimo farne a meno.

«Dimmi che mi ami» sussurra Matilde fra un gemito e l'altro.

So che ti ho sempre amato, so che tu non mi hai mai fatto sentire «mezzo», ma so anche che non riesco ancora a perdonarti e non posso fingere che non sia successo nulla. So che, in fondo, basterebbe solo dimenticare, perché ciò che conta è quel che rimane nella nostra memoria. Tutto il resto è come se non fosse mai esistito. So che sono contento di essere qui, ma allo stesso tempo ho paura di perdere quel formicolio nella pancia che mi è venuto a trovare da un po' e mi fa sentire bene.

So che voglio un figlio e che vorrei saper scegliere sempre il meglio. So che le indecisioni servono a mascherare la paura e che la vita non ha tempo da perdere con chi non trova il coraggio di andarle dietro. So anche che un altro figlio chissà se e quando arriverà, perciò stasera scelgo di non avere più paura, scelgo lei, la vita.

Prendo fiato ed esclamo: «Ti amo, ti amo!» e mentre lo ripeto lo sguardo mi cade sull'ecografia accanto alla sua spalla e ritorno a pensare che quella macchia che un giorno sarà mio figlio avrà ciò che Arianna e io non abbiamo mai avuto, e sarà una persona normale, uno dei tanti, forse non troppo sensibile e profondo, ma felice, allegro, sorridente, positivo, come Flor, come Valerio, uno che affronterà i suoi giorni senza troppe paure, con le spalle forti e lo stomaco pieno. Lui non prenderà il Gaviscon dopo i pasti, non avrà rami secchi che marciscono, saprà scegliere da solo la strada migliore e potrà dire la sua, anzi dovrà dire la sua.

Sul display del telefonino compare la risposta di Flor:

E che palle!
Non sto bevendo, mica sono scema!
Fratellone dovresti rilassarti e goderti la vita.
Ubriacati, scopa tanto, fatti una canna e ridi. Disegna di più e prenditi un cane.
Fai una cazzata nella tua vita!

«Ma che fai?» esclama Matilde.

«No, nulla, scusami» ribatto e lancio il cellulare sul divano.

La sto facendo una cazzata, Flò, anche se accogliere una

vita certo non lo è, e anche se l'ultima volta che sono stato a sentire il tuo consiglio per poco non finivo impalato.

Non so se tutto questo servirà a farmi sentire meglio, me lo auguro, però sai che cosa ho capito? Che la verità, a volte, si presenta mentre stai sorridendo o quando ti senti al posto giusto, e approfitta della tua ubriacatura per ricordarti che lei è lì già da un po' e tu non te ne sei accorto, troppo impegnato a girare a zonzo pur di non scorgerne la disarmante semplicità e cioè che alla fine ti accorgi di avere tutto ciò che hai sempre desiderato a un solo passo da te. Trascorriamo la vita a rincorrere una mancanza, e a stento ci accorgiamo di tutto il resto che è ai nostri piedi.

Fra qualche mese non ci sarà più la tristezza a svegliarmi.

Ci penserà mio figlio.

Ringraziamenti

Qualcuno ha detto che se non cambiasse mai nulla non ci sarebbero le farfalle. È trascorso poco più di un anno dall'uscita del mio primo romanzo per Longanesi, eppure a me sembra un secolo, perché quando riempi la vita di vita il tempo sembra farsi da parte. Quindici mesi fa non avevo la minima idea di quello che sarebbe successo. In quest'anno ho percorso più di cinquemila chilometri in auto, ho preso un'infinità di treni, due aerei, ho viaggiato in quindici regioni italiane e in Germania, ho partecipato a circa ottanta presentazioni, ho parlato in teatri, librerie, radio, tv, sale per conferenze, università, all'aperto e al chiuso, nei bar, nei ristoranti e in molti festival; davanti a decine di persone o solo davanti a due, con la giacca e il maglione o con la polo, al mare e in montagna. Ho vinto due premi. Ho conosciuto più gente che negli ultimi dieci anni. Ho stretto tante amicizie. Mi hanno scattato più foto in posa che nella mia intera vita. Ho cenato in mille posti diversi, con persone sempre diverse. Ho dormito in alberghi a cinque stelle, bed and breakfast, agriturismi e camere ammobiliate. Ho ricevuto e donato tanti sorrisi. Ho scritto questo romanzo. Sono diventato padre.

Il mio primo grazie va a mia moglie Flavia, che un giorno afoso di luglio mi condusse al mare mentre ascoltava la lunga storia di Erri. Questo libro è anche per te, che non mi hai mai fatto sentire « mezzo ».

Grazie a Stefano Mauri, per le belle parole e per avermi accolto con affetto e amicizia nella sua grande famiglia.

Un grazie speciale a Cristina Foschini, che con la sua dolcezza è entrata in punta di piedi nella mia vita per aiutarmi a ritrovare il sorriso.

Grazie alla «mia» Silvia Meucci. La vita è un continuo attendere qualcosa di importante. Tu sei stata una delle attese migliori.

Grazie ad Alberto Suarez, che vigila su di me da lontano.

Grazie a Giuseppe Strazzeri, per tutto quello che ha fatto per me e per questo libro. E perché sai riempire gli spazi con il tuo animo gentile.

Grazie a Guglielmo Cutolo, il mio editor, per il suo sguardo che sa vedere in profondità, per i preziosi consigli e per l'arguta ironia con la quale dissimula la sua sensibilità. E per l'enorme mole di lavoro al quale lo costringo a causa della mia fantasia che non riesco a tenere a freno. Non ti preoccupare, per un po' me ne starò buono. Solo per un po'.

Grazie ad Alessia Ugolotti e Patrizia Spinato per essersi prese cura con affetto e attenzione del mio romanzo.

Grazie a Raffaella Roncato, che ha creduto da subito in me ed Erri, a Tommaso Gobbi e Valeria Veronesi, per il tempo che mi dedicate. E a tutta la famiglia Longanesi, per il grande lavoro quotidiano.

Grazie a Gianluca, per le parole di affetto che mi dice quando è ubriaco.

Grazie ai miei nonni, che mi hanno fatto sentire importante. E ai miei zii, per lo stesso motivo.

Grazie alla mia *cana* Greta, che mi ricorda ogni giorno l'importanza delle piccole cose.

Grazie a Francesco, che c'è stato quando doveva esserci. Ho letto da qualche parte che non c'è bisogno di avere figli per essere madri. Tu i figli ce li hai, ma saresti stato padre anche senza.

Grazie ai tanti librai che mi hanno accolto con entusiasmo e che in questo anno mi hanno supportato e invitato, che hanno adottato Cesare e consigliato *La tentazione di essere felici*. Senza di voi, tutto questo non sarebbe stato possibile.

Grazie anche ai tanti blogger che hanno parlato bene del mio libro. Le vostre parole sono state linfa vitale.

Grazie di cuore ai miei lettori, a tutti voi che, in giro per l'Italia, mi avete riempito di affetto, messaggi, e-mail, lettere, fogli stropicciati, poesie, pensieri, abbracci, racconti privati, fotografie. Senza la vostra grande passione per la lettura, questa enorme giostra sarebbe spenta. Spero di non aver tradito la vostra fiducia con la storia di Erri e delle sue stravaganti famiglie.

Un ultimo grazie è per tutti quelli che hanno scelto di condividere anche solo una piccola parte di strada con me.

Dicono che per cambiare la propria vita occorra un lungo percorso introspettivo, oppure il sopraggiungere di un evento esterno di grande forza. A me è arrivata la scrittura. Che, al contrario, è qualcosa di interno. Perché è sempre dall'interno che nasce l'energia che rompe il guscio, il bozzolo e libera la farfalla. Alla prossima storia.

Ah... dimenticavo: la mia famiglia non è né nella trama, né nei personaggi, semmai è nei dettagli.

Lorenzo Marone
La tentazione di essere felici

Cesare Annunziata potrebbe essere definito senza troppi giri
di parole un vecchio e cinico rompiscatole. Settantasette anni,
vedovo da cinque e con due figli, Cesare è un uomo che ha deciso
di fregarsene degli altri e dei molti sogni cui ha chiuso la porta
in faccia. Con la vita intrattiene pochi bilanci, perlopiù improntati
a una feroce ironia, forse per il timore che non tornino. Una vita
che potrebbe scorrere così per la sua china, fino al suo prevedibile
e universale esito, tra un bicchiere di vino con Marino, il vecchietto
nevrotico del secondo piano, le poche chiacchiere scambiate
malvolentieri con Eleonora, la gattara del condominio,
e i guizzi di passione carnale con Rossana, la matura infermiera
che arrotonda le entrate con attenzioni a pagamento per i vedovi
del quartiere. Ma un giorno, nel condominio, arriva la giovane
ed enigmatica Emma, sposata a un losco individuo che così poco
le somiglia. Cesare capisce subito che in quella coppia c'è qualcosa
che non va, e non vorrebbe certo impicciarsi, se non fosse
per la muta richiesta d'aiuto negli occhi tristi di Emma...

www.tealibri.it

Visitando il sito internet della TEA potrai:
- **Scoprire subito le novità dei tuoi autori
  e dei tuoi generi preferiti**
- **Esplorare il catalogo on-line trovando descrizioni
  complete per ogni titolo**
- **Fare ricerche nel catalogo per argomento,
  genere, ambientazione, personaggi...
  e trovare il libro che fa per te**
- **Conoscere i tuoi prossimi autori preferiti**
- **Votare i libri che ti sono piaciuti di più**
- **Segnalare agli amici i libri che ti hanno colpito**
- **E molto altro ancora...**

www.illibraio.it

Il sito di chi ama leggere

Ti è piaciuto questo libro?
Vuoi scoprire nuovi autori?

Vieni a trovarci su **IlLibraio.it**, dove potrai:
- scoprire le **novità editoriali** e sfogliare le prime pagine **in anteprima**
- seguire i **generi letterari** che preferisci
- accedere a **contenuti gratuiti**: racconti, articoli, interviste e approfondimenti
- **leggere** la trama dei libri, **conoscere** i dietro le quinte dei casi editoriali, **guardare** i booktrailer
- iscriverti alla nostra **newsletter settimanale**
- unirti a **migliaia di appassionati** lettori sui nostri account **facebook**, **twitter**, **google+**

« La vita di un libro non finisce con l'ultima pagina. »